Читайте все романы Александры МАРИНИНОЙ:

Адрес официального сайта Александры Марининой
В Интернете http://www.marinina.ru

АЛЕКСАНДРА МАРИНИНА

КАЖДЫЙ ЗА СЕБЯ

Москва 2003

УДК 882
ББК 84(2Рос-Рус)6-4
М 26

Оформление серии художника *А. Рыбакова*

Маринина А. Б.

М 26   Каждый за себя: Роман. — М.: Изд-во Эксмо, 2003. —
416 с.

ISBN 5-699-04053-6

Каждый сам за себя, каждый одержим своим — кто безрассудной любовью, кто ненавистью, которая не дает дышать. И каждый бесконечно одинок в скорлупе собственного «я». Особенно остро переживает свое одиночество Вероника, врач, волею обстоятельств ставшая домработницей в большой, обеспеченной и сложной семье. Здесь у всех свои проблемы, свои амбиции, свои счеты друг с другом. И только ли в этой семье так — разве где-то в огромном мегаполисе, легко перемалывающем судьбы людей, жизнь устроена иначе? Веронике надо выжить, уцелеть в этом холодном и жестоком мире. Но оказывается, чтобы выжить, надо непременно помогать — пусть и тайно — другим, чужим и чуждым, в сущности, людям. А добро — вещь наказуемая. Вот и оказалась Вероника в мрачном чулане, в двух шагах от гибели, с почти уже нереальной надеждой, что во мраке ее отчаяния внезапно зажжется спасительный огонь...

УДК 882
ББК 84(2Рос-Рус)6-4

Глава 1

В ДОМЕ НАПРОТИВ

Он ненавидел этот дом, и эту квартиру, и эту комнату, и кухню, и ванную с туалетом. И коридор он тоже ненавидел. И грязную лестничную площадку, и вонючий подъезд, и щербатые ступени, и ободранные перила. Все это было так не похоже на то, к чему он привык. Конечно, утешало то, что здесь он ненадолго, во всяком случае, не навсегда, это уж точно. Но все равно он ненавидел и квартиру в целом, и каждую мелочь в ней, и эта ненависть душила его и мешала спать. Каждое утро он просыпался ни свет ни заря, задолго до треска будильника, наспех умывался, завтракал — сам, даже мать не будил — и убегал в институт. И куда только девалась его любовь поспать подольше! На все готов, лишь бы побыстрее уйти отсюда.

Он и из института приходил бы поздно вечером, но родители не поймут. И не простят. Он нужен дома. Он это понимал. Он нужен отцу, маме, нужен своему брату, который все еще в'больнице и неизвестно когда оттуда выйдет. Есть ненависть, которая не дает дышать. И есть чувство долга перед близкими и любовь к ним, которая заставляет делать вдох, выдох и жить дальше. Жить здесь, в этой квартире, пропитанной чужим духом — духом бедности, беспробудного пьянства и беспросветного горя. Вообще-то, он не знал людей, которые жили здесь прежде, но отчего-то был уверен, что непременно были и пьянство, и горе, и скандалы. Тот, кто живет в ТАКОЙ квартире и в ТАКОМ доме, просто не может быть счастлив.

Матери повезло, она нашла работу в какой-то фирмочке, крохотной, но все-таки с зарплатами повыше государственных, а в свободное время еще по ученикам бегает, натаскивает их по немецкому языку. Дома почти не бывает, даже в выходные у нее уроки, так что ей все равно, в какой квартире жить, она здесь только душ принимает и спит. А вот отец проводит в этой дыре целые дни. И как он выдерживает?

Допил чай, стал засовывать в сумку учебники и тетради и снова, как и каждый день, натолкнулся на мысль: а что было бы, если бы он поступал в другой институт? Не в экономический, а в технологический, вместе с братом-близнецом? Как бы тогда все сложилось? Так же или по-другому? Они, совершенно непохожие друг на друга, всю жизнь были вместе, впервые расстались только на вступительных экзаменах, потому что выбрали для себя разные вузы. Костя, плечистый и сильный, всегда защищал более хрупкого и нежного Вадика, опекал его и вел себя как старший, хотя старшинство его исчислялось всего несколькими минутами. Они и по характеру различались: Костя решительный и жесткий, а Вадик обидчивый, сентиментальный и доверчивый, как девочка. Костя был уверен, что без него братишка пропадет. Так и вышло... И каждое утро, собирая учебники, Костя корил себя за то, что не плюнул на экономику и не подал документы в тот институт, куда поступал Вадик. Как он мог оставить брата одного, без помощи и поддержки? В том, что случилось, есть и его вина, Костина, и теперь нужно сделать все возможное, чтобы ее искупить. Поэтому никаких гулянок с сокурсниками, никаких девочек, ночных клубов и Интернет-кафе, после занятий сразу домой, помогать отцу. Вечером — к Вадьке в больницу, отвезти ему книги, развлечь общим трепом и снова назад, в эту ненавистную квартиру, в этот ненавистный дом, стоящий на этой ненавистной улице.

НИКА

Девочка Элли из «Волшебника Изумрудного города» шла к свой цели по дороге, вымощенной желтым кирпичом. Интересно, какими булыжниками выложена дорога, по которой иду я, Ника Кадырова? Некоторое время назад мне казалось, что под ногами симпатичненькая тротуарная плитка, и по ней я легким прогулочным шагом под ручку с любимым мужем дошагаю до спокойной размеренной жизни, которую ведет замужняя дама, уверенная в завтрашнем дне. Теперь, однако, меня одолевают сомнения. Да что там сомнения — никаких сомнений уже нет, есть горькое понимание того, что меня столкнули в канаву, и как я буду из нее выбираться — никого не интересует.

Мой муж Олег меня бросил. Вот так просто и банально... После шести лет жизни в гражданском браке он уговорил-таки меня расписаться, а спустя еще несколько месяцев ушел к другой женщине. В принципе, ситуация типичная, ничего особенного, тысячи женщин остаются одни именно так: неожиданно и после долгих лет жизни в любви и согласии. Но в моем случае имелись некоторые нюансы.

Нюанс первый: для меня уход Олега был неожиданностью в самом прямом смысле этого слова, я не кривлю душой и не пытаюсь обманывать саму себя. Когда у мужа появляется другая женщина, существуют сотни признаков, как мелких, так и весьма заметных, по которым даже не очень внимательная жена может заподозрить неладное. Ну что я вам рассказываю? Будто сами не знаете... У меня не было возможности ничего заметить, потому что меня не было в Москве. На протяжении пяти месяцев я находилась в Ташкенте, где выхаживала свекра после инфаркта. Я очень люблю родителей Олега, они чудесные старики, и, конечно, когда свекор заболел, Олег тут же отправил меня к нему. А кого же еще посылать к тяжелобольному старику? Только Нику, которая, во-первых, врач и, во-вторых, все равно не работает, так что отпрашиваться у начальства или брать отпуск за свой счет ей не нужно.

Старика я выходила. И, вернувшись в Москву, в первый же вечер услышала радостную новость о том, что мы с Олегом больше не будем жить вместе. Выложенная тротуарной плиткой дорожка оборвалась неожиданно, и о том, что она упирается в канаву, меня не предупредили. Вот я и шагнула...

Нюанс второй: я не являюсь полноценной гражданкой России. У меня узбекский паспорт и справка из российского посольства в Узбекистане о том, что я оформляла российское гражданство. И никому почему-то не интересно было вникать в то, что российский паспорт мне в Ташкенте не выдали, потому что бланков не было. Их не было довольно долго, почти год, а потом я продала свою ташкентскую квартиру, и мы с Олегом переехали в Москву, куда его давно звали друзья. С его специальностью в Москве можно было устроиться на интересную и прилично оплачиваемую работу, в Ташкенте же перспектив не было никаких. И мы уехали. Олег со своим замечательным российским паспортом, который он успел оформить, когда бланки еще были, сразу нашел работу, и зарплата у него была такая, что можно было не дергаться по поводу моего трудоустройства. Мы снимали квартиру, наша хозяйка — дай ей бог здоровья — зарегистрировала нас по своему адресу, и я сидела дома и варила Олегу борщи. А чем еще я могла заняться без российского паспорта и без прописки?

И вот когда на меня рухнуло известие о неземной любви моего мужа, я с тем и осталась: с отсутствием паспорта, с отсутствием прописки и с отсутствием средств к существованию. Платить за жилье мне нечем, поскольку нет работы и зарплаты, а работы нет, поскольку нет прописки и паспорта. Мой узбекский паспорт никому в Москве оказался не нужен, да и справка из посольства отчего-то ни у кого энтузиазма не вызывала. Более того, когда я еще не осознала всей глубины канавы, в которую шмякнулась, я предпринимала довольно неловкие попытки подняться и вылезти с наименьшими потерями, кинувшись в паспортный стол с вопросом о том, как мне оформить паспорт. Меня подняли на смех, а справочку мою назвали филькиной грамотой, к тому же недействительной. Более вразумительного ответа я не получила. Зато получила ценный совет, выцеженный сквозь зубы паспортисткой в перманенте: купить квартиру, получить прописку, тогда, может быть, и справку примут во внимание, и паспорт дадут.

Да, моя канавка оказалась куда глубже, чем я предполагала. Наивная... Я-то думала: получу паспорт, устроюсь на работу, все-таки я много лет проработала на «Скорой помощи», и с трудоустройством проблем не будет. Сниму какое-нибудь сверхдешевое жилье вроде комнаты в коммуналке в ветхом доме. И начну заново выстраивать свою жизнь, потихоньку, маленькими шажочками. Ан нет, Вероника Амировна, обломалось вам.

Сидела я в своей грязной глубокой канаве и озиралась по сторонам в поисках тропинки, по которой мне придется ползти дальше. Тропинка первая — вернуться в Ташкент, хотя квартиру я продала и жить мне там негде, но зато на работу возьмут без вопросов. Тропинка вторая — остаться в России и попытаться как-то выкрутиться. Но как?

Смехотворность ситуации заключалась еще и в том, что если для москвичей, равно как и для жителей любого другого российского города, я была и есть «приезжая нацменка» Вероника Амировна Кадырова, несмотря на типично славянскую внешность, то для узбеков я была и останусь русской, несмотря на узбекский паспорт. Был в моей жизни момент, когда можно было пойти по одной из двух дорог. По рождению я Вероника Андреевна Мельникова, так было записано в свидетельстве о рождении, и родители мои были русскими. Когда мне было шесть лет, мама вышла замуж второй раз, и отчим-узбек меня удочерил. Меня, само собой, никто не спрашивал, да если бы и спросили, вряд ли я смогла бы дать осмысленный ответ, ведь своего родного отца я не знала и никогда не видела. Мне сменили документы, и я превратилась в Веронику Амировну Кадырову. Дорогу за меня выбрали взрослые, я могла остаться Мельниковой, но они решили, что лучше пусть я буду Кадыровой. И вот эта выбранная ими дорога привела меня к тому, к чему привела. Я, в общем-то, понимаю ту паспортистку в перманенте: стоит перед ней тетка с отчеством Амировна и с фамилией Кадырова и утверждает, что она русская и у нее есть российское гражданство. Ну как тут поверить? Ясное дело, что справка о гражданстве липовая. И никаких документов о том, что по рождению я Мельникова, у меня, естественно, нет.

Правда, дорога, проложенная мамой и отчимом, привела меня к Олегу, которого я очень любила и с которым была счастлива, а если бы я осталась Мельниковой, то неизвестно, как сложилась бы моя жизнь. Может, лучше. А может, и хуже. Нам знать не дано.

Потом был еще один момент, когда я могла принять решение и выбрать одну из двух дорог. Это была регистрация нашего с Олегом брака. Можно было сменить фамилию и стать Вероникой Седых. Можно было остаться Кадыровой. И почему я не взяла фамилию мужа? Все-таки легче было бы. Паспорт у меня был бы по-прежнему узбекским, но хоть фамилия была бы в нем русская. Впрочем, еще неизвестно, куда меня привела бы та невыбранная дорога. Возможно, канава, в которой я очутилась, оказалась бы еще глубже и грязнее. Нам знать не дано.

Я вообще люблю эту тему — тему дорог, которые мы выбираем. Началось все давно, когда мне было лет семь или восемь. Мама нарядила меня в красивое платьице, повязала в волосах роскошный бант и повела в театр на детский спектакль. Как я ждала этого дня! И вот дождалась. Мы, такие нарядные и радостные, вышагиваем в театр. А навстречу, как назло, топал мой заклятый враг одноклассник Мишка. Я успела заметить взгляд, который он кинул сначала на мое чудесное платьице, потом на лужу... Это уже потом, много лет спустя, у меня выработалась мгновенная реакция, без которой на «Скорой помощи» просто нечего делать, а тогда я ничего не успела предпринять, и через какую-то секунду мое восхитительное голубое платье пришло в такой вид, что ни о каком театре не могло быть и речи. Я ревела во весь голос, мне было не только обидно оттого, что я не увижу спектакль, но и отчаянно стыдно, потому что люди оглядывались на меня и, наверное, думали, что я нищая замарашка. Я попросила маму отвести меня домой закоулками. Мама искренне жалела меня и старалась утешить, как могла.

— Смотри, Ника, какие красивые цветы, — сказала

она, показывая мне желто-фиолетовые ирисы, росшие за забором в чьем-то садике.

Я тут же забыла о своем горе и уставилась на это чудо. Прежде я никогда не видела ирисы, и цветы показались мне просто волшебными.

— Если бы мы с тобой не пошли по этой улице, — продолжала мама, — ты бы не увидела эти сказочные цветы. А мы ни за что не пошли бы по этой улице, если бы Миша не испортил твое платье. Так что давай не будем на него сердиться, лучше скажем ему спасибо.

— Если бы он не испортил платье, я бы сейчас смотрела спектакль, — возразила я, все еще всхлипывая.

— Мы можем пойти в театр в следующее воскресенье, но ты никогда не оказалась бы на этой улице и не увидела бы ирисы, если бы не Миша. Понимаешь?

Как ни странно, я поняла. И с тех пор все события в своей жизни, даже самые малозначительные, обдумывала и оценивала с точки зрения дороги, по которой меня вынуждали идти эти события. Вся человеческая жизнь представлялась мне в виде постоянно разветвляющихся тропинок, и на каждой развилке — момент принятия решения, момент выбора, порой совсем простого и очевидного, порой сложного и мучительного, а порой и просто по принципу «чет-нечет», потому что совершенно неясно, каковы будут последствия того или иного выбора, ты ничего не можешь спрогнозировать и принимаешь решение наугад. Это как в преферансе, когда противник играет мизер и ты знаешь, что при раздаче и после взятия прикупа у него оказались три ловленые карты. Две он снес, одну оставил, но какую? Угадаешь, какую карту он оставил, — заставишь его взять взятку, а то и целый «паровоз», не угадаешь — он эту карту снесет и сыграет свой мизер. И вот начинаешь вдвоем с партнером гадать, что же именно игрок снес, а что оставил. Бывает, что помогает логика. А бывает, что и нет. И приходится просто гадать, как монетку подбрасывать.

Но это так, к слову. Экскурс в детство. Сейчас я уже взрослая, мне тридцать шесть лет, и сижу я в своей неуютной канаве и гадаю, то ли в Москве остаться, то ли в Ташкент возвращаться. И в том, и в другом решении есть свои плюсы и огромное количество минусов. А времени для принятия решения все меньше и меньше, через два месяца закончится срок последней полугодовой регистрации по адресу моей квартирной хозяйки. Хорошо хоть у Олега совести хватило заплатить ей за два месяца вперед, чтобы у меня было время на разгон. Но разгоняться можно только по дороге или, на худой конец, по тропинке, сидя в канаве, не больно-то разгонишься.

После месяца беготни по инстанциям с подъемом в четыре утра, чтобы в пять уже занять очередь, оказаться тысяча триста пятнадцатой и к концу рабочего дня убедиться, что тебя не примут или в очередной раз откажут, я поняла, что с паспортом и гражданством мне никак не прорваться. Надо было искать какой-то другой путь. И мне показалось, что я его нашла. По крайней мере, теоретически.

Мне нужно устроиться домработницей с проживанием. Тогда будет крыша над головой и зарплата. А если будет место, где спать, и деньги, чтобы жить, можно постепенно решать вопрос с оформлением своего гражданского статуса. Но для этого надо найти семью, где не будут обращать внимание на неопределенность этого самого статуса и на отсутствие российских документов. Идея показалась мне совершенно гениальной, и я утвердилась в своем мнении, взяв газету «Из рук в руки» и обнаружив не менее десятка объявлений о том, что требуется «помощница по хозяйству с проживанием к больному человеку». К больному! А я врач. Конечно же, у меня есть все шансы быть нанятой на такую работу.

Но меня ждало разочарование. И какое! Оказывается, великорусские шовинисты сидят не только в паспортных столах и миграционных службах.

— Как вас зовут? — доброжелательно спросили меня, когда я позвонила по первому из отчеркнутых в газете номеров.

— Вероника.

— А полностью?

— Ну что вы, можно просто Вероника, — глупо ответила я, потому что выяснилось, что истинный мотив вопроса остался мною не угадан.

— Назовите имя полностью, — голос в трубке заметно посуровел.

— Вероника Амировна Кадырова.

— Извините, вы нам не подходите.

Вот так. Но я еще тешила себя надеждой, что случайно нарвалась на людей, предпочитающих русскую домработницу. После восьмого звонка стало понятно, что ничего случайного тут не было. Из восьми телефонных разговоров в двух меня напрямую назвали «нацменкой», а в одном, услышав мою фамилию вместе с отчеством, заявили:

— Да вы с ума сошли! И не звоните сюда больше.

В одной семье, кажется, пятой по счету, благосклонно выслушали мой послужной список и вежливо поинтересовались, почему это медик с высшим образованием ищет такую малопрестижную работу. Врать я не стала. Какой смысл говорить неправду? Если я совру и меня возьмут, то все равно придется показывать документы, и уж тут-то меня сразу выпрут пинком под зад. Если не за отсутствие статуса, то за вранье.

— Жаль, — вздохнула женщина на том конце провода, — а я уж было обрадовалась, что нашла человека для нашей бабушки.

Мне тоже было жаль. Ну ничего, на следующей неделе выйдет новый выпуск «Из рук в руки», там тоже будут объявления, и может быть, мне повезет.

Следующий выпуск газеты меня ошарашил. Из двенадцати объявлений о помощницах по хозяйству с проживанием девять оказались теми же, что и в предыдущей газете. По этим номерам я уже звонила. Мне как-то в голову не приходило, что объявления повторяются из номера в номер на протяжении длительного времени. На звонки по оставшимся трем новым номерам ушло около часа. Результат оказался вполне прогнозируемым, женщина с узбекским именем и узбекским паспортом нужна не была. До следующего выпуска газеты, в котором может оказаться хотя бы один новый номер телефона, оставалась неделя. А до момента, когда мне придется освободить квартиру, этих недель оставалось всего три.

Разумеется, я пыталась решить свою проблему через фирмы, которые как раз и занимаются предоставлением населению услуг сиделок и домработниц, но ни в одной из них со мной даже разговаривать не стали. Они работают только с теми, у кого есть московская прописка или хотя бы российский паспорт с регистрацией в любом российском городе.

Ну что ж, у меня была целая неделя на экспериментирование, ведь я врач «Скорой помощи», и у меня никогда не опускаются руки, пока есть хоть малейшая надежда. И если у больного нет денег, чтобы купить нужное лекарство, я напрягусь и придумаю, чем его заменить.

Целый день я красивым четким почерком писала объявления. Еще день был потрачен на то, чтобы расклеить их по всему городу. Я вышла из дома в шесть утра и вернулась в десять вечера, и мне казалось, что я целиком состою из двух огромных отекших ног, над которыми взгромоздился невероятных размеров желудок, истошно вопящий от голода. Теперь оставалось сидеть у телефона и ждать. Ждать нового выпуска газеты или реакции на мои объявления.

Газета вышла, в ней оказались четыре новых номера, но люди, отвечавшие по этим номерам, были все теми же: они не хотели иметь дело с приезжей «нацменкой» без прописки. И почему-то никто мне не звонил.

Миновала еще неделя, и мне пришло в голову, что нужно не мучиться принятием решения о выборе тропинки, а предоставить это судьбе. Если ей захочется, чтобы я осталась в Москве, за оставшиеся две недели она пошлет мне работодателей. Если она этого не захочет, то работу я не найду и через две недели вернусь в Ташкент. Говорят же, что судьба помогает тем, кто идет правильной дорогой. Вот я и узнаю, какая из двух дорог правильная.

За два дня до истечения срока аренды квартиры раздался звонок.

— Вероника?

Голос был женским и незнакомым, значит, по объявлению. Неужели?..

— Да, я вас слушаю.

— Вы давали объявление...

— Да-да, — торопливо подхватила я. — Все правильно, это я.

— Скажите, вы действительно врач?

— Да, я могу предъявить диплом и документы о квалификации. И трудовую книжку. Я работала на «Скорой помощи».

— А почему вас не устраивает работа в медицинском учреждении?

— Видите ли... Не буду скрывать, меня бросил муж, и мне негде жить. Устроиться домработницей с проживанием — мой единственный шанс выбраться из той ситуации, в которую я попала.

— Вы что, рассчитываете до конца своих дней прожить в чужой семье? — В голосе незнакомки явственно слышалась насмешка.

— Нет, я рассчитываю скопить денег на то, чтобы купить себе квартиру. Я умею жить экономно и на роскошное жилье не претендую, меня вполне устроит дальнее Подмосковье, там жилье дешевое, я узнавала.

— Вы прописаны в Москве?

Ну конечно, а как же иначе. Разве могло обойтись без этого вопроса, от которого у меня делаются судороги в волосах. Но врать нельзя.

— Нет.

— А где вы прописаны? Вы приезжая?

— Я из Ташкента. Русская из Ташкента. Мы с мужем снимали квартиру, но теперь он живет с другой женщиной, и мне нечем платить за жилье. А поскольку у меня нет прописки, устроиться на работу по специальности я не могу.

— Вы давно живете в Москве?

— Четыре года.

— И где работали все это время?

— Нигде. Муж хорошо зарабатывал. Да меня никуда и не взяли бы без прописки.

Сейчас она спросит меня про фамилию, и на этом мероприятие можно будет считать завершенным. Господи, как мне это надоело!

— Пятьсот долларов в месяц вас устроит?

Ну вот, судьба сделала выбор. Вернее, дала мне понять, какое из двух решений для нее предпочтительнее. Она хочет, чтобы я осталась. Ну что кривить душой, я ведь тоже этого хочу. Сказать честно, почему? Не потому, что мне так уж безумно не хочется возвращаться в Ташкент. А потому, что я все еще надеюсь: Олег вернется. Он ведь не попросил у меня развод, он просто сказал, что полюбил другую и уходит к ней. А вдруг это временное помрачение рассудка, которое случается с каждым мужиком в интервале от сорока до пятидесяти? Это так и называется: кризис среднего возраста. Помрачение пройдет, и он вернется. И нужно, чтобы я была в Москве в тот момент, когда он захочет меня увидеть.

Судьба оставляла меня в Москве, и в тот момент для меня это выглядело предупреждением и обещанием: жди, он вернется.

НА СОСЕДНЕЙ УЛИЦЕ

— Я запрещаю тебе так говорить о моем муже!

Напрасно она это сказала, ох, напрасно. Глупая, не понимает, что ему никто ничего не может запретить. Никто не имеет права своей властью запрещать лично ему что бы то ни было. Почему люди такие тупые? Почему они не понимают самых элементарных вещей?

Игорь молча распахнул входную дверь, снял с вешалки шелковый плащ и подал стоящей перед ним женщине.

— Я не хочу тебя видеть, — спокойно произнес он. — Уходи и больше не возвращайся.

— Игорь... — растерянно пробормотала она. — Игорь, ты что? Ты рассердился?

— Нет. Я просто не хочу тебя больше видеть. Уходи, — повторил он все так же спокойно.

— Но, Игоречек, это же глупо... Ты что, ревнуешь меня к мужу?

Она попыталась обнять его, но он резко отстранился.

— Ты такая же дура, как и все остальные. Убирайся!!! — неожиданно заорал он.

Вытолкнул ее на лестничную площадку и с грохотом захлопнул дверь. Идиотка. Впрочем, как и все бабы. Да и мужики не лучше. Каждый козел норовит присвоить себе власть господа бога и управлять чужими жизнями. Каждый придурок считает себя вправе устанавливать собственные правила игры и что-то кому-то разрешать или запрещать. Да кто они такие?!

Он ни секунды не сожалел о том, что выгнал свою

любовницу, более того, точно знал, что не примет ее, если она попытается снова прийти. Подумаешь, проблема, новую бабу найти проще простого. Игорь так и не уразумел до конца, что находят в нем женщины, ведь он так некрасив, и всю жизнь он был некрасивым и никогда не обольщался насчет своей внешности, однако телки западают на него, как говорится, на счет «три». Правда, у него есть деньги, но женское внимание с ними не связано, в этом Игорь не сомневался. На лбу у него не написано, что он богат, ездит он на скромненьких «Жигулях», а то и вовсе на метро, работает художником-оформителем в крупном издательстве. То есть вовсе даже не банкир и не звезда шоу-бизнеса. Деньги достались ему в наследство, большие, хорошие деньги, и тратил он их размеренно и аккуратно, чтобы хватило на долгие годы, не швырял и не проматывал, не шлялся по ночным клубам и казино.

У него было Дело. Если Дело требовало, Игорь мог потратить любую сумму, никакие деньги не казались ему слишком большими для его любимого Дела. А женщины... Что ж, он покупал цветы, маленькие подарки, если нужно — водил в ресторан, то есть ухаживал красиво, но без излишеств. И потом, женщины у него подолгу не задерживались, он легко сходился с ними и так же легко расставался через три-четыре месяца, а то и раньше. Все зависело от того, сколько времени очередной возлюбленной удавалось принимать его таким, какой он есть, не произнося сакраментальных слов «я запрещаю тебе...». Некоторые, совсем уж дуры, ухитрялись сказать это уже на второй день, и им тут же указывали на дверь. Но в основном, Игорь заметил, попытки что-то запретить начинались через три-четыре месяца. Вероятно, именно столько длится у женщин инкубационный период, в течение которого вызревает и оформляется мысль о том, что этот парень (то есть он, Игорь Савенков) уже никуда не денется и можно начать лепить из него то, что, по мнению женщины, ее в наибольшей степени устроит. Игорь не был самодуром и при первом «я запрещаю тебе...» мягко объяснял, что никаких запретов, кроме божеских, отраженных в Уголовном кодексе, не признает и просит больше так не говорить. При втором же произнесении заветных слов прекращал отношения. Ну в чем дело, в конце-то концов? Он же ясно все объяснил, русским языком. Она что, тупая? Или глухая? Ни тупых, ни глухих ему не нужно, пусть катится куда подальше.

Игорь медленно обошел квартиру, заглядывая в каждую комнату, в кухню, в ванную. Его дом — его дворец, не крепость, а именно дворец. Он царствует здесь безраздельно, он ни от кого здесь не прячется, он просто живет, но живет по своим законам и не позволяет никому соваться сюда с собственным уставом. Нет, не жаль ему ушедшей женщины и разорвавшихся отношений. Ушла эта — придет другая.

Остановился перед зеркалом и окинул себя привычно критическим взглядом. Ничего хорошего, и глаза невыразительные, и нос слишком большой, и волосы какие-то не такие... Совсем не красавец. Но бабам отчего-то это не мешает. Наверное, есть в нем что-то эдакое, что компенсирует и отсутствие мужской привлекательности, и довольно-таки средний достаток.

Он вошел в спальню, снял постельное белье и аккуратно сложил в большую спортивную сумку. Сегодня же надо отнести его в прачечную. Хотя белье, в сущности, совсем свежее, он постелил его только позавчера, но, коль эта женщина больше здесь не появится, белье следует снять и выстирать. И тщательно проверить всю квартиру на предмет дурацких мелочей, которые бабы обычно притаскивают в квартиры своих холостых любовников, всякие там халаты, зубные щетки, расчески и дезодоранты. Игорь таким образом вычищал свое жилище каждый раз после разрыва с очередной пассией. Он не был сентиментален, он был прагматичен. Во-первых, в доме не должно быть вещей, которыми никто не пользуется. Во-вторых, каждая такая вещь, будучи обнаруженной в неподходящий момент, может помешать развивающимся отношениям с новой подругой.

Уборка заняла почти полчаса, квартира большая, и нужно было проверить каждую полочку в каждом шкафу. Он не любил неожиданностей вообще, а неприятных — тем более. Мелочей, оставленных последней подругой, набралось почти на полный пакет, который без малейших сожалений был отправлен в мусоропровод. Вот теперь можно принять душ, переодеться, футболку и джинсы, к которым она прижималась своей надушенной одеждой, засунуть в стиральную машину.

И заняться наконец Делом.

НИКА

Из восьми живых душ, вверенных моему попечению, самым приличным был Аргон. Добродушный, спокойный и рассудительный, он был к тому же наделен потрясающей чуткостью и способностью к сопереживанию. Уже на второй день проживания в своем новом доме я с уверенностью отдала ему первое место по человеческим и душевным качествам. На этом почетном месте Аргон пребывает и по сей день.

Номером вторым шел Патрик. Абсолютно непослушный, но, как ни странно, отважный и честный. Сотворив какую-нибудь пакость, он не убегал и не прятался, а нагло смотрел на меня широко расставленными глазами и мужественно ждал наказания. Наказать его, по совести говоря, очень хотелось, или запереть в темный чулан, или отшлепать от всей души, но я пасовала перед его нахальной отвагой. Может, именно это безрассудное нахальство и подкупало меня, а может, дело было в том, что Патрик часто болел и мне постоянно приходилось заниматься его лечением, что, как известно, стимулирует чувство привязанности. Так или иначе, но он стоял в моей иерархии следующим после Аргона.

Третьей была Кассандра, она же Кася. Высокомерная, целомудренная и жеманная. Эдакая благородная девица из пансиона. С точки зрения общепринятой педагогики, у нее был один недостаток, всего один, но, на мой взгляд, существенный: она ябедничала. С чувством собственного достоинства и завидной методичностью Кася «стучала» на Патрика. Только на Патрика и никогда — на Аргона, которого, как старшего по возрасту, она снисходительно терпела. Патрика же, самого младшего, Кассандра ненавидела, и, как я подозреваю, ненавидела люто. Но, будучи особой элегантной и воспитанной, не позволяла себе проявлять свои чувства слишком уж демонстративно, ограничиваясь мелким доносительством. При этом была она так невыносимо красива, так совершенна и гармонична, что я прощала ей все. Я просто не могла на нее сердиться.

Эти трое — Аргон, Патрик и Кассандра — не воспринимали меня как прислугу, именно поэтому им были отданы первые три места в моем сердце. С остальными пятью жителями этой огромной квартиры дело обстояло куда сложнее.

На четвертом месте стоял Николай Григорьевич, или, как я его называла про себя, Старый Хозяин. Было у него еще одно прозвище, которое я, разумеется, никогда не произносила вслух: Главный Объект. Именно из-за его больного сердца семье Сальниковых и понадобилась помощница «с проживанием», желательно умеющая распознавать развивающийся приступ и оказывать первую помощь, а наличествующая язва желудка требовала жесткой диеты и, соответственно, человека, выполняющего функции поварихи и диетсестры. Главной моей задачей было не оставлять Старого Хозяина дома одного. Ни при каких условиях и ни под каким предлогом. Так, во всяком случае, сформулировали цель моего найма. Уже потом, спустя пару недель, я поняла, что на самом деле мне придется не просто следить за самочувствием Главного Объекта, но и охранять его от всяческих волнений и переживаний, которые могут спровоцировать приступ. Но это уже потом...

Семидесятилетний Николай Григорьевич был чудным стариканом, некапризным и неприхотливым. И очень больным. Это я вам как врач говорю. Он прожил длинную и во всех отношениях достойную жизнь, был долго и счастливо женат, овдовел всего год назад, и портрет его покойной супруги Аделаиды Тимофеевны висел в его комнате. О своей Адочке он мог рассказывать часами, и уже к концу первого месяца моего пребывания у Сальниковых я точно знала, что «при Адочке все было не так». Я слушала его рассказы, смотрела на портрет женщины с жестким взглядом и сурово поджатыми губами и делала выводы. Адочка держала семью в железном кулаке, при ней никто и пикнуть не смел, у каждого был свой круг обязанностей, за исполнение которых строго спрашивалось. Никогда не вставал вопрос, кому идти за хлебом или кому пылесосить ковры. Шестеро членов семьи были организованы в идеально отлаженный механизм, не дающий сбоев. Все любили друг друга, заботились друг о друге, и, конечно же, дедушка, сиречь Главный Объект, никогда не оставался один. Каждый день за ужином вся семья собиралась вместе, отсутствовать разрешалось только тем, кто пошел в театр или уехал в командировку или в отпуск. Даже поход в кино не считался уважительной причиной для отсутствия за ужином, ведь понятно, что театральные спектакли начинаются в семь вечера, и тут уж ничего не поделаешь, а в кино можно сходить и днем, и попозже вечером.

После смерти Адочки все пошло наперекосяк, и с этим бедный Николай Григорьевич никак не мог смириться. Он не понимал, почему так трудно стало устроить, чтобы кто-нибудь непременно был дома, почему вдруг оказывается, что нет хлеба или закончилось масло, и почему семья перестала собираться за ужином. Он не понимал... Но я-то понимала. Произошла нормальная реакция «отката». Сжатая до предела властной Адочкиной рукой пружина распрямилась и расшвыряла всех по разным углам. Теперь каждый член семьи, кроме Старого Хозяина, жил так, как хотел, им надоело быть винтиками в сложном механизме, сконструированном Аделаидой Тимофеевной, они возжелали побыть самостоятельными единицами. Всех всё устраивало, но... Был общий дом, который надо содержать в порядке. Была кухня, на которой желательно иметь приготовленную вкусную еду. Был дед. И с дедом надо сидеть. И никто не хочет жертвовать своими планами. Поэтому было решено пожертвовать деньгами и одной комнатой, бывшим кабинетом Адочки.

На пятом месте, следом за Николаем Григорьевичем, находился его сын Павел, Павел Николаевич Сальников. По моей личной классификации он относился к категории Гомеров, и не потому, что был гениальным рассказчиком или поэтом, а потому, что был Великим Слепцом. Я обожаю таких мужиков, они встречаются довольно часто и дают мне массу поводов для гомерического хохота. Правда, хохот этот бывает чаще горьким, нежели веселым, но все-таки... Великий Слепец — это человек, который категорически отказывается видеть то, что есть на самом деле. Это не дефект зрения, это характер такой.

С Великими Слепцами легко ладить, достаточно всего лишь не заставлять их видеть и понимать то, чего они видеть и понимать не хотят. Но бог мой, как же трудно с ними жить!

Наш Слепец являл собой красивого мужчину сорока четырех лет, начальника отдела в какой-то фирме, торгующей кондиционерами. С тем, чтобы угодить ему с кормежкой, у меня проблем не было, он все равно не видел, что лежит на тарелке, потому как питался, уткнувшись в телевизор. Ему было абсолютно безразлично, насколько тщательно вытерта пыль и есть ли потеки на оконных стеклах. Он не видел вокруг себя ничего, в том числе и меня. По-моему, он даже не понял, что в семье появилась домработница, во всяком случае, ни с какими просьбами и поручениями он ко мне не обращался, а если ему что-то было нужно, он либо покорно ждал, пока кто-нибудь ему это сделает, либо оставлял свою потребность неудовлетворенной. О том, чтобы сделать это самому, вопрос как-то не стоял. Помнится, в один из первых дней я подала ему после ужина чай и забыла положить ложечку, чтобы размешать сахар. Гомер минут пять молча сидел над дымящейся чашкой, не отрывая глаз от телевизионного экрана, и я очнулась только тогда, когда обнаружила, что он помешивает в чашке черенком вилки. А ведь мог или меня попросить, или оторвать задницу от стула и сам взять ложку. Никто не принес — ладно, обойдемся... Главное, чтобы его никто не трогал, чтобы никто не приставал, чтобы ни с кем не нужно было разговаривать. Из рассказов Старого Хозяина я уже знала, что «при Адочке» ежевечерние отчеты о прошедшем дне были обязательными, при этом особо пристальное внимание уделялось именно сыну, он являлся для матери первоочередным объектом критики, ему без конца давались советы, и ему постоянно предъявлялись всяческие требования. И вот результат. Теперь Великий Слепец не стремится ни во что вникать и не хочет, чтобы к нему лезли.

Зато жена у Гомера более чем зрячая. Она не просто все видит, она видит даже то, чего и в природе-то нет. Знаете, есть такая категория людей, которые во всем сразу подозревают наихудшее. Если пошел дождь, то он непременно «будет теперь идти всю неделю», а если кто-то сказал комплимент, то к гадалке не ходи — «подлизывается, ему от тебя что-то нужно». У таких людей рюмка водки, выпитая после прогулки на тридцатиградусном морозе, — прямой путь к алкоголизму.

Вообще-то, Наталья Сергеевна мне нравится, во всяком случае, в ней нет ничего такого, что вызывало бы у меня явственное отторжение. Да, она относится ко мне как к прислуге, заваливает массой указаний и поручений, но ведь это моя работа, я за нее деньги получаю. Так что я не в претензии. И потом, она все-таки помнит, что прислуга — это не порода домашних животных и не разновидность бытовой техники, прислуга — это наименование должности, в которой состою я, Ника Кадырова. И у меня, как и у любого человека, есть такие вещи, как настроение, состояние здоровья, желания и потребности. Мадам (именно так я зову про себя Наталью) все это понимает и даже иногда пытается с этим считаться. Правда, далеко не всегда у нее это получается.

На двух последних местах в моей иерархии стоят детки — студент Денис и школьница Алена. Эта парочка на удивление быстро приспособилась к тому, что в доме есть домработница. Денис — сын Натальи от первого брака, отчество у него Владимирович и фамилия — Писаренко, а не Сальников. Алена же общая дочь Гомера и Мадам. Как эти двое меня достали... В страшном сне не приснится.

* * *

Самое трудное в моей новой работе — пережить утро в будний день. Первым, около половины восьмого, уходит Денис, ему долго добираться до института. В восемь двадцать убегает в школу Алена, без четверти девять отбывает Гомер, последней отплывает Мадам. К моменту ее ухода я должна успеть не только покормить всех завтраками (каждого — в свое время и по индивидуальному меню), но и выгулять Аргона, и сходить в магазин, и купить все, что нужно на предстоящий день. Это не зверство хозяев, а суровая необходимость: когда все разойдутся по местам службы и учебы, я не смогу уйти и оставить

Николая Григорьевича одного. Таково было самое первое и главное условие моего найма.

Утреннее кормление личного состава — это целая эпопея, расскажу подробнее, чтобы было понятно. Старый Хозяин просыпается в шесть утра, минут через десять, после того, как он умоется и побреется, я должна принести ему чай с какой-нибудь плюшечкой, намазанной маслом. В семь питается Денис, причем обильно так, от души, котлетой или куском мяса с гарниром, желателен салат. В восемь кормится Алена, но назвать это кормлением можно с большой долей условности. Девица помешана на манекенщицах и стремится стать такой же худой и плоской, как они, для чего, по ее мнению, нужно не есть вообще, а если что-то принимать внутрь, то исключительно руководствуясь рекомендациями опытных «похудистов». Завтрак Алены состоит из стакана кефира нулевой жирности и куска подсушенного в тостере «Бородинского» хлеба. Никакой другой кефир и никакой другой хлеб тут не проходят, и если я не обеспечу наличие требуемого продукта, будущая манекенщица уходит в школу голодной и с таким выражением на лице, какого вам, дорогие мои, лучше не видеть. И, разумеется, вечером мамочке всенепременно будет сообщено о том, что домработница не позаботилась о завтраке, и вообще неизвестно, чем она целыми днями занимается и за что ей деньги платят. Я ничего не выдумываю, своими ушами слышала.

В восемь пятнадцать в кухню вступает Гомер, который ест, в принципе, то же самое, что и Денис, только все это нужно снова греть. Без четверти девять, проводив нежной улыбкой мужа и закрыв за ним дверь, выплывает в шелковом пеньюаре Мадам, истово борющаяся за сохранение и максимальное продление молодости и красоты. Отсюда и требования к завтраку: овсяная каша на воде, несколько кусочков свежего ананаса (купить и почистить который должна я), салат, состоящий из салатных листьев, горсти сухих овсяных хлопьев и черной смородины или любых мелко порезанных фруктов, содержащих витамин С. Плюс сваренный в турке кофе без кофеина.

С моей точки зрения, в таком завтраке не было ни

малейшего смысла, я не спорю с полезностью овсянки, но если присутствует каша, то зачем еще и сухие хлопья? И если есть ананас, в котором витамина С выше крыши, то к чему салатные изыски? Но первая же моя попытка объяснить это Мадам натолкнулась на жесткую позицию: «Вы, Ника, не диетолог и ничего не понимаете». Я пробовала разговаривать и с Аленой по поводу того, что, кроме обезжиренного кефира и высушенного хлеба, существует масса других продуктов, столь же малокалорийных и неопасных для объемов талии. Ответ был таким же категоричным, но куда менее вежливым. И только длительные беседы со Старым Хозяином вразумили меня. Все дело было в Адочке, которая искренне полагала, что только она одна знает, как правильно питаться, и заставляла всю семью съедать по утрам обильные и калорийные завтраки, причем непременно с супом. Теперь же народ пошел вразнос, и если мужчины просто набивали утробу, то женская часть населения следовала вычитанным в дамских журналах полушарлатанским рекомендациям. И потом, суп на завтрак — это так провинциально! Мы же хотим быть европейскими людьми... Откуда в их головах появилось такое представление о провинциальности и европейскости — сказать трудно. Но оно появилось, пустило корни и расцвело, и с этим уже ничего не поделаешь.

Поход в круглосуточный магазин можно совмещать с выгулом Аргона, но в какой промежуток времени воткнуть это мероприятие? Между чаем Старого Хозяина и котлетами Дениса? Или между котлетами и обезжиренным кефиром? И в том, и в другом случае у меня примерно пятьдесят минут, в течение которых нужно быстренько одеться, домчаться до магазина, все купить, примчаться, раздеться и спроворить очередной завтрак.

Я пыталась экспериментировать, например, ходила в магазин вечером, когда хоть кто-то приходил домой. В этом был свой резон, но и свои сложности. Однажды я решила воспользоваться тем, что Алена явилась после школы, пообедала и устроилась в гостиной с книжкой, а не собралась, как обычно, куда-нибудь с подружками.

— Ты побудешь дома в течение часа? Я схожу в магазин.

— Я через десять минут ухожу, — ответила Алена, не поднимая глаз от книги.

Через полчаса, закончив на кухне лепить пирожки с мясом, я заглянула в гостиную. Алена сидела в той же позе и, судя по всему, никуда не собиралась.

— Я не поняла, ты будешь дома или уходишь? — настойчиво спросила я. — Мне нужно выкроить время, чтобы сходить в магазин, я утром не успеваю.

— Я жду звонка, — холодно ответила она. — Как только мне позвонят, я тут же пойду.

«Как же, позвонят тебе, — сказала я маленьким язычком. — Никто и не собирается тебе звонить. Тебе просто нравится чувствовать, что я, взрослая тетка с высшим образованием, попала в зависимость от такой сопли, как ты».

А большим языком произнесла:

— Если тебе позвонят и выяснится, что тебе не нужно уходить прямо сейчас, ты меня, пожалуйста, поставь в известность. Я все-таки хотела бы сходить в магазин.

— Ничего, не убежит ваш магазин. Сходите, когда мама или папа придут. Или Дениска.

Хороший ответ. Папа раньше девяти не является, и его нужно будет сразу же кормить. Мама — человек свободной профессии, дизайнер-архитектор, мотается с утра до вечера по клиентам, объектам и торговым точкам, сочетая все это с общением с подругами и посещениями оздоровительных центров и салонов красоты, так что раньше десяти ждать ее не приходится. На Дениса вообще надежды никакой, если Гомер и Мадам хоть и поздно, но наверняка придут домой, то с нашим студентом ничего заранее сказать нельзя. Во-первых, у него есть подружка с собственной квартирой, где он частенько остается ночевать. Во-вторых, существует такая вещь, как дискотеки и ночные клубы, откуда раньше двух часов ночи молодежь не возвращается. Итак, при самом удачном раскладе, если Гомер явится в девять и к половине десятого я освобожусь, можно бежать за покупками, но есть опасность, что именно в это время придет Наталья и, конечно же, будет страшно недовольна, что меня нет и некому немедленно подать ужин. То же самое и с Денисом, если меня не окажется на месте, он будет фыркать и нудеть. Остается ждать, пока придут все, и переться в магазин ночью.

Что ж, тоже вариант. Я решила попробовать. Отужинав всех по очереди и наведя на кухне стерильный порядок, я в двенадцатом часу ночи отправилась за продуктами. Надо ли говорить, что Алена, разумеется, никуда не уходила. Сперва она читала, потом делала уроки, потом торчала перед телевизором. И никто ей не позвонил.

Круглосуточно работающий супермаркет находился в пятнадцати минутах ходьбы от дома, то есть, в общем-то, не ближний свет. На всякий случай я взяла с собой Аргона. Конечно, охранник он тот еще, он, по-моему, даже лаять не умеет, но по крайней мере может напугать внешним видом: огромный черный русский терьер с лохматой мордой. На нем же не написано, что он залюбленный и заласканный добрейший пес, сроду не видавший ни инструктора, ни собачьей площадки.

Меня легко обмануть. Я плохо разбираюсь в людях и никогда не могу вовремя распознать склонность ко лжи, трусости или подлости. Но за годы работы на «Скорой» у меня выработалось одно замечательное качество, впрочем, возможно, оно было у меня изначально, иначе я бы просто не прижилась на «скоропомощной» работе. Я абсолютно точно чувствую агрессию. Приезжая на вызов и обнаруживая пьяного мужа, избившего, например, жену, я могла мгновенно определить, исходит ли от него хоть какая-нибудь опасность. Если сомнительных личностей оказывалось несколько, я тут же мысленно делила их на тех, кто не опасен, и тех, от кого можно ждать внезапной вспышки ярости в адрес каких-то там докторов, которые нарушают так приятно текущий процесс совместной выпивки. Такие «пьяные заявки», как мы их называли, случались в каждое дежурство. Надо ли объяснять, что в защите от пьяной агрессии я хорошо натренировалась. С трезвым мужиком я, само собой, не справлюсь — ни роста, ни массы тела у меня не хватит, зато ловкости и хладнокровия вполне достаточно, чтобы обезопасить себя от раскоординированного алкоголем субъекта.

Этих двоих я заметила сразу. Они стояли на автобусной остановке, рядом с входом в супермаркет. Средняя степень опьянения и жгучее желание «добавить», причем как можно быстрее. Добавлять они собирались, естественно, на чужие деньги, поскольку своих просто не было.

Рядом ни души, и вся предстоящая картинка рисовалась мне четко и буднично. Приличные дамы не ходят пешком в магазин в половине двенадцатого ночи, и со мной можно попытаться договориться. Пригласить третьим номером. А уж потом, когда я откажусь поучаствовать в распитии, у меня начнут отбирать сумку в надежде обнаружить там кошелек с деньгами. Если бы не было сумки, можно было бы сделать вид, что я просто гуляю с собакой и никаких денег у меня с собой нет. Но сумка, как назло, была.

Я прибавила шаг и проскользнула в стеклянные двери супермаркета, оставив Аргона непривязанным (в целях экономии времени). Но толку от моего маневра было не слишком много, возжаждавшие добавки алкаши будут терпеливо ждать, когда я выйду с сумками, набитыми едой. Закуска — тоже нужная вещь. А может, им повезет, и я куплю спиртное. Я-то знаю, что им не обломится, но они пока пребывают в счастливом неведении. И что будет дальше?

А дальше, если все сложится так, как мне не хочется, в самый неподходящий момент подскочит милиция, или я сделаю что-нибудь не так, и придется вызывать «Скорую». Поход в отделение, проверка документов и далее везде. Мои хозяева меня у себя не зарегистрировали и, насколько я поняла, делать этого не собираются. Я ведь им не родственник.

Набирая в корзинку продукты, я прикидывала варианты. Что так, что эдак, выходило, что без осложнений не обойтись. На магазинного охранника надежды никакой, он отвечает за порядок внутри, а не снаружи. Что ж, будем прорываться с боями. Спасибо тебе, темноглазая стройная Алена, тебе всего шестнадцать, а ты уже умудряешься своей вредностью ввергать людей в неприятности. Что-то будет, когда ты вырастешь?

Расплатившись, я набрала в грудь побольше воздуха и толкнула тяжелую дверь. Так и есть, вот они, любимые мои алкаши, сколько я их перевидала на своем веку — не перечесть. Стоят, на меня поглядывают. Ну, чему быть, того не миновать.

Оно и не миновало. Только обошлось без разговоров, видно, Аргоновы поросшие густой шерстью килограммы их как-то не вдохновили на общение. Они решили, что действовать надо быстро и без лишних слов. Это было разумно, я тоже предпочитаю действовать именно так. Возня получилась шумноватой, но короткой. Мне пришлось бросить сумки на землю, но у Аргона хватило ума тут же плюхнуться на них сверху. Ладно, не защитит — так хоть хозяйское добро сбережет. Правда, в этом месте была грязная лужа, но это ничего, полиэтиленовые сумки-пакеты не промокают. Аргон тоже не сахарный, не растает.

Тактика алкашей была мне понятна. Один выхватывает из рук сумки с будущей закуской, одновременно второй будет срывать с плеча сумочку в надежде на кошелек с деньгами. Ну, насчет кошелька они, положим, погорячились, я давно уже плюнула на элегантность и перекидываю ремешок сумки через шею. Получается по-детски, но зато эффективно. Так что за деньги можно пока не беспокоиться и сосредоточить основное внимание на том, который собрался покуситься на продукты. Для этого нужно всего лишь бросить сумки и подождать, пока он за ними нагнется. Тут и Аргон подоспел со своим хозяйственным рвением, так что все получилось даже проще, чем я предполагала. Охотник за вкусненьким растерялся, он не ожидал от собаки такой прыти, и мне вполне хватило времени, чтобы ударить второго, тянущегося к сумочке, своим любимым ударом ребром ладони снизу в нос. Этот удар у меня всегда получался особенно хорошо. Он почти не травмирует, но жутко болезненный.

Другого, который зачем-то пытался вытащить сумки из-под Аргона, оказалось достаточно всего лишь пнуть ногой. Он стоял согнувшись и равновесия не удержал. Теперь главная задача — смыться, пока они не очухались.

Аргон, однако, моих стратегических намерений не отгадал и продолжал с удовольствием валяться на сумках. Я изо всех сил тянула его за ошейник и приговаривала что-то бессмысленное в надежде убедить пса пошевеливаться. Пошевеливаться он не хотел. Он хотел лежать и нюхать колбасу, сыр и сырую печенку. В общем-то, я его понимала...

Алкаши, грязно матерясь, собирались с силами для второй попытки. Тот, который получил удар в нос, все еще был плоховат, но второй уже стоял на ногах и тянул ко мне шаловливые ручонки. Аргон продолжал лежать и охранять вкусное. Меня охватила злость. Да что же это, все семейство Сальниковых ополчилось против меня: девчонка вынуждает ходить по улицам среди ночи, а собака не дает убежать от грабителей! В ярости я ткнула настырного алкаша локтем в солнечное сплетение, хорошо еще, что соотношение роста у нас оказалось удачным, и бить было удобно.

— Аргон, домой! — завопила я, дергая флегматичного ленивца за хвост.

Почему-то это подействовало. Пес вскочил как ужаленный и с обидой посмотрел на меня. Да бог с ним, пусть обижается, лишь бы ноги унести.

Ноги мы унесли. Но повторения пройденного как-то не хотелось. Пожалуй, ходить в магазин «в ночную смену» я больше не стану, уж больно район здесь непотребный.

Но то, что ждало меня дома, не шло ни в какое сравнение с эпизодом возле магазина. Дело-то было осенью и не в той ее части, когда в городе золотисто и сухо, а в той, когда уже серо, мокро и грязно.

— Ника, почему сумки все в грязи? — сердито спросила Мадам, едва я переступила порог. — Вы что, упали?

«Ладно, думай, что я упала, если не видишь, что у меня куртка чистая», — ответила я маленьким язычком.

Большим же языком, то есть вслух, ничего произнести не успела, потому что взгляд Мадам упал на Аргона, радостно ринувшегося обниматься с ее расчудесным кремовым халатом.

— Ника, я же вас предупреждала, не давайте Аргону валяться! Вы что, совсем за ним не смотрите? Ведите его немедленно в ванную и вымойте как следует. Черт знает что!

— Наталья Сергеевна, я не упала и не позволяла Аргону валяться, ко мне пристали пьяные грабители, и мне пришлось отбиваться. Извините, что так вышло, но сумки пришлось поставить на землю, и я не уследила за собакой.

Я не оправдывалась, но и скрывать правду смысла не видела.

— Какой кошмар! — переполошилась Мадам. — Зачем же вы пошли в магазин ночью? У нас такой район нехороший, всего несколько приличных домов, а в остальных живет всякая рвань и пьянь.

Вопрос мне понравился. Действительно, зачем я пошла в магазин ночью? Чтобы не суетиться рано поутру. Я ведь собиралась купить продукты днем, но Алена меня не пустила. А потом нужно было ждать вас всех по очереди и обслуживать горячим питанием, причем каждого — по отдельному меню, потому что одни метут в три глотки, другие худеют, третьи оздоравливаются и омолаживаются, а у Главного Объекта, помимо больного сердца, имеется еще и больной желудок.

А мизансцена-то была прелестной! Я стою посреди просторной прихожей и держу одной рукой сумки, которые ввиду их испачканности нельзя ставить на пол, другой придерживаю за ошейник Аргона, стремящегося к теплу и уюту бежевого ковра в гостиной. Наталья громко и возбужденно разговаривает со мной. Великий Слепец сидит в двух метрах от меня и не отрывается от газеты. Дениса не видно — наверное, сидит за компьютером в своей комнате. А вот Алена стоит тут же, за спиной у матери, прислонившись к дверному косяку, и насмешливо смотрит прямо мне в глаза. Особенно мне понравилось выражение ее лица, когда Мадам заверещала, что мне следовало бы сходить в магазин днем, когда девочка пришла из школы. Ух, какое это было выражение! Жаль, что я не Франсуаза Саган, у нее такие описания очень яркими получаются.

— Ты слышишь, Паша? — Наталья обернулась к мужу и попыталась разговаривать с ним через газету, надежно укрывшую его лицо. — На Нику напали возле нашего супермаркета. Ужас!

Газета слегка шевельнулась, но не более того.

— Надеюсь, это не помешало вам купить мне кефир? — вежливо спросила Алена.

— Не помешало, — так же вежливо ответила я, пытаясь одной рукой удержать сумки, а другой запихнуть Аргона в ванную и при этом ничего не испачкать.

Никому из присутствующих, разумеется, и в голову не пришло мне помочь и взять либо сумки, либо собаку. Ну конечно, Мадам вся в кремовом, дщерь вся в надменности, Гомер весь в заботах о судьбах внешней политики страны. Мадам, однако, надо отдать ей должное, вдруг спохватилась:

— Алена, ну как не стыдно, с Никой такое случилось, а ты про кефир спрашиваешь.

— Не нужно по ночам из дома выходить, тогда ничего не будет случаться, — ответила та и ушла к себе.

Ну что ж, резонно. С этим не поспоришь. Вот сучка, а?

В два часа ночи, лежа в постели в своей маленькой комнатушке, я сначала приняла решение больше без острой необходимости ночью в магазин не ходить, а потом тихонько заплакала. Как же так случилось, что из вполне благополучной, любимой, любящей и радующейся жизни женщины я превратилась в никем не любимое, зависимое существо, над которым безнаказанно может измываться шестнадцатилетняя соплячка? Все понимают, что деваться мне некуда, жить мне негде и положение у меня аховое. Но одно дело понимать, и совсем другое — пользоваться этим.

Из пятисот долларов, которые мне выдают в качестве зарплаты, я имею право тратить не больше пятидесяти. На зубную пасту и прочую необходимую косметику, на колготки, на междугородные звонки сестре в Ташкент, а также родителям Олега, которые не знают, что он меня бросил, и не должны узнать — они этого не переживут. Они уже старенькие и больные, они очень меня любят, и такой, мягко говоря, странный поступок сына подкосит их под корень. Оставить меня без средств к существованию, одну в чужом городе, и это в благодарность за то, что я выходила отца после тяжелейшего инфаркта, — нет, они этого не поймут. И я добросовестно звонила, как и прежде, два раза в неделю, врала, что Олег на работе, и выслушивала длинные и подробные отчеты о состоянии здоровья свекра и свекрови. И ведь не могу им сказать, что долгие разговоры влетают мне в копеечку: Олег же хорошо зарабатывает, какие могут быть проблемы! Олег знает, что я им звоню, мы с самого начала договорились не травмировать стариков.

Так вот, если жить на пятьдесят долларов, не покупать ни одежду, ни обувь и откладывать по четыреста пятьдесят в месяц, то через сорок месяцев я смогу начать искать какое-нибудь дешевое жилье километрах в семидесяти, а то и ста от Москвы. Сорок месяцев, почти три с половиной года. А если за это время цены на недвижимость вырастут? А если мне не удастся продержаться в режиме такой экономии? А если со Старым Хозяином что-нибудь случится и я стану больше не нужна? Или меня просто уволят, потому что я не подхожу, или найдется человек, готовый выполнять ту же работу за меньшие деньги? Или Мадам на меня рассердится за что-нибудь.

Я должна продержаться. Сцепить зубы и терпеть. Всем угождать, быть белой и пушистой и тщательно оберегать сердце и нервную систему Николая Григорьевича. Его жизнь и здоровье — залог моего благополучия.

В ДОМЕ НАПРОТИВ

— Это его жена, точно, — уверенно сообщил Костя отцу. — Смотри, она там живет и гуляет с собакой.

— А ты уверен, что собака — та самая?

— Ну, пап, мы уж сколько времени за домом наблюдаем, никто с русским терьером не гуляет, только эта баба. На всей улице мы с тобой ни одного такого пса больше не видели.

— Все равно надо бы проверить, — задумчиво сказал Леонид Васильевич. — Мы не имеем права ошибиться. Ты не помнишь, как звали его собаку?

— Вадька говорил, что-то химическое, он не помнит точно, не вникал, когда тот про собаку рассказывал. Ему не до того было. Только обратил внимание, что слово из таблицы Менделеева, какой-то газ. Ну хочешь, я завтра подойду к ней и спрошу, как зовут собаку?

— Обязательно подойди, — кивнул отец.

На следующий день Костя вскочил в пять утра, он уже знал, что женщина выходит с собакой то в начале седьмого, то в начале восьмого. Позавтракал, собрал учебники и спустился вниз. Шел дождь, холодный и безысходный, как жизнь приговоренного к казни. Господи, как он ненавидел этот грязный, пропахший кошачьей мочой подъезд с облупившейся краской на стенах и обгрызенными ступеньками лестницы!

А вот и женщина с черным терьером. Идет быстро, словно по делам спешит, а не пса выгуливает. Костя выскочил из подъезда и кинулся через дорогу следом за ней.

— Ух, какой красавец! — Он постарался вложить в голос побольше восхищения. — Это у вас мальчик или девочка?

— Кобель, — улыбнулась женщина, не замедляя шага.

— И сколько ему?

— Шесть лет.

Терьер, будто поняв, что речь идет о нем, притормозил, внимательно поглядел на Костю и внезапно лизнул его руку. Костя тут же воспользовался моментом и присел перед псом на корточки.

— Ах мы какие ласковые! Ах мы какие славные! И как же нас зовут?

— Нас зовут Аргон. — Женщина нетерпеливо потянула за поводок. — Простите, но я очень спешу.

— Конечно-конечно, извините, — торопливо произнес Костя.

Теперь можно было не спешить. Пусть жена его Врага (или кем там она ему приходится) топает по своим неотложным делам. Он узнал то, что хотел. Инертный газ аргон, все сходится. Отец может не сомневаться.

Глава 2

НИКА

— Николай Григорьевич, почему вы не отдавали Аргона на выучку? — спросила я на следующий день после происшествия возле супермаркета.

— Гошеньку?!

Старый Хозяин воззрился на меня так, словно я спросила юную курсистку с нежными розовыми ушками, почему она не участвует в групповом сексе.

— Его бы там били, — с непоколебимой уверенностью ответствовал Главный Объект. — Вы разве не знаете, как инструкторы ломают собак? Нет, об этом не могло быть и речи. Адочка всегда была против этих бесчеловечных методов.

Ну ясное дело, Адочка была против. Необученный и не признающий никаких команд Аргон в свои шесть лет продолжал с детской непосредственностью жевать все подряд, включая книги, обувь и перчатки, и в мои обязанности входило следить, чтобы он не наносил хозяйскому имуществу ущерб. При жизни Аделаиды Тимофеевны эта милая особенность собачьего характера особого беспокойства не доставляла, поскольку кто-то постоянно находился дома, дабы бдить за здоровьем Старого Хозяина, и любые попытки Аргона попробовать на вкус что-нибудь новенькое в корне пресекались. За тот год, что семья прожила без железно руководящей Адочки, в список проблем оказались внесены не только несколько приступов, случившихся с Николаем Григорьевичем в отсутствие родных, но и приведенные в полную негодность любознательным и игривым терьером ботинки Дениса, лайковые перчатки Мадам, Аленина шубка из нутрии и неосторожно оставленная на кухонном столе сберкнижка, на которую Главному Объекту начислялась пенсия. В моей циничной душе зародилось даже нехорошее подозрение насчет того, что на самом деле главным объектом должен был стать не Старый Хозяин, а именно Аргон, за которым нужен глаз да глаз и которого ни в коем случае нельзя оставлять без активного пригляда. Николай же Григорьевич такового обеспечить не может, ибо в основном пребывает в своей комнате, читает, смотрит телевизор или спит. Убежище свое он покидает только ради того, чтобы поесть на кухне, воспользоваться санузлом или взять в бывшем Адочкином кабинете (ныне — моей конурке) очередную книжку. Все это поражало меня до глубины души, ведь русские терьеры — собаки очень умные, это одна из наиболее интеллектуальных пород, их легко дрессировать, только начинать нужно, как полагается, в раннем возрасте. Аргон прекрасно понимает человеческую речь, я хочу сказать, что он различает и знает смысл довольно большого количества слов и, кроме того, тонко улавливает интонации и душевное состояние присутствующих. Но одно дело — понимать, что тебе говорят, и совсем другое — делать, что говорят. Он все понимал, но почти ничего не делал, если это не совпадало с его личными намерениями и желаниями. Он не понимал команду «Ко мне!», но отлично отзывался на «Иди сюда, будем кушать», он не признавал слова «Фу!», зато мгновенно реагировал на фразу «Брось эту гадость, возьми лучше колбаску».

— А кто гулял с Аргоном до меня? — настырно продолжала я допрос.

Вопрос не был праздным. Надвигалась зима, и надо быть полной дурой, чтобы, живя в Москве, надеяться на сухие чистые тротуары. Интересно, как я буду в гололедицу выгуливать эти сорок килограммов живого недисциплинированного веса, имеющего дивную привычку рвать поводок в самом неожиданном направлении и в самый неожиданный момент?

— Павлушенька гулял, это была его обязанность. Если он был в отъезде или болел, тогда Денис.

Н-да, сто килограммов Павлушенькиного веса, пожалуй, могли обеспечить прогулку без эксцессов. Да и Денис ростом и статью не подкачал. Куда мне до них...

— А почему не Алена и не Наталья Сергеевна? — Моему коварству не было предела, но я все-таки надеялась хоть на каплю если не сочувствия, то понимания.

— Ну что вы, Ника, они же слабенькие, они Гошеньку не удержат.

Козе понятно, что не удержат. И я не удержу. И кончится вся эта эпопея с зимними гулянками куда как невесело: либо я не удержу Аргона, и он сбежит, за что мне будет устроен скандал с перспективой увольнения, либо удержу его, но ценой жестокой травмы. Хорошо, если обойдется травмой какой-нибудь из четырех имеющихся конечностей. А если головы? У нас в Ташкенте гололедицы практически никогда не бывало, но и при сухих тротуарах подобные травмы — не редкость, сколько раз я на них выезжала!

Короче, с сочувствием и пониманием я пролетела. Но зато сделала одно любопытное наблюдение. Великий Слепец в свои сорок четыре года оставался для отца Павлушенькой. Алена была Аленушкой, Мадам — Наташенькой, даже Аргон — Гошенькой. А девятнадцатилетний Денис для деда был Денисом, а не Дениской и не кем-нибудь еще уменьшительно-ласкательным. Неужели Старый Хозяин до сих пор помнит, что Денис — не родной внук, что он не Сальников, а Писаренко? Если причина именно в этом, то к моему пониманию характера Николая Григорьевича добавляется еще одна черточка. Не очень симпатичная.

В своей правоте я получила возможность убедиться, когда появился Патрик. Это отдельная песня, и я ее с удовольствием пропою.

Первым в семье, как я уже упоминала, появился Аргон, это случилось шесть лет назад. Потом, спустя два года, приобрели Кассандру, роскошную британскую голубую с длинной, как призыв муэдзина, родословной. К моменту моего появления в Семье (а я привыкла думать о своем новом жилище, совмещенном с работой, именно так) между Аргоном и Касей установилось устойчивое разделение труда. Аргон считал «британку» таким же объектом заботы и любви, как и присутствующих двуногих, Кася же воспринимала терьера как элемент интерьера в ее персональных владениях. Аргон хотел дружить с кошкой, играть с ней и общаться, Кассандра требовала от него неукоснительного выполнения определенных функций. По ее представлениям, каждая вещь (в том числе и двуногая) в ее владениях была предназначена для чего-то полезного: синяя миска — чтобы насыпать туда корм, красная — чтобы в ней была водичка, кухонный стол — чтобы ставить на него белые миски с кормом, необходимым для жизнеобеспечения одушевленных деталей интерьера, мягкая мебель в гостиной — чтобы на ней лежать, растекаясь во все стороны серо-голубым плюшевым тельцем, биде в ванной — чтобы иногда (по настроению) пить из него проточную воду, двуногие мужского пола — чтобы лежать у них на коленках и нежиться под мерным почесыванием их пальцев, двуногие женского пола — чтобы покупать корм и вычищать кошачий туалет. И так далее. В этой обширной «инструкции по применению» для Аргона была уготовлена функция транспортного средства. Кася забиралась на стену и висела, цепляясь коготками за обои (пресекать это безобразие, кстати, тоже вменялось мне в обязанности, потому как обои приобретали от таких упражнений отнюдь не товарный вид) и выжидая, когда Аргон пройдет мимо. В нужный момент она спрыгивала ему на спину и ехала, испытывая, судя по всему, чувство глубокого удовлетворения. Иногда, правда, она промахивалась, если пес трусил мимо слишком быстро, и падала ему на хвост. Но это прагматичную девушку ни капли не смущало, она цеплялась лапами за этот короткий обрубок и волочилась следом, как мешок с картошкой у обессиленного грузчика. Больше, по ее кошачьему мнению, огромный бессмысленный пес ни на что не годился. Ну разве что поспать, свернувшись клубочком у него под брюхом, но редко, только когда в квартире очень уж холодно.

Однажды, где-то на исходе второго месяца моей жизни в Семье и примерно недели через полторы после злосчастного ночного посещения магазина, Алена явилась домой с крошечным пищащим комочком в руках. При ближайшем рассмотрении комочек оказался месячного возраста котенком мужского пола неопознанной породы.

— Он сидел перед подъездом и так жалобно плакал! — надрывно заявила черноокая надменница. — У меня прямо сердце чуть не разорвалось.

У меня, признаться, тоже. Во-первых, от жалости к несчастному, мокрому, дрожащему и пищащему существу. Во-вторых, от ожидания последствий. Я совершенно не понимала, что меня ждет. О том, чтобы выкинуть страдальца за дверь, и речи быть не могло, он явно нуждался в помощи. Но дальше-то что будет? Как отреагируют на его появление родители Алены? Заставят избавиться от пришельца? Могу себе представить, с какими душераздирающими рыданиями это будет сопряжено. Алена станет биться в истерике, Мадам будет орать, котенок — пищать, Гомер, как обычно, самоустранится. Мое-то дело телячье, я прислуга, что скажут, то и сделаю, хотя тоже, наверное, обрыдаюсь потом у себя в каморке. Но если скандал выйдет слишком громким, то проблема перейдет в иную плоскость — в плоскость нервов, а следовательно, и здоровья Главного Объекта. Дед услышит, спросит, что случилось... Разнервничается? Трудно сказать, я к тому моменту не настолько хорошо изучила своих хозяев, чтобы прогнозировать их реакции на те или иные события.

Конечно, все может быть и по-другому. Тихо, мирно и в полном согласии.

Так оно и вышло. Мне на голову.

До возвращения с работы Мадам и Гомера я успела привести подкидыша в более или менее пристойный вид. Окинув его взглядом бывалого кошковладельца (в Ташкенте у меня всегда жили кошки), я быстро определила, что он определенно нуждается в медицинской помощи. Надо же, такой маленький, а уже такой больной! Впрочем, если он потерял маму сразу после рождения и ползал неизвестно по каким помойкам, то чему удивляться? Он был даже не облезлый, а какой-то обгрызенный. Одним словом, зрелище не для слабонервных.

Пока я кормила его размоченным в воде сухим «Хиллсом», позаимствованным из Касиной синей мисочки, мыла и сушила, Алена, натурально, висела на телефоне, поочередно обзванивая подружек и повествуя в красках историю своего триумфального дебюта в роли Женщины, Спасающей Животных. Ну что твоя Брижит Бардо, не меньше! А я тем временем обдумывала ситуацию и прикидывала, как лечить бедолагу. Можно отвезти его в ветлечебницу, но для этого нужно, чтобы кто-нибудь подменил меня дома. Можно вызвать ветеринара на дом, у Сальниковых есть свой звериный доктор, который пользует Аргона и Кассандру, его телефон записан на самом видном месте, чтобы я немедленно вызывала его, как только с породистыми питомцами случится, не приведи господь, что-нибудь неожиданное. Но визит ветеринара стоит денег, и вызывать его без ведома и разрешения Мадам мне не позволено, а уж тем более к какому-то приблудному коту. Впрочем, болячки у малыша имели характер не острых, а скорее хронических и вполне могли подождать денек-другой, пока все не устаканится.

Кася, разумеется, устроила сцену, как только почуяла присутствие в квартире собрата по семейству кошачьих. Она грозно мяукала, истерически фыркала, демонстративно втягивала носом воздух, высоко приподнимая верхнюю губу, а как только я попыталась познакомить ее с котенком, взяв того на руки и осторожно поднеся к ней поближе, Кассандра плюнула в меня. Да-да, плюнула. А вы что, не знали, что некоторые кошачьи породы отличаются умением плеваться? «Британцы» умеют. К сожалению.

Аргон отреагировал более спокойно и поступил привычным образом. Стоило мне отвлечься на каких-то пять минут, и малыш, старательно вымытый и высушенный, оказался обсосан дружелюбным псом и снова превратился в нечто клочкастое и мокрое. Пришлось его снова вытирать и подсушивать.

Первым в тот вечер пришел с работы Великий Слепец.

— Ну конечно, пусть остается, — рассеянно бросил

он дочери, когда та взахлеб принялась рассказывать свою животноводческую драму.

Гомеру было все равно, он ел чахохбили, смотрел программу «Время» и хотел только одного: чтобы к нему никто не приставал. Мадам явилась в прекрасном расположении духа: как выяснилось, заказчик принял у нее работу и заплатил весь гонорар без всяких проволочек, посему на радостях Алену не отругали, а котенка разрешили оставить и даже позволили вызвать на следующий день ветеринара. Так что все обошлось.

Это я так думала, что обошлось. На другой день ветеринар, обследовав котенка, составил мне километровую пропись с перечнем препаратов и описанием процедур, которые надо проделывать, пока все не заживет, не зарастет и не пройдет, а потом еще в течение некоторого времени для профилактики. Надо ли говорить, что ездить в ветеринарную аптеку на Никольскую пришлось мне и процедуры проделывать тоже должна была я. Алена ограничилась лишь разовым проявлением внимания к страждущему, принеся котенка домой. На этом ее участие в жизни животных закончилось. Но самым страшным оказалась проблема туалета. Котенка, названного Патриком, нужно было приучать, а пока он не приучится — ежечасно находить и замывать с хлоркой те места, которые он по недоразумению принял за сортир. Чтобы не провоняла вся квартира, я выступила с инициативой ограничить ареал обитания, например, Алениной комнатой, раз уж та его усыновила, и встретила решительный отказ.

— Как я буду уроки делать и спать в комнате, в которой пахнет хлоркой? — возмутилась она.

— А где он, по-твоему, должен жить? — строго вопросила Мадам, которой тоже не хотелось, чтобы Патрик писал и какал в спальне и в гостиной. — Ты его принесла, ты должна нести за него ответственность.

— А ты — мать и должна нести ответственность за мое здоровье, — отпарировала девица. — Хлорка очень вредная, ты сама сто раз говорила. Пусть Ника быстрее приучает его к лотку.

— Ника старается, — Мадам решила выступить на моей стороне, спасибо ей за это, — но она не Юрий Куклачев и не обязана уметь дрессировать кошек.

— За такие деньги, какие мы ей платим, она должна уметь все! — сформулировала Алена свое отношение ко мне совершенно, как говорит один известный политик, однозначно и захлопнула дверь в свою комнату.

Так, сделаем выводы. Во-первых, это замечательное «мы ей платим». Похоже, девочка считает, что это именно она платит мне зарплату, из собственного кармана вынимает, от сердца отрывает. В кино лишний раз не пойдет, без утреннего кефира останется, а жалованье мне выдаст, но уж в ответ на такое самопожертвование я обязана делать все, что ей понадобится, читай — в голову придет. В том числе и возиться с бездомными кошками, которых она, умирая от восхищения собственным благородством, будет приносить домой.

Мадам выглядела совершенно расстроенной и неприкрытым хамством дочери, и тем, что не может предложить мне единственное, на ее взгляд, приемлемое решение. То есть она это решение видит, но произнести вслух у нее язык не поворачивается. Что ж, это ее украшает. Ума маловато, но совесть все-таки есть.

— Ника... — робко начала она и запнулась.

Придется помочь, ведь другого выхода я тоже не вижу, а мальца жалко, он же не виноват, что его жизнь сложилась так коряво.

— Конечно, Наталья Сергеевна, Патрик будет жить в моей комнате, пока не приучится к лотку. Вы не беспокойтесь, ковры не пострадают.

— Спасибо, Ника, — облегченно вздохнула Наталья.

Так мы с Патриком оказались вдвоем в моей маленькой комнатке. Нет, втроем, потому что вместе с котенком в бывший Адочкин кабинет перекочевал и кошачий лоток, наполненный «Катсаном». Лоток я посчитала за отдельную единицу, ибо он в силу своих размеров съел значительную часть и без того небогатого пространства, свободного от дивана, книг и письменного стола с компьютером. А ведь еще нужно было пристроить мисочки для воды и корма.

Через пару дней нас стало четверо: к котенку и лотку прибавился запах. А с проветриванием большие проблемы, комната настолько мала и все предметы в ней находятся так близко друг от друга, что Патрику даже в столь юном возрасте и мелком калибре не составляло труда добраться до подоконника, куда его постоянно толкало вполне естественное любопытство. Открывать окно можно было только в моем присутствии, а учитывая объем работы по дому, присутствия этого было совсем не много.

Так мы и жили с найденышем. Я засовывала ему в ушки ватные турундочки, смоченные в лекарстве, а в попку — лечебные свечки, мазала мазями и делала уколы, дважды в день отмывала в ванной полиэтилен, которым укрыла по возможности максимальное пространство, возилась с хлоркой, ибо, как известно, кошки очень любят писать как раз туда, где пахнет их мочой. Улучив час-полтора, я неотлучно сидела в кабинете, зорко наблюдая за Патриком. Как только мне казалось, что он прилаживается к реализации насущной физиологической потребности, я, аки коршун, бросалась к нему, хватала и сажала в лоток.

Спать в эти дни я совсем не могла, мне все казалось, что стоит мне задремать, как котенок тут же запрыгнет на постель и использует ее вместо туалета. Я бдила и ловила момент. От запаха подташнивало и болела голова. От чувства собственной униженности и от жалости к Патрику болело сердце. В какой-то момент я поняла, что мы с ним удивительно схожи: оба оказались бездомными и никому не нужными.

Это открытие так потрясло меня, что я, здравая и несклонная к излишнему романтизму тридцатишестилетняя баба, не уследила за собой, расплакалась и заговорила с Патриком вслух:

— Так получилось, малыш, что в этом доме ты никому не нужен, Алена принесла тебя под влиянием порыва, Наталья разрешила тебя оставить, потому что была в хорошем настроении, а в сущности, всем на тебя наплевать, никто тобой заниматься не хочет, никто тебя не любит, просто вышвырнуть рука не поднимается. От тебя одни проблемы, ты гадишь во всех углах и на всех поверхностях, с тобой нужно возиться, тебя нужно лечить и воспитывать. А никто не хочет. И я такая же, как ты. Меня бросил муж, которого я люблю, и я в этом городе осталась бездомной, безденежной и никому не нужной. Никто не станет возиться со мной, чтобы вытащить меня из ямы. Только я сама могу себе помочь, чтобы выкарабкаться. И ты тоже должен сам себе помогать, если хочешь остаться здесь и всегда иметь крышу над головой и еду. Понял? Ты должен быстрее научиться ходить в лоточек, тогда тебя выпустят из этой конуры и разрешат бегать по всей квартире. Ты должен скорее выздороветь, чтобы все твои болячки зажили и чтобы никто не брезговал брать тебя в руки. Тогда тебя будут тискать, ласкать и любить. Понял?

Сама-то я, имея за плечами десять лет медицинской практики, брезгливой не была, но, кроме меня, к Патрику действительно никто не прикасался. Вот и сейчас я тихонько рыдала, уткнувшись лицом в его реденькую, противно пахнущую противолишайной мазью шерстку. И знаете, что самое удивительное? Мне показалось, он меня понял. Я всегда знала, что кошки — существа космические, они получают информацию из пространства, и пространство моей конурки, видимо, было в тот момент так переполнено отчаянием, тоской и печалью, что не почувствовать их котенок не мог. Он лизнул меня в глаз и принялся деловито выбираться из моих мокрых от слез рук. Соскочил с колен на пол и медленно, неуверенно пошел к лотку. Занес одну лапку над бортиком, оглянулся, и в его невнятного пока еще цвета глазах я отчетливо увидела вопрос: «Ты это имела в виду? Ты этого от меня добиваешься? Я ЭТО должен сделать, чтобы меня выпустили на простор?»

Наверное, мне показалось. Никакого вопроса не было, просто имел место переход количества повторяющихся эпизодов в качество запоминания. Я замерла, боясь пошевелиться и спугнуть правильное намерение. Патрик еще немного постоял в задумчивости, потом занес себя в лоток и сделал все как полагается. За что был тут же расцелован и угощен вкусной французской витаминной таблеткой в форме сердечка, позаимствованной мною втихаря из пакета, предназначенного исключительно для высокородной мадемуазель Кассандры. Еще не хватало этому плебею покупать дорогие витамины! Это не мои слова, так сказала Мадам.

Еще почти месяц ушел на то, чтобы окончательно закрепить навык, долечить болячки и заставить Патрика твердо запомнить два слова: собственное имя и «нельзя». После чего я заявила Мадам, что несчастное животное можно выпускать в люди.

Его выпустили. Патрик оказался злопамятным. Ни Алена, ни Мадам для него больше не существовали. Видимо, в свое время он все-таки считал из пространства информацию о том, как они пытались отделаться от забот о нем. Признавал он только Старого Хозяина, Дениса и Великого Слепца, от которых ни разу не слышал в свой адрес худого слова. Ну и меня, само собой. Причем признание это выражалось совершенно по-разному. Например, он запрыгивал на колени к Николаю Григорьевичу, распластывался на его груди, прижимался мордочкой к его шее и блаженно урчал. Делал он это всегда по собственной инициативе, а вот к Гомеру он никогда сам не лез, но, если тот брал его на руки, послушно сидел и позволял себя гладить. Денис, которому с самого начала было наплевать на больного приблудного котенка и который в силу полного равнодушия в бурных обсуждениях его судьбы участия не принимал, против ожиданий проникся к выздоровевшему Патрику симпатией и вместе с ним играл на своем компьютере. То есть играл Денис, а Патрик сидел на столе рядом с экраном, завороженно глядя на цветных мышек и рыбок, спасающихся от удавов и прочих охотников, и пытался их поймать. Денис уже давно, как вы понимаете, вышел из того возраста, когда играют в «мышек и рыбок», его интересовали совсем другие игрушки, с войной, самолетами, гранатометами и пистолетами, но к войне котенок был безразличен, а мышек любил, и великовозрастный Денис шел на уступки, чтобы развлечь маленького дружка. До того как заняться «стрелялкой», он минут двадцать гонял по экрану мышек и рыбок, на радость Патрику, после чего благодарный Патрик забирался к нему на широкое плечо и засыпал, измученный впечатлениями, то и дело принимаясь сонно нализывать шею или ухо своего Большого Брата. Денис таял от умиления и целовал млеющего от счастья котенка в нос. Ни Алене, ни Наталье этого не позволялось, при любой их попытке изобразить любовь к меньшему нашему брату он вырывался, царапался и шипел. Надобно заметить, что, когда болячки прошли, а шерстка стала густой и шелковистой, котик стал пользоваться у дам большим успехом, они то и дело норовили потискать его или приласкать, но безуспешно. Памятливый и принципиальный, он и не собирался их прощать. А ко мне он приходил спать. Если дверь в кабинет оказывалась закрытой, Патрик вставал на задние лапки и начинал передними исступленно скрести эту несчастную дверь, ломясь ко мне в комнату, как внезапно вернувшийся из командировки ревнивый муж, которому почему-то не открывают. Он терпеливо ждал, когда я улягусь, запрыгивал на диван и устраивался у меня на голове.

У него была масса достоинств, о главном из которых я уже рассказывала. Патрик оказался мужественным и честным, при этом обладал прекрасной памятью и ничего не забывал. Но и недостатки имели место. Он воровал еду у Аргона и Кассандры, хотя его собственные мисочки никогда не пустовали. Он шкодил. Он упорно делал то, что нельзя, при этом, как мне кажется, отчетливо осознавая, что делает все это в пику Алене и Мадам. Именно им, и никому другому. То есть он делал как раз то, что, по его наблюдениям, вызывает у них негативную реакцию. Например, обкусывал и раздирал бумаги, пахнущие врагинями, будь то Аленины тетрадки и учебники или чертежи, наброски и записи Натальи. И ни один предмет в квартире, пахнущий Главным Объектом, Гомером или Денисом, не страдал от его выходок. Свершив очередной акт вандализма, он оставался сидеть тут же, на месте преступления, и ждал последствий. Долго ждать обычно не приходилось, потому что Кассандра тут же находила меня и говорила «мяу» с такой особенной интонацией, вытягивая затейливую руладу, что я знала: Патрик опять что-то натворил. Кася ябедничала, но об этом я уже говорила. Она не желала мириться с самим фактом существования на своей территории другого кота, она ревновала, не подпускала Патрика к себе, не желала с ним играть и плевалась. Ну и ябедничала, само собой. Очень по-девически себя вела наша изысканная благородная девица Кассандра.

Но все-таки Аргону я отдала первое место в своей

душе не напрасно. Он все видел и все понимал, этот недисциплинированный, необученный, но бесконечно добрый и сострадательный русский терьер. Он безропотно позволял Патрику таскать куски из своей миски, ни разу не пнул его и даже не зарычал. Он понимал, что малышу хочется играть и что Кассандра ему в этом деле не подружка, и беспрекословно вовлекался в возню с мячиками, резиновыми и пластиковыми косточками и прочими подходящими объектами, хотя сам давно уже потерял к играм всякий интерес и предпочитал мирно подремывать на своей подстилке в холле. Когда Аргон зевал, Патрик немедленно залезал лапкой ему в пасть и ловил язык. Когда Аргон ел, Патрик прискакивал и начинал мелко крутиться между мощными лапами, подбирая с пола все, что выпадало из собачьей пасти. Когда Аргон спал, котенок настырно будил его, разбегаясь, прыгая и плюхаясь псу на спину или живот. Если это не помогало, в ход шло надрывное мяуканье прямо в Аргоново ухо или осторожное поцарапывание хвоста. Срабатывало безотказно. Аргон просыпался, зевал (тут же следовала очередная попытка поймать язык) и поступал в распоряжение Патрика. Результаты их совместных игрищ далеко не всегда получались безобидными, случались и опрокинутые цветочные горшки, и разбитые чашки, потому как котенок был жутко активным и энергичным, а пес — большим и не очень-то поворотливым. За тем, чтобы жизнь животных протекала без ущерба для хозяйского имущества, следить тоже должна была я...

Ну вот, теперь вы имеете представление о вверенном мне зверинце, и осталось только еще разочек вернуться к Старому Хозяину. Прошло несколько месяцев, Патрик подрос, превратился в красивого, но некрупного кота и вступил в пору лирических изысканий. Он хотел любви. И не мог ее получить в домашних условиях, поскольку Кассандру стерилизовали еще в годовалом возрасте. Котик метался, тосковал, он явно не понимал, что ему делать со своей проснувшейся взрослостью, и наконец решил, что надо бежать. Бежать на свободу, туда, где, может быть, найдутся ответы на волнующие его вопросы.

Я сдуру не сообразила вовремя, что происходит, и упустила момент. Когда я выходила к мусоропроводу, оставив дверь квартиры и тамбурную дверь открытой, Патрик сбежал. Обнаружилось это не сразу, я занималась уборкой и приготовлением ужина и не обратила внимания на то, что Аргон спокойно спит и никто к нему почему-то не пристает. Отсутствие кота выплыло наружу только с приходом Дениса.

Не буду описывать то, что происходило дальше. Но я была уверена, что меня уволят. Парень завелся с полоборота, к нему тут же присоединились дамы, младшая и старшая, Гомер, как водится, молчал, уставившись в телевизор, Николай Григорьевич разнервничался, услышав громкие разгневанные голоса и рыдания любимой внучки Аленушки, и я подумала, что если у него заболит сердце, то мое пребывание в Семье окажется более чем проблематичным. Зачем, в самом деле, нужна сиделка, если из-за ее нерадивости больному делается только хуже?

Слава богу, в разгар истерики раздался звонок в дверь. На пороге стоял сосед Виктор Валентинович, а из-за его ног в квартиру воровато прошмыгнул Патрик. У нас с соседом была общая тамбурная дверь, отделяющая обе квартиры от просторного лифтового холла. Оказывается, Виктор Валентинович возвращался домой и увидел Патрика, уныло сидящего перед этой самой общей дверью.

Первый выход в большую жизнь, судя по всему, успехом не увенчался, кот продолжал тосковать и нервничать. Но что-то такое там, на свободе, все-таки произошло, потому что спустя очень короткое время он начал нагло и недвусмысленно приставать к Кассандре. И вот тут-то я и услышала от Старого Хозяина:

— Ника, мне кажется, этот кот учит нашу Касечку плохому.

Я в этот момент делала ему массаж плечевого пояса, поэтому Николай Григорьевич не мог видеть выражения моего лица. Нет, ну как вам это понравится, а? «Этот кот», а не Патрик и даже не просто Котик, как его частенько называли. Этот приблудный чужак. Но зато «Касечка». Любименькая. Родненькая. Породистая, с понятной и обеспеченной клубными печатями родословной. И это несмотря на то, что Касечка ни разу к деду не приласкалась и ни минуты не просидела у него на коленях, а Патрик Старого Хозяина тихо обожал и с исступленным восторгом мурлыкал, распластавшись на его груди. Более того, я уверена, что Патрик чувствовал сердечный недуг Главного Объекта и, как многие коты, лечил его своей особенной кошачьей энергетикой, ложась на больное место. Господи, да чему плохому он может научить Кассандру? Она и так уже все знает, по крайней мере, как надо «стучать». Вот это, по моим убогим представлениям, действительно плохо и недостойно. А хотеть любви — разве это плохо?

Беспородный найденыш Патрик навсегда останется для деда чужим, несмотря на всю кошачью любовь и ласку. И точно так же чужим для Николая Григорьевича является «не Сальников» Денис. Хотя парень, по моим наблюдениям, относится к старику куда теплее и внимательнее, чем «родненькая» Аленушка.

Но все это я произнесла маленьким язычком.

В ДОМЕ НАПРОТИВ

Ох, как ему нравилась эта девчонка! С первого же дня, с первой лекции, да нет, что там, он приметил ее еще во время вступительных экзаменов, такую живую, энергичную, плотненьким аппетитным колобочком катящуюся по длинному институтскому коридору. Темно-рыжие волосы плотным толстым шлемом облегают синеглазое лицо, улыбаются не только губы и глаза, но и плечи, спина, руки — вся ее невысокая крепенькая фигурка. Костя, опираясь на свой относительно богатый для его возраста опыт общения с девушками, всегда думал, что ему, как нормальному современному парню, нравятся «манекенщицы», не в смысле рода деятельности, конечно, а в смысле фигуры: высокие, плоско-тонкие, и чтобы ноги непременно росли от ключиц, никак не ниже, и чтобы одеты были стильно. Поэтому радостное оживление, охватывающее его каждый раз, когда рыженькая толстушка улыбалась ему или просто проходила мимо, он списывал на ту ауру жизнелюбия и излучаемого во все стороны счастья, которая исходила от Милы (да-да, ее зовут Милой, Людмилой, и фамилия у нее округлая, мягкая, уютная — Караваешникова). Костя не делал попыток познакомиться с ней поближе, тем более учились они хоть и на одном потоке, но в разных группах. Почему не делал? Потому что она не манекенщица, это во-первых, а ухаживать за аппетитными колобочками в наше время не модно. Во-вторых, у него все равно нет времени на все эти шуры-муры, ведь надо гулять, встречаться-провожаться, ходить в кафе, на дискотеки, в ночные клубы. Разве он может себе это позволить?

Но позволить хотелось. Очень. Особенно сегодня, когда как-то так совершенно случайно вышло, что они после занятий столкнулись у турникета в метро, вместе спускались по эскалатору, потом оказалось, что им ехать в одну сторону, по крайней мере до пересадки, до станции «Таганская», где Косте нужно было выходить, а Миле — переходить на «Марксистскую». Но пока добрались до «Таганской», выяснилось, что у них столько общих тем для разговора, что разговор этот прекратить вот так, сразу, ну просто никак невозможно. Костя мельком взглянул на электронные часы, висящие над въездом в тоннель, в конце платформы. Ему нужно непременно зайти домой, взять для Вадика теплый свитер и куртку — брат просил, ему разрешили гулять, но зима еще не кончилась, он мерзнет во время прогулок. И книги Костя для него приготовил, целую стопку, специально вчера на книжную ярмарку ездил. Так, взять книги и одежду и ехать в больницу, посетителей пускают с четырех часов, и Вадька, конечно же, ждет его, глаз с часов не сводит. Добираться до больницы с Таганки около часа — час десять примерно. Значит, самое позднее в три он должен выйти из дома. Сейчас двадцать минут третьего, от метро до ненавистной улицы, на которой стоит ненавистный дом, семь минут быстрым шагом. Десять минут нужно выделить на пребывание в доме: подняться в квартиру, перекинуться парой слов с отцом, если он там, уложить вещи и книги в сумку, спуститься вниз. Этот график Костя выдерживает ежедневно, только обычно он еще успевает пообедать быстренько, потому что нигде не задерживается ни одной лишней минутки и ровно в двадцать минут третьего выходит из поезда на станции «Таганская». А если сегодня обойтись без обеда и вместо него поболтать еще минут пятнадцать с Милой? Они только-только заговорили о Коэльо, по которому в этом году вся Москва с ума сходит, и Костя отчего-то непременно хотел поделиться с девушкой своими мыслями по поводу прочитанного и услышать ее мнение. Да и Мила, кажется, тоже не спешит расстаться с ним.

Но взгляд, брошенный на часы, она все-таки приметила и тут же спросила:

— Ты спешишь?

— Да нет... то есть... — Костя запутался в словах и мысленно обругал сам себя. — Понимаешь, мне нужно к четырем часам к брату в больницу, а еще надо домой заскочить, взять для него кое-что.

— Хочешь, я тебя провожу? — неожиданно предложила Мила. — Мне спешить некуда, времени навалом.

Хочет ли он? Она еще спрашивает! Но ведь он не может пригласить ее в дом, ему стыдно показывать, в какой убогости он живет, а объяснить, что это только временно и связано с необходимостью, сложно. Объяснение может вырулить на такую плоскость, где и проговориться недолго. А нельзя. Впрочем, есть один вариант вранья, вполне понятный и безобидный, главное — не сбиться. Если совсем припрет, можно сказать, что у них в семье финансовые трудности, и они сдают свою большую хорошую квартиру иностранцам за приличные деньги, а сами временно снимают дешевенькое плохонькое жилье. В сущности, это не так уж далеко от истины. Ненавистную квартиру они действительно снимают. И их собственная квартира действительно большая и очень хорошая. Только никаким иностранцам они ее не сдают.

— Знаешь, Мила, я бы очень хотел еще побыть с тобой, и спасибо тебе за предложение проводить. Только я не могу пригласить тебя к себе, ты подождешь меня на улице? Я мигом, только сумку соберу. Пять минут, ладно? Не обидишься?

— У тебя что, родители дома? — понимающе спросила она.

Ну вот, еще легче, и никакого особенного вранья пока не нужно, Мила сама подсказала ему причину, которую она считает уважительной.

— Да, — с готовностью кивнул он, — отец дома. Он человек сложный, не всегда адекватный, так что без предварительной подготовки незнакомых людей приводить опасно. Ну, ты сама, наверное, понимаешь...

— Понимаю, конечно, — засмеялась девушка. — У меня бабка такая же. Никого не могу к себе позвать, прямо кошмар какой-то. Ну пошли, — она потянула Костю в сторону эскалатора, — чего мы стоим?

Семь минут быстрым шагом обычно легко превращаются в двадцать и даже двадцать пять минут неторопливого счастья. Эта мысль пришла в голову Косте Фадееву, когда пришлось остановиться перед ненавистным подъездом.

— Подождешь? — на всякий случай спросил он, хотя вроде бы все уже было договорено и решено и Мила вызвалась поехать с ним аж до больницы.

— Конечно, беги, не волнуйся, никто меня здесь не украдет.

Он взлетел по лестнице к лифту, ворвался в квартиру, кинулся укладывать книги.

— Что это за девица с тобой? — послышался недовольный голос отца.

Ах ты черт, как же он упустил из виду, что отец целыми днями торчит у окна, наблюдает за домом напротив, выслеживает их Врага. И конечно, видел, как Костя подходил к дому с девушкой.

— С моего курса, — Костя попытался быть нейтральным и кратким. Авось отец удовлетворится минимально необходимой информацией.

— Зачем ты ее привел?

— Пап, я ее не привел, она ждет на улице. Я обещал дать ей конспекты переписать, она болела, пропустила несколько лекций.

— И как ты объяснил ей, почему не приглашаешь в дом?

— Сказал, что у меня отец болеет. Все в порядке, пап, не волнуйся. Новости есть?

— Ты мог бы спросить об этом первым делом. Такое впечатление, что тебе неинтересно... Вспомнил только под занавес, как будто ты мне одолжение делаешь.

Косте на мгновение стало стыдно. Отец прав, самое главное для них сейчас — Враг. И даже не столько он, сколько те люди, с которыми он связан и из-за которых

Вадька не поступил в институт. Все брошено на алтарь этой цели, все силы, деньги, время, все мысли и планы. Но из-за Милы он позволил себе на несколько минут забыть об этом, отвлечься. Нет ему прощения.

— Прости, папа, ты не думай, что я забыл. Просто у меня цейтнот, я не хочу к Вадьке опоздать, ты же знаешь, какой он, если в пятнадцать минут пятого меня не будет, он подумает, что я вообще не приду, и никто больше к нему не придет, и он никому не нужен, и все его бросили. Так уже бывало, и я не хочу, чтобы это повторялось.

Лицо отца смягчилось. Он помог сыну застегнуть «молнию» на дорожной сумке.

— Сегодня все как обычно, — торопливо заговорил он, стараясь не задерживать Костю. — Он утром поехал в институт, я его проводил, посмотрел расписание, у него две лекции, потом два «окна», потом он принимает зачет, с четырех часов. Раньше шести, я думаю, он не освободится. К шести я туда подъеду, посмотрю, как он проведет вечер.

— А два «окна»? Это же три часа свободного времени, он может уехать куда угодно и потом вернуться.

— Я уже это проверял, ты забыл? Первое время я постоянно торчал с утра до конца рабочего дня то возле института, то возле фирмы, где он работает. У него устоявшиеся привычки, этот человек не склонен к экспромтам. Когда у него «окна», он из института не уходит.

— Пап, — Костя уже стоял возле двери с сумкой в руке, — а может быть, мы неправильно рассчитали? Смотри, мы уже четыре месяца тут торчим, и ничего не происходит. Он с тем мужиком, о котором Вадька рассказывал, так и не встретился ни разу.

— Что ты хочешь сказать? — Отец нахмурился. — Что мы неправильно рассчитали?

— Ну, может, он с ним все-таки встречается, но не в городе, а прямо там, в институте. Или вообще у себя на фирме. Ты же за ним не следишь, пока он в институте, верно?

— Этого не может быть, — отрезал отец. — Этот человек не может там появляться. Не должен.

— Почему?

— Его могут узнать.

— Да кому он нужен? Кто его там будет узнавать?

— Не учи меня! Я знаю, что делаю.

Костя покорно вздохнул и выскочил на лестницу. Мила стояла возле подъезда, точно в том же месте, где он ее оставил, и читала детектив в мягкой обложке.

— Все в порядке? — Она с тревогой заглянула ему в глаза, и Костя подумал, что, наверное, рожа у него перекошенная, словно он гадости какой-то наглотался.

— Порядок, — бодро ответил он. — Можем двигаться.

— А чем болеет твой брат? Что-то серьезное?

— У него нервы...

Вдаваться в подробности не хотелось. Опасно.

— Он старший или младший?

— Ровесник. Близнец.

— Такой же, как ты? Один в один?

— Да нет, мы разнояйцевые, — улыбнулся Костя. — Совершенно друг на друга не похожи. Он нежный такой, ранимый, слабый, не то что я. Меня-то оглоблей не перешибешь, а Вадька у нас как одуванчик, на него даже дунуть посильнее нельзя. Вот институт не поступил — и заработал нервный срыв.

Так, остановиться, куда это его понесло? Еще одно слово — и станет опасно. Про институт сказал, про нервный срыв — и достаточно, сворачиваем тему.

— И ты каждый день к нему ездишь? — В голосе Милы не было любопытства, во всяком случае, Костя слышал только искреннее сочувствие и даже желание разобраться в ситуации, чтобы быть полезной.

— Каждый. Ну почти, — тут же поправился он. — В выходные мать ездит, но не всегда, у нее работы много, бывает, что и по выходным она не может. А в будние дни она никогда не успевает, очень поздно заканчивает.

— А кем твоя мама работает? Ничего, что я спрашиваю? Просто мне все про тебя интересно.

Его бросило в жар. Кажется, даже волосы покрылись испариной. Ей интересно все, что касается его жизни. Разве так может быть? Девушка, от одного взгляда на которую ему становится пушисто и бархатно, сама предлагает проводить его, а потом интересуется им и его жизнью. Это сон, наверное. Или слюнявый женский роман, который он, Костя, по недоразумению начал читать.

— У меня мать — переводчик, ну и уроки дает, у нее учеников море. А твои предки чем занимаются?

— У-у-у, — Мила весело махнула рукой, — скукотища. Папаня банкирствует по мере умственных возможностей, маман тратит то, что он набанкует. Больше всех у нас бабка занята, следит, чтобы я замуж за проходимца не выскочила. Ей все кажется, что моя мама за ее сыночка по расчету замуж вышла, и второго покушения на папанины капиталы она не вынесет. Маразм, честное слово! Когда предки поженились, они вообще студентами были, еще при советской власти. Тогда во всей стране всего три банкира и было.

— Почему три? — не понял Костя.

— Потому что всего три банка и было — Госбанк, Внешэкономбанк и Стройбанк. Они оба в Плешке учились. Разве кто-нибудь мог знать тогда, как все дело обернется? Но бабке не объяснишь, она упертая как я не знаю кто. Невестку она, натуральное дело, выпереть из семьи не может, но уж на мне отыгрывается — будьте-нате. Так что имей в виду, я тебя к себе тоже приглашать не смогу, бабка из тебя душу вынет. А то и оскорбить может, у нее не задержится.

Господи, что она такое говорит? Что не сможет приглашать его к себе домой? Что не хочет, чтобы ее бабка обижала Костю? За восемнадцать лет жизни ему не приходилось слышать слов, которые казались бы волшебной музыкой. Вот сейчас и услышал.

— Странно вообще-то, — начал он и запнулся, потому что хотел сказать что-нибудь примитивно-грубоватое, чтобы скрыть восторг и смущение, но фразу до конца не придумал.

— Что странно?

— Да вот мы уже второй семестр вместе учимся, а разговорились только сейчас. И домой ездим по одной ветке, а раньше в метро не встречались.

— Ничего странного, — фыркнула Мила, — я в метро не езжу. Просто я вчера одному козлу крыло помяла, ну и себе, соответственно, тоже, и машина в сервисе стоит. Через неделю будет готова.

Вот, значит, как. Банкирская дочка. Ну все понятно, чего уж там. У нее небось и парень есть подходящий, которого бабка одобряет, но он временно отсутствует, поэтому сегодня у нее метро и непритязательный Костик, а через неделю будет машина и приличный кавалер.

— Какая у тебя тачка? — спросил он потухшим голосом, лишь бы что-нибудь спросить.

— «Бэха-треха».

«BMW» третьей модели. Недурно для первокурсницы.

— А твой постоянный парень чем занимается?

Спросил как о чем-то давно известном и само собой разумеющемся. Не нужны ему вредные иллюзии, пусть все будет ясно с самого начала, пусть будет больно сейчас, но уже через несколько дней это пройдет, и все станет как прежде.

— Понятия не имею. — Она пожала плечами и лукаво посмотрела на Костю. — Чем-то, наверное, занимается, если у него совсем времени на меня нет.

— Редко встречаетесь? — Костя попытался изобразить сочувствие и понимание.

Ясное дело, он такой занятой, ну прям такой занятой, что бедную девушку даже в кафе сводить не может, вот она от скуки и потащилась с Костей через весь город.

— Не то словечко. Просто-таки вообще ни разу еще не виделись.

Он заподозрил неладное, но не сразу, и продолжал задавать свои тупые равнодушные вопросы, чтобы показать: он ни на что такое особенно-то и не надеялся, и даже в голове не держал, просто едет себе в метро и болтает с едва знакомой однокурсницей.

— Вас что, заочно окрутили, как на Востоке?

— Ага, — она весело хмыкнула. — Боженька там, на небесах, всех по парам давно уже распределил, мне тоже кого-то назначил, только этот назначенный такой деловой, что никак время не выберет, чтобы со мной пересечься. Деньги, наверное, зарабатывает в поте лица. А может, бандитствует потихоньку, это тоже занятие серьезное. А может, уже и срок мотает. Или вот, как ты, к брату в больницу каждый день ездит, так что ему пока не до девушек.

Костю отпустило. Глупо, конечно, думать, что у такой чудесной девушки никогда никого не было. Были. Но сейчас, похоже, она свободна. И едет с ним в больницу не от скуки, а потому, что хочет побыть с ним. Только как же потом? Он пойдет к Вадику, а она? Неужели будет ждать его два часа? Потому что меньше двух часов он с братом не проведет, так сложилось с самого начала, и, если Костя попытается сократить время встречи, Вадька снова запсихует, начнет думать, что он всем надоел, он всем в тягость... Нет. Два часа и ни минутой меньше.

Что же делать, когда они доберутся до больницы? Попросить подождать — немыслимо! Ни в какие ворота не лезет. Пригласить вместе навестить Вадьку? Нельзя. Вадька может сболтнуть что-нибудь лишнее. И потом, если он увидит Костю с девушкой, то сразу станет думать, что он своей болезнью разрушает личную жизнь брата, и далее со всеми остановками. С Вадькой нужно быть очень осторожным и аккуратным, на него действительно дышать нельзя, он сразу кидается с головой в идеи самообвинения и собственной никчемности, так и раньше было, а уж после срыва — полный караул!

Так как же быть? Дойти до больничного крыльца и мило попрощаться, дескать, спасибо за компанию, было очень приятно? Хамство.

— Костя, а рядом с больницей что-нибудь есть?

Вопрос застал его врасплох, Костя даже не понял, о чем Мила его спрашивает.

— В каком смысле «что-нибудь»? Дома есть, улицы, машины ездят.

— Кафе есть какое-нибудь? Лучше с Интернетом. Я бы в чате посидела, пока ты у брата будешь. У меня есть два любимых чата, такие прикольные — я от них балдею, могу целую ночь проторчать.

— Есть! — радостно воскликнул он.

Как все просто. И как все хорошо...

Глава 3

НИКА

Вот вы, наверное, уже успели подумать о том, какая я хладнокровная и бездушная. Ну как же, муж меня бросил, а я не страдаю и не наматываю сопли на кулак. Вместо того чтобы лить слезы ручьем и рассказывать, как мне плохо, как я переживаю, как мне больно, особенно когда представляю себе, как Олег там с другой женщиной... И все в таком роде. Так вот вместо всего этого я вам пою романсы про бездомного кота, непослушную собаку и алкашей у супермаркета. Ведь подумали же, да? Конечно, подумали.

И напрасно. Вовсе я не холодная и не бездушная. Просто у меня всегда все в порядке. Я привыкла так жить. Что бы ни происходило, как бы погано ни было у меня на душе, на вопрос «Как дела?» я всегда отвечаю: «Нормально» и не пытаюсь грузить собеседника своими проблемами и переживаниями. Если есть что рассказать, образно говоря, «по фактуре» — делюсь непременно, я вообще-то не молчунья и потрепаться люблю. Но выплескивать всем подряд то, что у тебя на душе, — нет уж, увольте. Да и не нужно это никому, если вдуматься.

А на душе у меня первое время царило полное безобразие. Не стану описывать в деталях, каждую женщину хоть раз в жизни бросал любимый мужчина, так что всем и без моих причитаний все понятно. И как это больно, и как горько, и как сильна обида, и как непереносимо чувство униженности. Кстати, интересный феномен: почему мы, женщины, в такой ситуации чувствуем себя именно униженными? Наверное, это оттого, что сам факт ухода нашего любимого к другой мы воспринимаем как фразу: «Она лучше тебя». Она лучше, стало быть, мы, брошенные, — хуже. А ведь на самом-то деле глупость несусветная! Она не лучше, а мы не хуже, просто мы с ней разные. И нашему любимому до поры до времени было хорошо с нами, потому что мы со своим характером и внешностью отвечали, то есть соответствовали, его внутренним потребностям. Но время идет, люди меняются, развиваются, мы — в одну сторону, наши мужчины — в другую, и наступает рано или поздно момент, когда мы такие, какими стали, уже не соответствуем потребностям того мужчины, в которого со временем превратился наш избранник. Вот и все. И чем моложе пара, тем больше вероятность, что их развитие пойдет в разные стороны и они обязательно расстанутся. Потому что интенсивно человек развивается примерно лет до тридцати пяти, а то и до сорока. Пары, которые сошлись в сорок и позже, имеют куда меньше шансов на разочарование, потому что к сорока годам вкусы, интересы и потребности уже как-то устоялись, системы приоритетов и ценностей сформировались, и если люди устраивают друг друга такими, какие они есть, то так оно уж и останется. Исключения, само собой, бывают, не без этого. Но не часто.

Не думайте, что я такая умная и все это знала в момент ухода Олега. Ничего я не знала, поэтому рыдала и страдала, как говорится, в полный рост. С сердечными болями и мигренями, с высоким давлением, чернотой в глазах и прочими невротическими прелестями. Но... С тех пор прошло достаточно времени, чтобы я очнулась от ужаса и разобралась в ситуации. В Семье я уже больше года. Сначала я ждала Олега. Надеялась, что поселившийся в его ребре бес порезвится и затихнет и он вернется. Все двери я оставила открытыми, каждый раз после телефонного разговора с его родителями я отзванивалась ему на работу и подробно пересказывала весь разговор, чтобы он при беседе с ними не попал впросак. Была с ним милой, шутила, справлялась о его здоровье. Короче, изображала идиллические отношения между взрослыми, все понимающими людьми. Правда, меня немного удивляло, почему Олег ни разу не предложил мне возмещать затраты на телефонные переговоры с его родителями, ведь для меня эти деньги были куда как существенными. Но я сама себе маленьким язычком отвечала, что я ведь не жалуюсь на свое бедственное положение, так откуда ему знать?

А потом прозвенел первый звоночек. И не сказать чтоб тихонько.

— Ника, ты ведь сейчас на Таганке живешь? — как-то спросил меня Олег.

— Да, — подтвердила я, и в душе у меня все запело: сейчас он скажет, что хочет увидеться со мной, что соскучился.

— Слушай, у вас там есть какой-то магазин итальянской сантехники.

— Есть, — снова подтвердила я, совершенно не понимая, куда он клонит.

— Ты не могла бы туда сходить?

— Могла бы. А зачем?

— Понимаешь, мы ремонт делаем, но у нас совершенно нет времени днем по магазинам мотаться. Мы же работаем. Ты пойди туда и посоветуйся с продавцами, какая сантехника лучше, и узнай, какие там цены. Ладно?

Хорошо, что я в этот момент сидела. Просто-таки большая жизненная удача. Иначе быть бы мне с черепно-мозговой травмой. Олег, находясь со мной в зарегистрированном браке, живет с другой женщиной, приносит ей свою немаленькую зарплату, и на эту зарплату (на половину которой я имею законное право) они делают ремонт в ЕЕ квартире и покупают сантехнику, в которой ОНА будет мыться и справлять прочие гигиенические надобности. А я, брошенная без копейки и без крыши над головой Ника, должна ходить по магазинам и узнавать, какая техника лучше и сколько она стоит. Ну конечно, же не работаю, не хожу к девяти в присутствие, я кто?

Так, никто, домработница, прислуга. Пойду с корзинкой на базар, по дороге и насчет цен на унитазы справлюсь.

У меня аж дух захватило. Знаете, это очень занятный процесс, когда с одной стороны тебя обуревает возмущение, с другой — удивление, с третьей — стыд. Про возмущение, я думаю, вам понятно, можно не объяснять. Удивляло же меня, что я вообще это слышу от Олега. Неужели в нем вот это вот было и раньше, а я не замечала? Или раньше не было, а появилось только сейчас? Да нет, пожалуй, и раньше было, ведь спокойствие его родителей — это его проблема, сыновняя, а он легко и непринужденно переложил ее на меня. Дескать, старики распереживаются, ты уж, Ника, помоги. Но старики — это святое, и я как-то не придала значения просьбе Олега регулярно звонить им, как и прежде. А ведь его просьба посодействовать с унитазом, если вдуматься, из той же коробочки.

И было мне в тот момент жарко от стыда. Я умирала от любви к ЭТОМУ человеку? И умирала от горя, когда он меня бросил? Неужели я такая дура? Неужели я еще более слепа, чем Гомер?

Людям свойственно любить себя, и я не исключение. Считать себя слепой дурой было неприятно, и я быстренько вышла из виража, решив, что Олег, вероятно, просто сморозил глупость, не подумав, как она будет воспринята. Вполне простительная ошибка. С каждым случается.

Второй звонок прозвенел просто-таки оглушительно. Для каких-то надобностей Олегу потребовалось предъявить свидетельство о браке, а поскольку регистрировались мы в Ташкенте, то и свидетельство было на чистом узбекском языке. Находилось оно у меня.

— Ника, слушай, мне нужен нотариально заверенный перевод свидетельства, — заявил он.

— Приезжай и забирай, — ответила я без колебаний.

— А ты не могла бы узнать, где делают официальные переводы?

— Могла бы. Но ты можешь с этим справиться ничуть не хуже. У тебя тоже есть телефон, возьми «Желтые страницы» и позвони.

— Ну Никуша, — заныл он, — у тебя это так ловко получается! Слушай, может, ты найдешь эту контору, съездишь к ним, сделаешь все, потом заверишь у нотариуса, а?

Строго говоря, это было проблематично. Одно дело заскочить в магазин сантехники на соседней улице, и совсем другое — переться незнамо куда и тратить неизвестно сколько времени. Я ведь никогда точно не знаю, кто из членов Семьи и сколько времени собирается провести дома, а оставлять Главного Объекта в одиночестве невозможно. Конечно, нет ничего невозможного, если захотеть. Но вот должна ли я хотеть?

— А зачем тебе свидетельство о браке? — осторожно спросила я. — Ты собираешься подавать на развод?

— Ну что ты, Никуша, конечно, нет. Мы с Галочкой собираемся съездить к друзьям в Калифорнию, они нас приглашают отдохнуть, а в американском посольстве для визы обязательно нужно предъявлять свидетельство о браке, если ты женат, там вообще все очень сложно...

И еще десять минут я вынуждена была слушать печальную повесть о том, какие невероятные препоны приходится преодолевать моему бывшему мужу, чтобы вырваться на месяц отдохнуть с любовницей на калифорнийских пляжах. Если память мне не изменяет, перед моим отъездом в Ташкент к тяжелобольному свекру Олег мне говорил, что вот отец поправится, все тревоги закончатся, и мы обязательно поедем с ним в Калифорнию к этим самым друзьям, которых я, кстати, считала и своими друзьями, поскольку мы были хорошо знакомы. А теперь мне предлагалось оказать ему помощь в том, чтобы в эту поездку он отправился не со мной. Да уж не глючит ли меня? В самом ли деле это происходит? Может, я сплю? Или брежу?

После второго звонка выходить из виража было, пожалуй, потруднее. Зато после третьего, как и полагается в театре, занавес поднялся, и моим глазам предстала четкая и не очень-то приглядная картина. Я вдруг увидела Олега таким, каков он был на сегодняшний день. Это совсем не тот Олег, в которого я когда-то влюбилась и за которого выходила замуж. Это другой мужчина, инфантильный, остановившийся в своем эмоциональном развитии на уровне ясельной группы детского садика. Абсолютно чужой и абсолютно мне ненужный.

В тот день я поняла, что больше не буду его ждать. И мое пребывание в Москве утратило первоначальный смысл. Но к тому времени я проработала у Сальниковых десять месяцев, и мне удалось скопить четыре с половиной тысячи долларов. Иными словами, я уверенно и без сбоев шла по дороге, которую для себя наметила: жить «в людях» и копить на собственную квартиру. Что же теперь, отступить? Все бросить? Ни за что. Да и потом, я не могу вернуться в Ташкент, пока живы родители Олега, они сразу же узнают о моем приезде и догадаются об остальном. Вот попала ты, Кадырова! Это ж надо, чтобы так все сошлось: и в Ташкенте, и в Москве ты должна обеспечивать душевный покой стариков. Видно, планида твоя такая.

Ну а сейчас, поскольку с момента расставания с Олегом прошло больше года, в моей душе царит относительный покой. Я приняла ситуацию, смирилась с ней и не считаю нужным заламывать руки и строить из себя великомученицу.

* * *

Я совершенно не умею рассказывать «от печки», мне всегда хочется побыстрее подобраться к главному, и из-за этого мое повествование обычно получается сумбурным и путаным, потому что все время приходится возвращаться к началу и что-то дополнительно объяснять, или уж вовсе непонятным, если не возвращаться и не объяснять ничего. Одним словом, рассказчик я аховый.

К тому же меня сбивает с ровного повествовательного тракта неистребимое стремление найти нужную развилку, ту точку, тот момент принятия решения, который вывел меня именно на это ответвление дороги, а не на какое-нибудь другое. Поэтому, рассказывая свою историю, я постоянно оглядываюсь на прошлое и застреваю на событиях, которые вам кажутся совершенно неинтересными, но для меня имеют огромное значение. Уверена, например, что вы так и не поняли, зачем я столь подробно описывала эпопею с Патриком. Да, миленько, даже, может быть, умилительно, но зачем? Какое это имеет отношение?.. Никакого. Для вас. А для меня имеет. Потому что именно в разгар выяснения, у кого в комнате должен жить котенок, пока не приучится к лотку, я впервые сформулировала свою задачу: я должна стоять на страже мира и покоя в Семье, чтобы никто ни на кого не сердился, никто не повышал голос, не плакал и не страдал, а если уж этого нельзя избежать, то чтобы Старый Хозяин ничего не видел, не слышал и не знал. Ему нельзя нервничать и волноваться. Пока Главный Объект жив, у меня будет работа и зарплата. И свою задачу я буду выполнять ценой любых усилий и любых жертв. Речь идет не о самопожертвовании, а о том, что у меня есть я, о которой никто, кроме меня самой, не позаботится. Все, что я делаю ради спокойствия Николая Григорьевича, я делаю для себя самой, для достижения собственной цели. Если хотите, можете назвать это эгоизмом, воля ваша. Я же называю это отчаянной борьбой за выживание. И ради тишины и покоя в доме я буду терпеть в своей крохотной комнатке Патрика вкупе с запахами кошачьих экскрементов, хлорки и наполнителя для лотка.

Да, все верно, тот эпизод и был «точкой разветвления» моей дороги. Про себя я именовала ее точкой «Патрик». От точки «Патрик» я двинулась дальше по одной из двух веток. А уж эта ветка, в свою очередь, тоже давала отростки, и мне приходилось выбирать, по какой веточке своего жизненного дерева ползти дальше.

От точки «Патрик» до следующей, которая называется точкой «Гомер», веточка вытянулась почти на месяц. Но точка «Гомер» тоже очень важна для понимания дальнейших событий, поэтому мне придется снова вернуться назад. Вы уж простите.

Итак, точка «Гомер». В один прекрасный день Мадам, придя домой, стала обнаруживать явные признаки нервозности. Нет, она ни на кого не сердилась, но каждые пять-десять минут куда-то звонила, ей не отвечали, и с каждой неудачной попыткой дозвониться в ней словно туже и туже натягивалась невидимая тетива. Мне даже показалось, что если вставить стрелу, то последствия выстрела могут быть, как выражаются медики, несовместимыми с жизнью. Судя по всему, Наталья и сама это понимала. По ее напряженному лицу было видно, что она судорожно пытается что-то придумать.

— Ника, Николай Григорьевич уже ужинал?

Я с удивлением посмотрела на нее. У Старого Хозяина жесткий режим питания, уж ей ли не знать! Ужин в 19.00. Кефир со сладкой творожной массой — в 22.00. Сейчас половина десятого. Так какие могут быть вопросы?

Но все это было сказано маленьким язычком. Большой же язык у меня вежливый и выдержанный.

— Да, Наталья Сергеевна, Николай Григорьевич ужинал.

— Он еще не спит?

Да ты что, матушка, совсем с глузду съехала? Какое «спит»? А кефир? А сериал про пограничников, который только в десять вечера начинается и который Старый Хозяин как раз на кухне и смотрит, аккуратно выедая творожок с изюмом из упаковочного стаканчика? Ты что, первый день в этом доме живешь?

Маленький язычок, которому я акустической свободы не даю и который иногда в знак протеста пытается использовать мои глаза и мимику в качестве носителя информации, сделал мощный рывок, и я с трудом успела удержать его, а стало быть, и лицо в состоянии относительного покоя.

— Нет, Наталья Сергеевна, он еще не спит. Он в десять часов выйдет пить кефир с творогом и смотреть сериал.

— Ах да, я забыла...

Она снова схватила телефонную трубку и попыталась куда-то дозвониться. Не сказать чтобы успешно. Я продолжала лепить манты, которые заказал на ужин Денис. Он уже звонил, сказал, что придет в одиннадцать. Мадам металась между кухней и гостиной, почему-то каждый раз надолго застревая в прихожей. Что происходит, хотела бы я знать?

Из своей комнаты выпорхнула Алена, придирчиво оглядела стоящую на кухне вазу с фруктами, схватила мандарин.

— Мам, а папы что, до сих пор нет?

Наталья дернулась и чуть не уронила телефонную трубку, которую так и таскала в руке.

— Он задерживается. Дядя Слава приехал из Орла.

— А-а-а, все ясно, опять будем бездыханное тело на

себе таскать, — презрительно бросила Алена, ловко сдирая кожуру с мандарина.

— Алена!

— Да что такого, мам? В первый раз, что ли? Все равно Ника рано или поздно узнает. Как дядя Слава приезжает, так папа нарушает режим. А еще по праздникам, дням рождений и банным дням. Нике просто повезло, что пока еще праздников не было. А скоро Новый год, Рождество, 23 февраля, 8 Марта...

— Алена! — Наталья уже сердилась, это было слышно.

— Да ладно тебе, мам. Подумаешь. Ну придет, ну будет валяться в прихожей, мы его дотащим до какого-нибудь дивана, он там и проспит до утра. Только вот беда, папец у нас храпит очень громко, когда напьется. Никому спать не дает. А так нормально.

Оставив мандариновые ошметки прямо на столе, Алена развернулась и скрылась в своей комнате. Кажется, я начинала понимать, из-за чего так дергается Мадам. Она боится, что муж явится в совершенно непотребном виде, и не хочет, чтобы это живописное полотно лицезрел Главный Объект. Потому и торчит поближе к входной двери. Потому и вопросы о Николае Григорьевиче задает. Потому и звонит без конца, пытается дозвониться до благоверного, чтобы, во-первых, понять, в какой степени опьянения тот находится, а во-вторых, узнать, когда он собирается прибыть к супружескому ложу. А Гомер, как водится, мобильник отключил, чтобы его глупостями всякими не доставали. А потом скажет, что у него батарейка разрядилась. Плавали, знаем...

— Ника...

Ну вот, сейчас она наконец разродится своей идеей. Что она там придумала? Давай уж скорее, что ли.

— Да, Наталья Сергеевна?

В отличие от меня Наталья умеет излагать четко, коротко и внятно. Этого у нее не отнять. В нескольких словах она описала мне ситуацию. Павел Николаевич, конечно же, не алкоголик, у него не бывает запоев, но он имеет обыкновение если уж напиваться, то до потери человеческого облика. Вот этого самого нечеловеческого облика Николай Григорьевич видеть не должен. Старый Хозяин, понимаете ли, не приемлет такого термина, как «нарушение режима». Он полагает, что если человек сильно пьян, настолько сильно, что валяется на полу в прихожей, не раздевшись, и при этом оглушительно храпит, то это уже явный признак алкоголизма. Дело в том, что у Николая Григорьевича и Аделаиды Тимофеевны есть еще один сын, младший. По имени Евгений. Так вот он настоящий алкоголик, стопроцентный, лечился неоднократно. Поэтому Главный Объект так легко допускает мысль об алкоголизме и старшего своего сына, любимого Павлушеньки. И каждый раз, если не удается Николая Григорьевича уберечь, вид валяющегося, расхристанного, пьяно храпящего Павла приводит к сердечному приступу у отца.

Надо же, оказывается, Великий Слепец способен на безумства.

— Вы хотите, чтобы я вышла на улицу, встретила Павла Николаевича и не пускала его домой, пока Николай Григорьевич не ляжет спать? — Ух какая я догадливая, самой противно.

— Ника, я была бы вам очень признательна, если бы вы...

Если бы я. Интересно, а почему не ты? Ты же жена, и это твой муж напивается, а не мой, и твой свекор болеет, а не мой. Впрочем, мой тоже болеет. Но это моя проблема, и я ее ни на кого не перекладываю. Хотя, если смотреть в корень, то Старый Хозяин и его здоровье — тоже моя проблема. Молчать, маленький язычок! Ишь, распустился. Мое дело телячье, что велят, то и делаю. Не пререкаться же мне с хозяйкой.

— Конечно, Наталья Сергеевна, я сейчас оденусь и выйду.

— Возьмите с собой Аргона.

— Я думаю, это лишнее, — осторожно возразила я.

С непослушным псом и пьяным хозяином я, пожалуй, одновременно не управлюсь.

— Но ему же все равно нужно гулять, — настаивала Наталья.

— Я потом с ним выйду.

— Ника, возьмите собаку. — В ее голосе зазвучал металл.

Тьфу ты, господи, да что же я за дура такая? Ясно как

день, она боится, что Главный Объект выйдет к кефиру и сериалу и спросит, где Ника, почему кефир ему подает невестка, а не домработница. Если собаки нет, то ответ прост и понятен: Ника выгуливает Гошеньку. А если собака дома, вот она, мирно посапывает на своей подстилке в холле, то куда ушла Ника на ночь глядя? Конечно, Ника может уйти куда угодно, и в магазин (только вернется почему-то с пустыми руками, без покупок), и просто погулять (только почему-то без Аргона), и по делам (интересно, по каким?), но деда на мякине не проведешь, он только с виду тихий пенсионер, издавна поделивший весь мир на своих и чужих. Старый Хозяин все видит, все слышит и все понимает. Только до поры до времени виду не показывает, в себе держит. Кажется, я забыла сказать: он старый чекист, вышел в отставку в звании полковника КГБ.

— Хорошо, Наталья Сергеевна. Не нервничайте, я все сделаю как надо. Если вы дадите мне с собой свой мобильник, я смогу держать вас в курсе.

— Спасибо, Ника.

Впервые за весь вечер ей стало легче, даже я это почувствовала. Вот глупышка, давно бы уже сказала мне все как есть, я бы ее сразу успокоила, пообещала бы гулять с Гомером вокруг дома до тех пор, пока Николай Григорьевич десятый сон смотреть не начнет.

Я сняла кухонный передничек, натянула куртку и кроссовки, пристегнула поводок к ошейнику Аргона и отправилась защищать границу. Не сказать чтобы с большим удовольствием, потому как курточка у меня на рыбьем меху, еще в Ташкенте купленная, там ведь не бывает таких сильных холодов, как в Москве. Просто удивительно, на что мы с Олегом деньги тратили, ума не приложу! Проживали целиком всю его зарплату, даже и не думая что-то откладывать, словно завтрашнего дня в нашей жизни не будет. И почему так? Я покупала себе дорогие костюмы и фирменный трикотаж, модельную обувь и хорошую косметику, а вот до шубы или хотя бы дубленки, не говоря уж о теплом толстом свитере, дело так и не дошло. Зачем они мне? При том образе жизни домохозяйки, который я вела при Олеге, мне не нужна была теплая верхняя одежда, ведь если я (или мы вдвоем) куда-то ехали, то, разумеется, на такси. Черт возьми, я ведь даже за продуктами ухитрялась на машине ездить, хотелось накормить его повкуснее, позатейливее, и я отправлялась довольно далеко в магазины, где, как я знала, всегда есть хорошая баранина для плова, или его любимый сорт зеленого чая, или тыква (Олег обожал манты с тыквой), или еще что-нибудь. Вот куда денежки-то расходились! Если мы шли в гости или в театр, то нарядные тряпки у меня были, а до места все равно на машине добирались, так что холода я особо не чувствовала. Вот теперь мне эта легкомысленность и аукнулась. Конечно, когда мчишься с Аргоном на поводке в магазин, стараясь успеть побыстрее, а потом возвращаешься, держа в одной руке поводок, а в другой — тяжеленные сумки, то и без куртки не замерзнешь. Вечерний выгул пса тоже к замерзанию не располагал, мы с ним быстрым шагом доходили до спортплощадки, где Аргон отпускался на вольный выпас, а я делала активную разминку, бегала, прыгала, подтягивалась на турнике. Это единственное, что я могу делать для своего здоровья, живя в Семье. А вот так гулять, как мне пришлось в тот вечер, — это совсем другая история.

Далеко от дома уходить было нельзя, чтобы не пропустить Гомера. Пришлось неспешным шагом дефилировать по маршруту «по тридцать метров в обе стороны от подъезда». Время шло, организм коченел, Аргон скучал, быстренько пометив все доступные места и не испытывая ни малейшего интереса к тому, чтобы проделать все это по второму-третьему разу. А Великий Слепец где-то пьянствовал и не отвечал на звонки. Ника, Ника, для этого ли ты шесть лет училась в медицинском институте, торчала в анатомичке, зубрила по ночам латинские названия костей, а потом оттачивала свое мастерство, работая на «Скорой», чтобы теперь встречать пьяного мужика, которого нужно уберечь от встречи с впечатлительным папенькой? Куда жизнь тебя закинула, а?

Зазвенел мобильник в кармане куртки.

— Ника, Павел Николаевич только что звонил, он уже выезжает, будет минут через двадцать.

— А Николай Григорьевич?

— Смотрит сериал. Потом он будет смотреть еще какую-то передачу, только что анонс был, и он очень заинтересовался.

— Вы хотите сказать, что раньше чем через час нам появляться нельзя? — уточнила я.

— Вы уж простите, Ника, что так вышло... Но другого выхода я не вижу.

— Тогда вам придется самой варить манты для Дениса. Справитесь?

— Конечно, Ника. Спасибо вам.

Приятно. И домой ведь нельзя вернуться, чтобы погреться хотя бы эти двадцать минут, прозорливый Старый Хозяин, сидящий на кухне перед телевизором, непременно поинтересуется, куда это я потом снова отправилась. Зайти, что ли, в подъезд, там хотя бы не так холодно...

Нет, если есть двадцать минут, то я лучше прогуляюсь быстрым шагом: и сама согреюсь, и собаке развлечение. Уже почти одиннадцать, и, памятуя свои приключения у супермаркета, я решила не искушать судьбу, а обогнуть дом и пройтись по той улице, где расположено отделение милиции. Какие-никакие, а все-таки милиционеры.

Я бодро направилась в выбранном направлении и нос к носу столкнулась с Денисом. Все верно, уже без десяти одиннадцать, просто невероятно, как это современный молодой студент умудряется быть таким пунктуальным. По-моему, среди молодежи обязательность и пунктуальность никогда не были в моде.

— Привет! Гуляете?

— Гуляем.

— А манты? Я всю дорогу о них мечтал, жрать хочу до судорог.

— Тебя Наталья Сергеевна покормит.

— Да бросьте, Ника, пошли домой, поздно уже. Или вы только что вышли?

Я подумала, что получаю зарплату за домашние работы, а не за то, чтобы врать. Да и с какой стати? Может, в парне проснется сочувствие и он сам нетрезвого папашу покараулит? А потом и придет вместе с ним, как будто они у подъезда встретились.

— Я вышла давно и ужасно замерзла. Но Наталья Сергеевна попросила меня встретить Павла Николаевича.

— Зачем? — удивился Денис.

— У нее есть подозрение, что Павел Николаевич придет домой в не совсем адекватном состоянии, и ей не хочется, чтобы это видел твой дедушка. Я должна встретить Павла Николаевича и продержать его на улице до тех пор, пока Николай Григорьевич не уйдет к себе и не ляжет спать.

— Умно, — деловито кивнул Денис. — Решение оригинальное, но верное. Если дед увидит отца пьяным в хлам, такое начнется... Ладно, тогда желаю успехов.

Он скрылся в подъезде, а я с грустью смотрела на закрывшуюся дверь и думала о том, что с сочувствием я в очередной раз пролетела. Никто не собирается мне сочувствовать, потому что я кругом сама виновата. Виновата, что не оформила гражданство и не получила паспорт, виновата, что приехала из Ташкента в Москву, виновата, что захотела в Москве остаться. Виновата даже в том, что меня бросил муж. А раз сама виновата, то чего меня жалеть?

А возле отделения милиции кипела жизнь! Но какаято странная, не милицейская. Помимо машин с голубой полосой, перед зданием были припаркованы автомобили самого разного калибра, от скромных «Жигулей» до навороченных иномарок. На крыльце стояла группа солидных мужчин в дорогих пальто и куртках, все они оживленно и шумно что-то обсуждали, громко хохотали, жали друг другу руки. Аргон нашел под чахлым кустиком что-то интересное и надолго задумался, я не стала его дергать, пусть пес развлечется. Стояла и смотрела на милицейское крыльцо. Мужчины постепенно спускались с крыльца, садились в машины и уезжали, их места перед входом занимали другие, выходящие из здания. Когда появился очередной фигурант, то по огромным букетам, которые он нес в руках, я поняла, что здесь справляли чей-то день рождения. Скорее всего, начальника или кого-то из замов, и все эти дядьки на иномарках и в дорогих пальто приехали поздравить юбиляра. А мне уже так давно никто не дарил цветы...

Увлекшись разглядыванием букетов, которые суетливые прихлебатели укладывали в одну из машин, я и не заметила, как из общей массы поздравлянтов отделилась одна фигурка и двинулась в мою сторону.

— Добрый вечер, — послышался негромкий голос рядом со мной.

Я вздрогнула от неожиданности и с недоумением уставилась на невысокую неказистую личность в мятом плаще, вышедшем из моды, по-моему, еще до моего рождения.

— Здравствуйте, — машинально ответила я.

— У вас что-то случилось?

— Нет, у меня все в порядке. А что?

— Просто я смотрю, вы стоите прямо перед отделением милиции уже минут десять и никуда не уходите. Так обычно ведут себя люди, которые нуждаются в помощи, но не решаются зайти и попросить.

Я рассмеялась:

— Это собака стоит, а не я. Я просто жду, когда она завершит все свои важные дела.

В темноте мне было плохо видно лицо неожиданного собеседника, но все-таки удалось разглядеть, что ему под шестьдесят и что красотой он не блистал даже в лучшие годы своей молодости. От него пахло дешевым одеколоном и дорогим коньяком. То есть его на юбилее тоже угостили, наряду со всеми этими вальяжными, довольными жизнью, модно одетыми владельцами иномарок. Наверное, вон те жалкие ржавые «Жигули» как раз ему и принадлежат.

— В таком случае прошу прощения, — личность в мятом плаще изобразила легкий полупоклон. — Не смею мешать.

Он отошел от меня, но не сел в машину, а направился в сторону метро. Я посмотрела на часы: двадцать минут на исходе, пора возвращаться на позицию и занимать оборону.

Я едва успела. К подъезду мы приблизились с разных сторон, вернее, я подошла, а Гомер подъехал. Он не заметил меня, долго и с трудом выбирался из салона, путаясь в собственных ногах, потом стоял в полусогнутом виде, опираясь об открытую дверь, и разговаривал с человеком, сидящим в машине. Я так понимаю, это и был нарушитель Семейного спокойствия, некто Слава, с которым

Гомер набрался, а теперь трогательно и проникновенно прощался. Наконец машина уехала, Великий Слепец разогнулся и, с трудом передвигая ноги, понес себя к двери подъезда. Тут-то я его и перехватила.

Я как-то уже упоминала о том, что благодаря работе на «Скорой помощи» получила обширный опыт общения с пьяными. Опыт этот позволил мне сформулировать ряд законов, один из которых гласил: «Никогда не пытайся объяснить пьяному, что он пьян, если он сам этого не понимает. Он все равно тебе не поверит». Поэтому не было никакого смысла говорить Павлу Николаевичу ни заранее по телефону, ни прямо сейчас о том, что ему не следует идти домой в таком виде, потому что он безобразно пьян и Николай Григорьевич просто не вынесет такого непотребного зрелища. А пьян он был крепко. Знаете, есть такой вариант опьянения, когда тело, следуя заданной программе, движется в сторону дома, но мозг уже не функционирует и ничего не соображает, и создается ложное впечатление, что раз человек держится на ногах и даже сознательно идет по нужному маршруту, то он еще вполне адекватен и с ним можно иметь дело. Нельзя. Ему ничего невозможно объяснить, потому что он тебя не слышит и слов твоих не воспринимает. Вернее, не так. Слова он воспринимает, но, во-первых, выборочно, то есть не все подряд, а каждое третье, и во-вторых, понимает их довольно-таки своеобразно. Поэтому слова должны быть очень простыми, хорошо знакомыми и понятными. И кроме того, их должно быть много, чтобы воспринятая треть оказалась достаточно информативной. Отсюда вытекал второй закон общения с пьяными: говорить нужно много, но медленно, по двадцать раз повторяя одно и то же, фразы должны быть короткими, желательно без прилагательных, то есть, по возможности, одни только существительные, местоимения и глаголы.

— Посидите, — я буквально толкнула Гомера на скамейку, стоящую перед подъездом.

Потом села рядом, крепко вцепившись свободной рукой в рукав его кашемирового пальто, дабы пресечь несанкционированные попытки проникновения в подъезд.

Теперь нужно сделать паузу, чтобы он осознал, что сидит, а не идет, и что рядом с ним сижу я. На паузу ушло около минуты. Он немножко пораскачивал головой, потом сфокусировал взгляд на мне.

— О... Ника...

— Правильно, — одобрительно кивнула я.

— О... Гошка...

— Тоже правильно.

— А Патрик где?

— Дома.

— А мы?

— А мы на улице. На улице мы сидим. Здесь свежий воздух. Дышать полезно. Собака гуляет. Мы ждем. Она гуляет — мы ждем. Дышим воздухом. Это полезно для здоровья.

— Хорошо, — Гомер удовлетворенно хрюкнул. — Гошка, я с тобой гуляю. Гошка, иди сюда.

Аргон немедленно подошел и мордой ткнулся хозяину в колени.

— А Славик где?

— Славик уехал, — терпеливо объяснила я. — Он спит. Уже поздно.

— А я?

— А вы гуляете.

— Почему? А спать?

— Сначала гулять. Потом спать. Все по очереди. Сначала одно, потом другое. Сначала гуляем, потом спим.

— Мы с вами вместе гуляем? — уточнил Гомер.

— Вместе.

— А спим?

Даже в пьяном виде он ухитрялся сохранить пытливый ум. Забавно.

— Спим отдельно.

— Хорошо, — снова хрюкнул он.

Да уж неплохо. Мне не хватало еще только спать вместе с ним. Но я поторопилась. Потому что уже через мгновение Великий Слепец сладко спал на моем плече, сотрясаясь от собственного храпа. Миленько так, без затей.

Я вытащила из кармана мобильник и позвонила Мадам.

— Наталья Сергеевна, все в порядке, Павел Николаевич приехал.

— Где вы?

— На лавочке у подъезда.

— В каком он состоянии?

— Ну как вам сказать... В плохом. Николаю Григорьевичу лучше этого не видеть.

— Он смотрит телевизор. — В голосе Натальи зазвучала такая тоска, что мне стало жалко ее.

Все-таки она хорошая баба, ну, с придурью, но кто из нас без нее?

— Передача оказалась такой длинной, все не кончается и не кончается, — жалобно проговорила она. — Вы, наверное, замерзли?

— Замерзла, — подтвердила я.

А с какой стати я должна щадить ее и врать, что мне тепло и уютно? Все-таки зарплату она мне платит большую, так пусть отдает себе отчет, что за эти деньги я не прохлаждаюсь и не удовольствие получаю, а честно работаю и делаю даже то, что мне не нравится.

— Денис поел? — спросила я.

— Да, как раз сейчас кушает.

— Ему нравится?

— Да. — Мне показалось, что Наталья улыбнулась. — Говорит, очень вкусно.

— Ну и слава богу. Так что не беспокойтесь, Наталья Сергеевна, все будет в полном порядке. Мы тут посидим сколько надо. Только вы сразу позвоните, когда можно будет возвращаться.

В общем, если я скажу, что следующие минут сорок я наслаждалась жизнью, я совру. Гомер навалился на меня всеми своими ста килограммами, храпел и дышал мне в лицо выхлопом от того, что выпил и съел. Меню, судя по всему, было разнообразным и изобиловало острыми приправами. Аргон скулил, не понимая, что происходит и почему его заставляют бессмысленно крутиться на одном пятачке радиусом в длину поводка. Мимо нас в подъезд проходили люди, бросали на странную парочку быстрый и какой-то брезгливый взгляд и торопливо исчезали внутри. Странно, но никто не остановился, не попытался поздороваться с Гомером или хотя бы приветственно кивнуть, узнать, что случилось и не нужна ли помощь, тем более что Павел Николаевич сидел все-таки в обществе совершенно посторонней женщины, а вовсе не законной супруги. Такое впечатление, что жильцы дома друг с другом не знакомы и не общаются. Да, это не Рио-де-Жанейро. В смысле — не Ташкент. У нас там все было по-другому.

Зимний сырой холод нахально прополз в рукава, за воротник и снизу под джинсы, растекался под одеждой по всему телу и обустраивался там основательно и надолго. Я сидела на жесткой скамейке, ерзала от озноба и утешала себя мыслями о занавесочке для ванной.

Почему о занавесочке? Сейчас объясню. Когда-то давно, в первый год моей работы на «Скорой», произошла со мной одна штука. Мы выехали на ДТП с ранеными, среди пострадавших была женщина с ребенком, мальчиком лет восьми. Мальчик сидел на заднем сиденье машины, поэтому пострадал меньше, чем его мать, ехавшая впереди, рядом с водителем. Женщина была такой тяжелой, что мне в какой-то момент показалось: не довезем, не вытащим. Она уходила прямо на глазах. Я отчаянно делала все, чему меня учили в институте и чему я успела научиться на практике, но она уходила. И не было никакой возможности ее задержать. И вдруг я зажмурилась и представила себе, как она, выздоровевшая, счастливая и веселая, стоит на пороге моей квартиры с огромным букетом цветов. И мальчик рядом с ней, тоже улыбается и протягивает мне какую-то мягкую игрушку, не то слоника, не то козлика, я не разобрала, но игрушка была большая и серая. Я увидела это так явственно, что сама испугалась. «Ты выдержишь, — мысленно закричала я, — ты соберешь все силы и выдержишь, в больнице уже готовят операционную, вызвали всех врачей, самых лучших, я помогу тебе доехать, и все будет хорошо, все будет хорошо, я очень хочу, чтобы ты выжила и поправилась». Я продолжала делать все, что необходимо в таких случаях, и, чтобы не видеть ее угасающего лица, удерживала перед глазами ту картинку, на которой она с сынишкой стоит на пороге моей квартиры.

Мы довезли ее. Она выжила. И через два месяца пришла ко мне домой с сыном, цветами и мягкой игрушкой. Это был огромный лопоухий мышонок. Серый. С белой грудкой. Я чуть в обморок не упала. Они горячо благодарили меня и не понимали, почему я плачу. А я плакала, и тоже не понимала почему.

Я твердо знаю, что я не экстрасенс. И дара предвидения у меня нет. Но из того случая я извлекла свой урок: надо точно представлять себе, чего ты хочешь, надо отчетливо видеть дальнюю цель, и тогда все остальное выстроится на пути к этой цели нужным образом. И после этого каждый раз, когда у меня случались тяжелые больные, я представляла себе их здоровыми и счастливыми и цепко удерживала эту картинку в голове, пока остальная часть мозга быстро принимала решение о том, что делать. Механизм был прост, никакой мистики. У каждого человека есть своя палочка-выручалочка, помогающая принимать единственно верные решения. У кого-то это сигарета и чашка кофе, у кого-то — органная музыка, у кого-то пробежка на лыжах. У моего мозга такой помощницей оказалась картинка «из будущего». Вот и все. Я представляю себе благополучный исход, и все мои знания и опыт выстраиваются в аккуратном порядке, чтобы довести дело до этого исхода.

Я хочу жить и работать в Москве. Я не могу дать этому никакого логичного объяснения, которое могло бы удовлетворить взыскательного москвича, надрывно вздыхающего над проблемой мигрантов из бывших союзных республик, которые «понаехали и прямо житья от них нет». Я не могу привести в свою защиту ни объяснений, ни оправданий. Но я ведь и не обязана оправдываться. Я просто рассказываю свою историю. Если я кого-то раздражаю своим желанием жить в этом городе — не слушайте. Я не обижусь. Так вот, я хочу жить и работать в Москве. Для этого мне нужна квартира, прописка, гражданство, паспорт и работа. Причем последний элемент — работа — самый беспроблемный, он логично вытекает из наличия всех прочих элементов. Самый главный и сложный элемент — квартира, без нее не будет всего остального. И вот когда я все-таки накоплю деньги (лет через пять, не раньше), я пропишусь, оформлю свой статус, устроюсь на работу и начну потихоньку благоустраивать свое жилье. Сначала буду копить на самое необходимое — спальное место, стол, стул, плиту и кухонный шкафчик для посуды. Потом на все остальное. А когда вся мебель будет стоять на своих местах, подойдет очередь разных мелочей, таких, как скатерть, ваза для цветов и все прочие предметы, без которых вполне можно обойтись, но которые делают жизнь приятной и уютной. И последней в этом списке у меня стоит занавесочка для ванной. Я точно знаю, что она будет ярко-бирюзовая с рисунком в виде зеленых водорослей и красных рыбок. Наверное, это будет еще очень не скоро, лет через десять, а то и больше. Но я умею ждать. Тот день, когда я пойду покупать эту занавесочку, будет для меня самым счастливым.

Мыслями об этой занавесочке я и грелась, сидя на скамейке перед подъездом и слушая храп Гомера. Бирюзовая занавеска горела впереди, сверкала, переливалась и манила меня, как маяк манит и обнадеживает усталого измученного долгим плаванием моряка.

Приятные мечты о занавесочке для ванной то и дело перебивались вполне практическими соображениями, касающимися домашнего хозяйства. Увы, не моего собственного, а Семейного. Например, о том, почему темнеют концы листьев у одного из спатифиллумов. Всего их было три, два стояли в гостиной, и один — в спальне хозяев. Два чувствовали себя прекрасно и периодически выбрасывали красивые белые цветки, один же, несмотря на наличие цветка, отчего-то хандрил и не реагировал ни на целебные подкормки, ни на ласковые слова, которыми я его баловала ежедневно. А уход за многочисленными цветами, заведенными в доме еще покойной Аделаидой Тимофеевной, тоже входил в мои обязанности. И не дай бог какому-нибудь цветку начать хиреть! Мадам тут же заметит и не преминет сделать замечание. И ведь что любопытно, сама Наталья Сергеевна не знает ни одного названия, не отличает спатифиллум от диффенбахии, а сингониум от сциндапсиса, страшно удивляется, когда я говорю ей, что одни растения нужно поливать умеренно и часто, а другие — редко, но зато обильно, от меня она впервые услышала, что цветы нужно подкармливать, причем весной и летом раз в две недели, а осенью и зимой — раз в два месяца, потому что они спят. Ей вообще, как выяснилось, даже в голову не приходило, что цветы могут спать. Пока была жива Адочка, она сама занималась зелеными насаждениями, никому не доверяла, квартира стала похожа на ботанический сад, в котором все цвело и благоухало. После ее смерти цветы, расставленные по всей шестикомнатной квартире, стали приходить в уныние, потому что поливать их забывали, а когда вспоминали, то лили неотстоянную воду литрами во все подряд, кормить так и вовсе не кормили, а о пересаживании и речи не было, все смутно помнили, что бабушка что-то такое делала периодически, но что именно и зачем — представления не имели. Однако же красоты и ароматов хотелось всем. Посему мне было поручено, помимо здоровья Главного Объекта, желудков всех прочих членов семьи, содержания в должном состоянии их одежды и обуви, животных числом три, порядка и чистоты всей территории квартиры, еще и следить за растениями. Чтобы вам было понятно, сколько там цветов, скажу лишь, что на однократный полив у меня уходит двадцать пять литров воды. То есть пять пятилитровых баллонов. И все же, почему один из спатифиллумов грустит? Я что-то не так делаю? Или шкодничает кто-то из животных? Вряд ли это Аргон, он все больше по кожаным изделиям ударяет. Каська? Или хулиганистый Патрик? Этот может, особенно если учесть, что беспокоящий меня цветок стоит в гостиной рядом с диваном как раз с той стороны, где всегда смотрит телевизор Алена, это ее законное постоянное место. А что, если поменять горшки местами и посмотреть, что получится?

А еще я твердила про себя свою любимую молитву:

«Храни меня от злых мыслей,

Храни меня вдали от тьмы отчаяния,

Во времена, когда силы мои на исходе,

Зажги во мраке огонь, который сохранит меня,

Дай мне силы, чтобы каждое мое действие было во благо других...»

Но все когда-то кончается, и относится это в равной мере и к счастливой жизни, и к неприятностям. Мадам позвонила и дала отмашку. Можно было будить Великого Слепца и волочить его в лифт. Любопытно, что ей даже в голову не пришло прислать мне в помощь Дениса. Или самой спуститься. Хорошая она баба, но с мыслительной деятельностью у нее прямо беда. Какие-то там, видно, дефекты.

С вялой полусонной тушей я справилась с трудом. Но справилась. С того дня «встреча пьяного гостя» прочно вошла в круг моих обязанностей. Это и стало той самой точкой под названием «Гомер». Я могла бы возмутиться и заявить, что делаю это в первый и в последний раз, что больше никогда... и ни при каких условиях... и пусть тогда Денис делает это вместе со мной... В общем, я нашла бы что сказать, если бы захотела. Я стояла на развилке и принимала решение: ввязываться мне в это мероприятие на постоянной основе или взбунтоваться. Я решила не бунтовать. Мне нужна была эта работа. И мне нужно беречь Николая Григорьевича. Если я взбунтуюсь, Великий Слепец пить не перестанет и проблема сама собой не рассосется. Просто образ мысли и характеры членов Семьи заставляют меня сильно сомневаться в том, что они смогут решать эту проблему грамотно и без ущерба для здоровья Главного Объекта. Конечно, раньше они как-то справлялись и без меня, и вполне вероятно, что и в дальнейшем справились бы. Но именно что «вероятно». То есть не наверняка. А рисковать я не могу. Тем паче, как я поняла из рассказа самой Мадам, дед выдавал тяжелейшие приступы при виде пьяного сыночка, стало быть, решать проблему им удавалось далеко не всегда.

От точки «Гомер» моя жизнь пошла по той ветке, на которой периодически возникали длительные вечерние прогулки вдоль дома. И разве могла я тогда предвидеть, к чему все это приведет?

НА СОСЕДНЕЙ УЛИЦЕ

«Ну что, старая гадина, не вышло у тебя ничего? Не вышло. Думала заграбастать все, что мои родители накопили, дочку свою, уродину, замуж пристроить с эдакими деньжищами, покайфовать на старости лет на чужой дачке да на чужой квартирке. Не вышло. Разгадал я тебя. Скажи спасибо, что тебя господь сам прибрал, а то сейчас тебе бы небо с овчинку показалось. Скажи спасибо, что не можешь слышать моих слов, потому что сейчас я произношу их про себя, а если бы ты была жива, то рано или поздно я бы тебе все это в глаза сказал. Старая сука!»

— Пойдем, Игорь, — Вера осторожно тронула его за плечо.

— Да-да, извини, сейчас идем.

Он встряхнулся и ласково посмотрел на двоюродную сестру. Глаза у нее сухие, лицо спокойное. Посещение кладбища, где похоронена ее мать — его тетка, родная сестра его матери, не вызывало у Веры ни слез, ни причитаний, она отгоревала первый год после похорон и с того момента навещала могилу только для того, чтобы прибраться, посадить цветы, вымыть памятник. Игорь всегда ездил вместе с ней, в хлопотах не помогал, молча стоял перед оградкой и мысленно разговаривал с теткой. Высказывал ей все, что накопилось, испытывая от этого какое-то сладкое и одновременно мучительное удовольствие.

А Веру он любил. Она ведь ни при чем, она тогда совсем девчонкой была и в коварные замыслы матери не посвящалась. Да, в юности она была не то чтобы уродиной, то какой-то такой... Неинтересной. Без изюминки. Мужики на нее не заглядывались, и тетка страшно боялась, что дочка засидится в девках. Однако же ничего, нашелся и на нее желающий, да и Вера, как оказалось, относилась к тому типу представительниц прекрасного пола, которые из некрасивых девушек как-то незаметно превращаются в очаровательных женщин, стильных, элегантных. Старая сволочь тетка, правда, этой радости уже не застала, померла восемь лет назад, а замуж Вера вышла совсем недавно. Даже странно вспоминать, что было время, когда Игорь считал дурнушку Веру красавицей. А все тетка, все она, стерва, внушала ему, что он никуда не годный уродец, а Верочка чудо как хороша. Пришло время, и он прозрел, он все понял про тетку, про ее желание полностью подчинить его себе, привязать к своей юбке, заставить в рот ей заглядывать.

Родители Игоря погибли в авиакатастрофе, когда ему было всего девять лет. В их огромную квартиру из крошечной однокомнатной в хрущевке немедленно переехала тетя Аня, сестра матери, со своей пятнадцатилетней дочкой Верочкой. Тетя Аня оформила опекунство как ближайшая родственница. Соль же вся была в том, что и отец Игоря, и его мать трудились в сфере торговли и наворовали столько, что хватило бы на три жизни. И не абы какой, а роскошной и благоустроенной. А поскольку происходило это все в семидесятые годы, наворованные ценности хранились не в сберкассе и не в виде недвижимости (квартира и дача не в счет), а дома в многочисленных кубышках, в виде как денежных купюр, так и ювелирных изделий. То есть никаких проблем с вступлением в наследство не возникало, тетка и ее дочь жили в квартире, принадлежащей теперь Игорю, пользовались его дачей и потихоньку тратили то, что было спрятано в тайниках. Вернее, тратила одна тетка, Вера ничего не знала, Игорь был в этом уверен. А может, и знала... Да нет, скорее всего, не знала, и она, и маленький Игорь не задавались вопросами, откуда у тети Ани деньги на обновки, отнюдь не дешевые, они верили всему, что им говорилось. А говорилось, что тетя работает в стройтресте (как и было на самом деле) и регулярно получает премии и прогрессивки немереных размеров (а вот это уже было ложью, но доказать ее мог бы только следователь прокуратуры, а отнюдь не юная девушка и подросток).

С самого начала тетя Аня взялась за обработку племянника. И ничего-то он не знает, и ничего-то он не умеет, и никчемный он, и уродливый, и постоять за себя не может, и вообще без тети Ани, без ее помощи, поддержки и, главное, мудрых ее советов, он пропадет. Тетя теперь самый близкий его родственник, и он должен ее любить, почитать и беспрекословно слушаться.

Игорь слушался. Делал вид, что любил и почитал, хотя на самом деле тетку терпеть не мог. Но успеха в своем деле она, безусловно, достигла: Игорь свято уверовал в то, что он никчемный, слабый, безвольный, уродливый, глупый и не может за себя постоять. Очнулся он примерно за три-четыре года до теткиной смерти, когда случайно обнаружил родительские деньги и ценности, о которых до той поры и ведать не ведал. Был уверен, что живут они на теткину и Верочкину зарплату да на пенсию, которую государство выплачивало ему в связи с потерей кормильца. А сначала-то и Верочкиной зарплаты не было, пока она еще училась. Потом, когда ему исполнилось восемнадцать, пенсию выплачивать прекратили, но Игоря как раз в это время забрали в армию. Вот тут-то тетка, видно, и развернулась, почувствовала себя на воле. А Игорь возьми и приедь в отпуск без предупреждения. Явился он днем, когда тетя Аня и Вера были еще на работе, быстро принял душ и полез в шкаф за чистой одеждой.

Сначала он ничего не понял, некоторое время тупо разглядывал золотые изделия с бриллиантами и изумрудами, золотые монеты и просто слитки, лишь на периферии сознания испытывая удивление от того, что раньше в этом самом шкафу ничего такого не было. Потом до него стало доходить. Припомнились слышанные в далеком детстве обрывки фраз, которых он тогда не понимал. Дескать, интересно, куда все девалось, где оно хранится, сколько там всего, ведь должно быть очень много... В двадцать лет он легко понял то, чего не мог понять в девять и даже в тринадцать. Отец погиб, когда ему было почти шестьдесят и за плечами он имел тридцать пять лет «безупречной службы» в торговле. Мама была его третьей женой, намного моложе мужа, так что ее десять лет в сфере товарооборота принесли не такую большую прибыль, как папины тридцать пять. А вместе должно было получиться много, ох, как много! Игорь как-то не задумывался раньше, насколько честными были его родители, наличие большой квартиры, дачи и машины считал само собой разумеющимся, ведь он так жил с самого рождения и искренне полагал, что только так оно и может быть. Когда он вступил в разумный возраст, позволяющий критически оценивать информацию о старших, в том числе и о родителях, был уже конец восьмидесятых, подпольно нажитые капиталы выходили на поверхность, и слова «растрата, хищение, обман покупателей, пересортица, левый товар, ОБХСС» утратили свой былой устрашающий смысл. Посему ему ни разу не пришел в голову совсем простой вопрос: если родители работали честно, то на какие шиши приобретены кооперативная квартира, дача и машина, а если они работали нечестно, то где результат? Где оно, вещественное воплощение их торговых махинаций? Ведь квартира, дача и машина были еще до рождения Игоря, а что делали мама с папой следующие девять лет? Неужели перековались, наворовав на «прожиточный минимум», и остановились?

И только теперь, глядя на раскрытый чемодан с ценностями, он понял, каким слепым дураком был все эти годы.

Решение он принял мгновенно, понимал, что времени у него непонятно сколько, может, много, а может, всего минут двадцать. Схватил фотоаппарат и методично отщелкал две пленки — хорошо, что купил по дороге. Игорь не надеялся на память и отдавал себе отчет, что не сможет запомнить, чего тут и сколько.

И оказался прав. Тетка, увидев его дома, страшно перепугалась, а Игорь весело щебетал, за обе щеки уплетал вкусный обед и вечером ушел к приятелю. А когда вернулся, в шкафу все было точно так, как до его ухода в армию. То есть совсем не так, как в тот же день несколькими часами раньше.

Фотографии он проявил и отпечатал сам, у приятеля, в ателье отдавать не рискнул, мало ли какие вопросы возникнут. И потихоньку, оставаясь в квартире днем, сделал по снимкам подробную опись обнаруженного богатства. А через год, уже демобилизовавшись, дождался, пока тетя Аня и Вера уедут на несколько дней на дачу, и устроил дома форменный обыск. Нашел все тайники и тщательно сверил имущество по описи. За год ценностей поубавилось, причем весьма прилично. По его прикидкам, этих денег хватило бы на квартиру и машину.

Игорь не был жадным и не стал морочить себе голову вопросами, на что потрачены деньги, на шмотки или на любовников. Какая разница? Важно другое: его много лет обманывали. Алчная тетя Аня скрывала от него, что от родителей осталось большое наследство, и тратила его исключительно на себя и свою дочь. Она стремилась к тому, чтобы Игорь находился в полном ее подчинении и не смел слова вякнуть или о своих правах заявить, не смел вопросы задавать и вообще ничего не смел. Она таким его воспитывала. И, пожалуй, почти воспитала. Хорошо, что все вовремя открылось.

С того дня он стал регулярно проверять тайники и отмечать исчезновение то кольца, то браслета, то золотого слитка. Тетя Аня то и дело появлялась в новых шмотках, ездила с любовником за границу, устраивала в ресторанах шумные и многолюдные празднования своего дня рождения и дня рождения Верочки, при этом с ясными глазами уверяла, что все это совсем недорого и оплачено ее любовником или ею самой с какой-то невероятно большой премии в связи с удачным завершением совместного с иностранной фирмой проекта. Хотя Игорь точно знал, что она врет, но уличить ее во лжи не мог. С этим надо было что-то делать. А что — он не знал. Слишком силен был эффект теткиного воспитания: он ненавидел ее, но сказать вслух не смел ни слова.

Он начал всерьез подумывать о том, чтобы убить ее. Но судьба помогла, отвела от греха, послала тете Ане болезнь лютую и скоротечную. Так что не вышло у нее ничего. Пока Игорь был маленьким, она не могла тратить деньги слишком расточительно, все-таки при советской власти такие фокусы не проходили, так что до начала девяностых потрачено было совсем немного. А уж когда дикий капитализм начался и никто ни у кого ничего не спрашивал, трать сколько хочешь, тогда бы тете Ане и развернуться. Ан нет, всего-то три-четыре годика пожила она на неправедные денежки и отошла в мир иной.

Что она за это время успела, кроме как одеться с ног до головы и объездить с любовниками всю Европу, проживая в самых дорогих отелях и летая первым классом? Успела кое-что. Во-первых, продала однокомнатную квартирку в хрущевке и купила для Верочки хорошенькую «двушку», чтобы девочке было с чем замуж выходить. Отремонтировала ее и обставила. Дочери сказала, что подвернулся удачный обмен с совсем крошечной доплатой, а та и поверила, тоже ведь в рот матери смотрела и вякать не смела, тетя Аня именно потому так успешно произвела воспитательный процесс над племянником, что предварительно отработала методику на собственной дочке. Во-вторых, милая тетушка купила лично для себя и не скупясь обставила «трешку» в элитном доме, которую до поры до времени держала законсервированной и использовала только для интимных встреч. Предусмотрительной была, понимала, что Игорь рано или поздно женится и встанет вопрос о том, чтобы родственнички убирались по месту постоянной прописки. Или не женится, а просто повзрослеет настолько, что посмеет встать на дыбы. В квартире Игоря ей было удобно — центр, от метро близко, до работы добираться пятнадцать минут, а от нового ее жилья — все полтора часа выйдет, да и тайники с ценностями здесь, под рукой, а на новой квартире, даже если удастся все вывезти, хранить это богатство негде, не дай бог украдут, так что пока была возможность, тетя Аня изображала заботливую родственницу, без опеки которой парень немедленно пропадет, и съезжать не торопилась.

Игорь терпел и набирался сил для рывка. Он понимал, что должен переделать себя, создать себя заново, стереть из памяти и из души того послушного и безропотного мальчика, который НЕ СМЕЕТ. Не смеет подозревать и плохо думать о тете Ане, не смеет спрашивать и требовать ответа, не смеет залезть в тайники и все перепрятать, а потом смотреть на тетку невинными глазами и говорить, что не понимает, о чем речь, о каких ворах и каких ценностях.

Он всерьез занялся собой. И когда ему показалось, что он уже близок к поставленной цели, что еще чуть-чуть — и он ПОСМЕЕТ... Вот тут-то тетка и умерла. Очень кстати.

Дальше все было просто. Тактичная Верочка тут же переехала сначала к себе, в новую «двушку», а спустя год, после окончания всех юридических формальностей с наследством, в мамину «трешку». Похоже, она не меньше Игоря испытывала давление матери и страдала от него, потому что, осиротев, как-то на удивление быстро расцвела, похорошела, а через некоторое время, когда ей было уже хорошо за тридцать, и замуж вышла. Игорь был на свадьбе, веселился вместе со всеми и искренне радовался за сестру. Он не был злым, во всяком случае по отношению к Вере, и у него хватало ума понимать, что она точно такая же жертва тети-Аниной жадности и наглости, как и он сам. И жених Верочкин ему понравился, хороший мужик. Дай им бог счастья и любви, пусть живут в добре и согласии.

Однако же работа над собой, оказавшаяся ненужной с точки зрения борьбы с теткой, принесла Игорю немало пользы. Он внимательно и кропотливо пересмотрел всю свою жизнь и, к собственному удивлению, понял, что главным чувством, преследовавшим его с того момента, когда в его жизни появилась тетя Аня, было чувство униженности. А причиной этой униженности было то, то он НЕ СМЕЛ.

Из этого удивительного открытия родилось Дело, которому отныне Игорь Савенков посвящал основную массу времени и сил, свободных от работы и личной жизни. Дело дарило ему наслаждение. Такое наслаждение, какое не могла дать ему ни одна женщина, ни одна самая лучшая книга и никакая самая прекрасная музыка.

* * *

Проводив Веру с кладбища до ее дома, Игорь сел в машину и направился туда, куда влекло его Дело. Сегодня среда, по средам она возвращается домой около семи вечера, проверено неоднократно. Он купил большой букет цветов и занял позицию у выхода из метро «Сокольники». Ждать пришлось недолго, у этой женщины жизнь размеренная, по часам выверенная, эксцессов не предусматривающая.

Вот и она. Усталая, лицо безрадостное, глаза потухшие. Идет тяжело, и все ее годы на виду, ни один не спрячешь. Ей должно быть пятьдесят два — пятьдесят три, Игорь помнил, что она всегда была на двадцать лет старше его.

— Здравствуйте, Ольга Петровна, — он шагнул ей навстречу, протягивая букет.

— Это опять вы?

Но не удивилась, словно знала, что он снова будет встречать ее. Знала и ждала. Хотя сейчас, как и в прошлые разы, начнет делать вид, будто для нее это полная неожиданность.

— Опять я. Вы мне не рады?

Она не ответила, но букет взяла, поднесла к лицу.

— Хорошо пахнут.

Цветы скрыли ее улыбку, но Игорь был уверен, что улыбка была. Точно была.

— Позвольте, я вас провожу?

— Проводите. Хотя я все равно не понимаю, зачем

вам это нужно, Игорек. Вы такой молодой, красивый мужчина, ну что вам за интерес провожать такую скучную старуху, как я.

— Вы не старуха, Ольга Петровна, вы — Женщина с большой буквы, и я прошу вас больше никогда так о себе не говорить. Это оскорбительно.

— Для кого оскорбительно? Для меня?

— В первую очередь для меня. Такими словами вы оскорбляете мои чувства.

— Вы не похожи на современных тридцатилетних мужчин, Игорек, — заметила она, теперь уже открыто улыбаясь. — Вы как будто из другого поколения.

— Почему?

Он отлично знал, почему, и хорошо понимал, что именно она имеет в виду. Но он хотел, чтобы Ольга Петровна сама сказала. Вслух. Это доставит ему удовольствие.

— Потому что современные тридцатилетние мужчины не знают таких понятий, как оскорбление чувств. И даже если что-то подобное испытывают, все равно не находят нужных слов, чтобы это выразить. Наступила эпоха словесного оскудения. Я ежедневно слушаю, как говорят мои ученики, и прихожу в ужас, ведь они владеют от силы тремя десятками слов, и уж конечно, при помощи этих жалких трех десятков не могут сформулировать ни одну более или менее сложную мысль. А у вас, похоже, были в школе хорошие учителя литературы и русского языка.

Вот. Она это сказала. Игорь был наверху блаженства. Да, учителя у него были хорошие, особенно одна, которая вела литературу и русский с седьмого по десятый класс. Ольга Петровна Киселева. Боже, как она была красива! Во всяком случае, Игорю так казалось. Он таял от восторга, глядя на нее, сердце его готово было разорваться, и он ненавидел звонок, возвещающий об окончании урока. На ее уроках он готов был сидеть вечно. А она его даже не помнит... Ни в лицо (но это ладно, за столько-то лет он наверняка сильно изменился), ни по фамилии. Впрочем, чему удивляться, ведь сколько учеников через ее руки прошло за эти годы, разве всех упомнишь! Хотя его-то, Игоря, она уж, казалось бы, должна была помнить.

Ведь не каждый день такое случается. А с другой стороны, откуда ему знать? Может, и каждый день. Черт их знает, учителей, что у них там происходит на самом деле. Однако факт остается фактом: Ольга Петровна Киселева забыла своего ученика Игоря Савенкова. Ну и пусть. Придет время — он ей напомнит. Или не напомнит, видно будет по ситуации. Он сам решит.

— Ольга Петровна, вы не хотите мороженого? — предложил он.

— Спасибо, нет. Какое мороженое в такой холод, что вы!

— А чего вы хотите?

— Ничего, — она взглянула удивленно, непонимающе. — Спасибо, Игорек, я ничего не хочу.

— Но мне хотелось бы сделать вам что-нибудь приятное.

— Вы подарили мне цветы, этого вполне достаточно. И вы скрашиваете мне дорогу от метро до дома.

— Значит, я не могу больше ни на что рассчитывать?

Этот вопрос Игорь подготовил заранее. Он встречает Ольгу Петровну по средам у выхода из метро уже полтора месяца. С девушками и молодыми женщинами все происходит куда быстрее, не то что с пожилыми учительницами. В первый раз Игорь изобразил случайное знакомство, нашел повод заговорить, постарался понравиться, вовлек ее в беседу и незаметно проводил до самого дома. В следующий раз ждал ее с цветами и смущенно уверял, что сам не понимает, что это с ним такое, но их встреча неделю назад оставила в его душе ощущение чего-то родного и теплого, и он просто не мог отказать себе в удовольствии... и так далее. Трудно сказать, поверила ли она, но цветы взяла и всю дорогу до дома поддерживала оживленную беседу. В следующую среду все повторилось, и в следующую, и еще в следующую. Но все словно заморозилось. Она не предлагала Игорю зайти в гости на чашку чаю и не давала ему повода спросить номер ее телефона. Но Игорь не торопился. А куда ему спешить? Все будет идти своим чередом, и все сделается тогда, когда должно будет сделаться. Он понимал, что есть еще одно обстоятельство, которое сдерживает его, не давая проявлять излишнюю торопливость. Да, когда-то она казалась ему олицетворением красоты мироздания. Когда-то, но не теперь. Теперь Ольга Петровна Киселева была обычной женщиной за пятьдесят, утратившей четкость черт лица и изящество линий тела, расплывшейся, с незакрашенной сединой и не совсем аккуратным макияжем — следствием возрастной дальнозоркости и утраты кожей молодой упругости. И ни малейшего вожделения она у Игоря не вызывала. Так что торопиться и вправду некуда.

Но и стоять на месте вроде бы бессмысленно, не для того все затевалось. Поэтому к сегодняшнему свиданию Игорь подготовил вопрос, который вполне, как ему показалось, уместно задал:

— Значит, я не могу больше ни на что рассчитывать?

Она с интересом взглянула на него, и Игорю показалось, что в глазах учительницы мелькнуло что-то похожее на обиду.

— А на что вы, собственно, хотите рассчитывать, Игорек?

Его бесило это «Игорек», она разговаривала с ним как с мальчишкой, как с учеником, подчеркивая тем самым огромную разницу в возрасте. Ничего, придет время — и все переменится.

— Например, на то, что вы согласитесь пойти со мной в театр. Или хотя бы на то, что во время наших с вами прогулок вы позволите держать вас под руку.

Ольга Петровна остановилась и посмотрела на Игоря спокойно и печально.

— Я не понимаю, зачем вам это нужно. Ну объясните мне, Игорек, зачем вам нужно дарить мне цветы, провожать до дому и водить в театр. Неужели у вас нет более интересного занятия?

В точку попала. Нет у него более интересного занятия, чем делать свое Дело. Делать не торопясь, со вкусом, наслаждаясь каждой минутой, каждым шагом, каждым словом. Тщательно и заранее продумывая каждую деталь и постепенно воплощая замысел в жизнь. Но разве ей объяснишь!

— Нет на свете занятия более достойного и приятного, чем дарить цветы прекрасной и умной женщине, провожать ее и ходить с ней в театр.

— У вас действительно были прекрасные учителя, —

усмехнулась Киселева. — И в какой театр вы собираетесь меня пригласить?

— В «Современник».

— На какой спектакль?

— На «Вишневый сад», разумеется.

— Почему?

— Потому что вы преподаете литературу, а «Вишневый сад» — это школьная программа, так что к пьесе у вас не будет претензий. Я бы не рискнул предложить вашему вниманию модерн или сюр.

— И все-таки, почему именно «Вишневый сад»? Ведь в московских театрах есть и другие спектакли по пьесам из школьной программы, «Чайка», например, или Островский в Малом театре.

Ни «Чайка», ни Островский его не устраивали, ему нужен был именно «Вишневый сад». Потому что все случилось на уроке, когда они писали сочинение по этой пьесе Чехова. Это было частью плана, одной из многочисленных его изюминок.

— Я люблю «Современник», Ольга Петровна, а в этом спектакле играют мои любимые актеры. Но если вы возражаете, я возьму билеты на Островского.

— Нет, Игорек, я не возражаю. Пожалуй, я пойду с вами в театр. Когда?

— Послезавтра. Вы сможете?

Он ждал ответа, затаив дыхание. Она согласилась пойти, но это только полдела. У Ольги Петровны есть дети и маленькая внучка, с которой ей регулярно приходится сидеть. Она сама ему об этом рассказывала. А вдруг именно послезавтра ей собираются подкинуть малышку, и ничего уже нельзя переиграть? Господи, она уже бабушка, как же он сможет... Нет, не надо думать об этом, Дело есть дело.

— Смогу, — ответила Ольга Петровна, чуть поколебавшись. — Дочь, правда, просила взять внучку на выходные, ведь послезавтра у нас пятница... Но ничего страшного, я заберу ее в субботу с утра.

Они дошли по Стромынке до поворота на Малую Остроумовскую улицу. Еще две минуты — и дом, в котором живет Ольга Петровна.

— Спасибо, Игорек, мне было приятно вас видеть.

Она протянула ему руку, и Игорь подумал, действительно ли ей было приятно, или это просто формула вежливого прощания. Он взял ее руку и поднес к губам. Это тоже было домашней заготовкой на сегодня. Рука у Ольги Петровны неухоженная, с коротко остриженными ногтями без лака, с суховатой и слегка шершавой кожей. И с намечающимися пигментными пятнышками. Да, старость не за горами.

— Я буду ждать в вас на крыльце перед входом в театр послезавтра, в половине седьмого. До встречи, Ольга Петровна.

Он подождал, как и диктуется правилами хорошего тона, пока она скроется в подъезде, и только после этого двинулся назад к метро. Ну конечно, так он и знал, какой-то козел намертво «запер» его машину, ни вперед, ни назад не выехать. Но Игорь не испытывал раздражения. Он делал Дело, а все остальное значения не имело. Можно пока прогуляться до парка, подышать воздухом, подумать, проанализировать события — весь разговор, каждое слово, каждый взгляд — и наметить план на пятницу. Продумать заранее, что и как говорить, как вести себя во время спектакля и после него, какие цветы купить, как одеться, чтобы произвести на учительницу нужное впечатление. И самое главное — какие жесты можно себе позволить уже послезавтра, а какие еще рано, есть опасность спугнуть. Можно ли накрыть ладонью ее руку в темноте зрительного зала? Или пока ограничиться только «случайным» прикосновением?

Игорь не любил импровизаций, он предпочитал загодя составлять план и строго и неуклонно ему следовать. Через полчаса он вернулся к машине и с удовлетворением отметил, что выезд свободен, а в голове у него сложилась четкая и понятная картина похода в театр.

Глава 4

НИКА

Это был во всех отношениях удачный день. Удача как таковая наметилась еще накануне вечером, когда Наталья Сергеевна сообщила, что весь следующий (то бишь сегодняшний) день намеревается провести дома, поскольку в работе ее наступил временный перерыв. Такие перерывы случались и раньше, ведь дизайнер-архитектор — творец свободной профессии, заказчик есть — работает, заказчика нет — сидит дома. Перерывы у Мадам бывали как короткими — два-три дня, так и подлиннее, например, однажды она просидела без заказов целых две недели, в течение которых я могла уходить днем куда угодно.

— Ника, завтра я буду дома, так что вы можете, если хотите, планировать собственные дела.

Нет, что ни говори, а Наталья хороший человек. Ни Гомер, ни Денис, ни Алена никогда не снисходили до того, чтобы по собственной инициативе отпустить меня. Ну, Великий Слепец — еще ладно, он, по-моему, за год так и не сообразил, что я существо одушевленное и могу иметь какие-то потребности. Денис, похоже, понимал, что я живая, но со свойственным молодым людям апломббом полагал, что женщина в тридцать семь лет (да-да, это в начале истории мне было тридцать шесть, а теперь уже, увы, на год больше) не живет, а доживает свою жизнь, доволакивает, с трудом шевеля ногами, свое бренное существование, посвящая всю себя беззаветному служению детям и внукам (если повезет) или чужим людям (если не повезет, как мне). Денис вообще редко сидел дома, у него, помимо учебы в институте, находилась масса преинтереснейших занятий, он рано уходил и поздно возвращался, а бывало, что и не возвращался вовсе, поскольку оставался ночевать у своей пассии. В те же редкие дни, когда он никуда не уходил с самого утра, он никогда не мог ответить со всей определенностью, сколько времени собирается пробыть дома. Он мог твердо пообещать мне два часа «отгула», но когда я возвращалась, то заставала в квартире только Николая Григорьевича в обществе немногочисленных животных и многочисленных растений. Оказывается, Денис вдруг вспомнил, что кому-то что-то пообещал или ему куда-то срочно нужно. (Помните у Жванецкого: «Мне в Париж по делу надо».) Или наоборот, парень явно собирался уходить, одевался, с кем-то созванивался, а спустя некоторое время я обнаруживала его лежащим на диване с пультом от телевизора в руках или сидящим за компьютером с неизменным Патриком на плече. Он, видите ли, передумал ехать туда, куда только что собирался. Но, может быть, опять вскоре надумает.

Алена же — это вообще особая статья. Она девушка целеустремленная и собранная, всегда точно знает, когда, куда и зачем пойдет, она все записывает в ежедневник и постоянно заглядывает в него, чтобы ничего не забыть и никуда не опоздать. Но! Она так и не простила мне измены Патрика. Алена убеждена, что самим фактом извлечения котенка с улицы и водворения его в Семье получила незыблемое и непреходящее право на его любовь и преданность. Патрик же этой точки зрения почему-то не разделял, в руки своей спасительнице не давался, а спать уходил ко мне. Из-за этого девочка безумно ревновала несчастного кота и, как я подозреваю, столь же безумно ненавидела меня. И потом, ей, ученице выпускного класса, очень нравилось чувствовать себя «новой русской, имеющей прислугу». Она, как и Денис, не давала мне возможности планировать выходы из дома, но в отличие от брата делала это умышленно, а не от безалаберности. Ее коронным номером было ожидание мифического телефонного звонка, после которого ей станет ясно, будет она уходить или нет. По-моему, ей доставляло удовольствие измываться надо мной. Ну да ладно, она еще маленькая и глупенькая, какой с нее спрос. Это когда тебе за пятьдесят, ты имеешь полное право считать прожитые годы той высотой, с которой лучше видно. А когда тебе семнадцать, ты не то что не на высоте, ты даже и не на равнине пока, так, в ямке сидишь, а из ямки обзор, как известно, весьма и весьма ограниченный, да и перспектива искажается, и все, кому за тридцать, кажутся тебе ветошью, доброго слова не стоящей, и прошлым веком.

В тот день удачи просто сыпались на меня как из рога изобилия. Мало того, что Мадам осталась дома, так еще и Денис, вопреки обыкновению, заявил прямо с утра, что в институт ему не надо и он будет в своей комнате готовиться к зачету. А чтобы голова лучше работала, он, пожалуй, выйдет на прогулку с Аргоном. Таким образом, имея возможность сходить в магазин днем и избавленная от утреннего «собакинга» (как я маленьким язычком называла выгул пса), я получила в подарок первую половину дня без суеты и спешки, без страха опоздать с чьим-нибудь завтраком и без беспрестанного поглядывания на часы.

В очередной раз мне повезло, когда я заканчивала выжимать сок для завтрака Мадам. На кухне возникла Кассандра собственной серо-голубой персоной и, сверкая апельсинового цвета глазами, вывела затейливую руладу, подразумевающую вполне конкретное содержание. Бросив соковыжималку, я кинулась в комнату Алены — и вовремя! Зловредный Патрик уже облюбовал брошенную на диване книжку и пристраивался к ней с самыми недвусмысленными намерениями. Меня прямо в жар бросило! Он ведь не трепать ее собрался и не грызть, а кое-что похуже... Книжку можно, в конце концов, выбросить, а вот что потом делать с диваном, воняющим кошачьей мочой? Схватив наглеца под брюшко, я выволокла его из Алениной комнаты и буквально швырнула в лоток. Однако лоток его совершенно не устроил, Патрик немедленно вылез из него и сел рядом в позе непонятого гения, глядя на меня в упор растопыренными изумрудно-зелеными глазами, словно говоря: «До чего ж ты, Кадырова, неумная. Неужели ты в самом деле решила, что я хочу в туалет по-маленькому и забыл, где лоток? Неужели ты так и не усвоила, кого я в этом доме люблю, а кого терпеть не могу? Можешь теперь делать со мной что захочешь, но я от своих принципов не отступлюсь».

— Ну и не отступайся, — буркнула я, возвращаясь на кухню и тихо радуясь про себя, что успела предотвратить катастрофу и неминуемый скандал по поводу испорченного дивана.

Все-таки, наверное, зря я ворчу на Каську, ябедничать — оно, само собой, нехорошо, но иногда бывает так кстати!

Всех покормив и убрав кухню, я отправилась за продуктами и массой прочих необходимых вещей, как-то: стиральные порошки, туалетная бумага, лекарства для пополнения домашней аптечки в целом и для Главного Объекта в частности: Старому Хозяину с завтрашнего дня нужно начинать очередной месячный курс кардикета-20, да и ампулы строфантина я вчера проверила — срок на исходе, пора покупать новые. Кроме того, заканчивался собачий корм, и нужно добраться до специализированного магазина и притащить еду для Аргона, а заодно уж и для Кассандры и Патрика. С собачьим кормом тоже тяжелый случай: покупать его нужно в «Пинчере» на Нижегородской, куда ни на каком муниципальном транспорте от нашего дома не доедешь. Но туда-то еще ладно, а вот обратно... Мадам настаивает, чтобы я покупала корм в пятнадцатикилограммовых упаковках, потому что так получается дешевле. Аргону, не страдающему отсутствием аппетита, этого количества хватает ровно на месяц. Есть упаковки и поменьше, по два, например, килограмма и, кажется, даже по пять, можно брать и вразвес, но выходит дороже, а в этом вопросе Наталья Сергеевна почему-то придерживается экономии. Хоть убейте меня, никак не могу понять, почему бы снабжение хвостатых членов Семьи питанием не взять на себя тому, кто ездит на машине. Машин у Сальниковых две, на одной ездит

Гомер, на второй — Мадам. Никак до меня не доходит, почему тяжеленные мешки с кормом я должна таскать на собственном хребте. Разумеется, насчет хребта — это я для красного словца вставила, корм я вожу в сумке на колесиках, но все равно это далеко, тяжело и неудобно. Можно, конечно, поймать частника, но на такие траты хозяева «добро» не давали, а своих собственных денег мне, честно признаться, жалко, у меня их и без того немного. То есть много, конечно, но каждый потраченный рубль я отнимаю у своей будущей квартиры. Поэтому чищу зубы самой дешевой пастой, мою голову самым дешевым шампунем, от которого волосы торчат в разные стороны, как пакля, пользуюсь самым дешевым дезодорантом и ношу самые дешевые колготки. Хорошие духи, купленные еще во времена моей жизни с Олегом, давно закончились, только флакончик остался как напоминание о том, какой жизнью я жила раньше и какой живу теперь. Разница, надо вам заметить, огромная. Экономлю я жестко и даже жестоко, поэтому и мешки с собачьим кормом таскаю на себе.

Вернувшись из магазинных вояжей, я принялась за уборку. Чтобы дать вам некоторое представление о фронте работ, придется снова остановиться в изложении событий и сказать несколько слов о собственно квартире. Когда-то это была просторная четырехкомнатная квартира улучшенной планировки с двадцатиметровым холлом и двумя санузлами. Квартиру получила от государства Аделаида Тимофеевна, поскольку была, во-первых, академиком и ректором крупного технического вуза (что-то связанное с металлургией), а во-вторых, депутатом Верховного Совета СССР. Не надо думать, что все академики, ректоры и депутаты жили в таких квартирах и таких домах. Нет, далеко не все. Но Аделаида Тимофеевна Сальникова — да, жила. Кроме нее, в этом доме получили квартиры еще четыре семьи известных ученых, поскольку было соответствующее письмо из Академии наук в ЦК КПСС об улучшении жилищных условий для цвета советской науки и техники. Все же остальные, вселявшиеся в этот роскошный по тем временам дом, были людьми, непосредственно связанными с самим ЦК, Советом Министров и аппаратом Верховного Совета.

В период перестройки контингент жильцов изменился, квартиры приватизировались и продавались, переходили в дар и по наследству, и Сальниковы оказались одними из очень немногих оставшихся старожилов. В середине девяностых, когда Денис и Алена подросли настолько, что уже не могли жить в одной комнате, в квартире сделали ремонт и перепланировку, накроив из четырех больших комнат шесть, но поменьше. Одна комната так и осталась общей гостиной, во второй обитали Адочка и Николай Григорьевич, третья стала спальней Гомера и Мадам, в четвертой и пятой существовали автономно Денис и Алена, а в шестой, самой крохотулечной, Аделаида Тимофеевна устроила себе кабинет. Жаль, что я не застала ее, мне кажется, Адочка была личностью неординарной. Чего стоит только один компьютер на ее рабочем столе! Ведь она умерла в шестьдесят восемь лет, и это означает, что персональным компьютером она овладела лет в шестьдесят, если не позже. И не побоялась же!

Как рассказывал Старый Хозяин, в период подготовки к ремонту между Адочкой и Мадам шли бесконечные споры о судьбе кухни и холла. Мадам хотела расширить кухню, отняв у холла метров десять, а лучше — пятнадцать, и сделать из нее кухню-столовую, где можно принимать гостей. Адочка же была категорически против, потому что в холле традиционно находилось место для собаки (у Сальниковых и до Аргона были собаки, причем все до одной крупные), и это совершенно невозможно, чтобы человек, входя в квартиру, немедленно натыкался на собачью подстилку, а на пяти-семиметровом пятачке, назвать который холлом даже язык не поворачивается, именно это и будет происходить. Кроме того, Аделаида Тимофеевна совершенно не понимала, для чего нужна кухня-столовая. Кухня — это место, где готовят еду, не более того, и оно вовсе не должно быть просторным. В доремонтно-доперестроечные времена у Сальниковых было принято трапезничать в комнате, выполняющей функции одновременно гостиной и столовой. В ней происходило все, от приема гостей до скромного индивидуального чаепития. Адочка была категорической противницей кухонных посиделок, считала их неинтеллигентными и отдающими духом диссидентства. Правильно устроенная жизнь, по ее мнению, исключала прием пищи в пищеблоке, зато подразумевала обязательный круглый стол, за которым ежевечерне собирается вся семья, делится впечатлениями от прожитого дня и планами на будущее, а заодно получает руководящие указания и мудрые советы от патриархов (читай — от Николая Григорьевича) и народных избранников (имелась в виду сама госпожа Депутат).

Сказать, что Адочка и Мадам ссорились и скандалили из-за размеров холла и кухни, значило бы нагло соврать. С Адочкой никто не смел ссориться и скандалить. Со слов Главного Объекта мне стало понятно, что шли нудные, ежедневные, всем до смерти надоевшие переговоры за тем самым круглым столом. Адочка излагала свои аргументы, Наталья — свои, Гомер и Старый Хозяин молчали в тряпочку, детям слова вообще не давали за малолетством, но теперь Николай Григорьевич догадывается, что в тот момент на стороне жены стоял только он сам. Все остальные устали от диктата Аделаиды Тимофеевны и хотели покончить с ежевечерними круглостольными сборищами и жить по собственному графику. Но понял это он только тогда, когда через неделю после смерти Адочки круглый стол был потихоньку выдворен из квартиры и заменен новой мягкой мебелью, развалившись на которой так удобно смотреть телевизор и читать. Адочка никаких таких «развалов» не признавала, в гостиной при ее жизни были только стол, стулья и кресла. В тот день, когда исчез знаменитый круглый стол, Николай Григорьевич перестал выходить в гостиную. Он вдруг до боли ясно осознал, что дети и внуки избавляются от той жизни, которой он жил вместе с любимой Адочкой, что эта жизнь стоит им поперек горла, что они этой жизни больше не хотят. Они хотят жить по-своему, и Старый Хозяин принял решение им не мешать. Но видеть гостиную, в которой больше нет круглого стола, оказалось выше его сил.

А тогда все закончилось компромиссом. Адочка милостиво согласилась пожертвовать в пользу кухни кусочком холла, но не пятнадцатью метрами, как просила невестка, и даже не десятью, а всего лишь пятью.

И вот теперь мне нужно три раза в неделю убирать

эти сто пятьдесят метров площади с двумя санузлами, неисчислимым количеством углов и мебельных закоулков и собачье-кошачьей шерстью.

Очередная удача свалилась мне на голову как раз во время уборки. На минутку выключив пылесос, я решила заглянуть к Старому Хозяину в чисто профилактических целях, сегодня он не требовал особого надзора, давление и сердечные тоны с утра были вполне приличными. И опять успела вовремя! Как будто Провидение меня сподобило зайти в комнату Николая Григорьевича: Главный Объект стоял, опираясь руками на стол, губы и пальцы рук посинели, дышал он неглубоко и часто. Достаточно было оглянуться, чтобы понять, откуда взялся приступ сердечной недостаточности. Неугомонный чекист-полковник-в-отставке давно поговаривал о своем желании передвинуть шкаф, но поскольку одобрения, а стало быть, и помощи от родных не дождался, то решил сделать все сам.

— Николай Григорьевич, ну что же вы меня не позвали? — укоризненно приговаривала я, усаживая Старого Хозяина на диван и прилаживая кислородную подушку.

— Я звал, но вы не слышали, — отвечал он задыхаясь, слабым голосом.

Ну конечно, пылесос. Какой-то супер-пупер, пыль сосет отлично, кто бы спорил, но ревет при этом, как раненый медведь. Пушечного выстрела не услышишь, не то что тихий зов несчастного больного сердечника.

Еще одна удача: из трех кислородных подушек две были пустыми, но одна-то оставалась полной, я как раз сегодня собиралась после обеда сходить в аптеку заправить пустые подушки кислородом. Так что с приступом мы справились быстро, обошлись одной подушкой вместо обычных двух, и я успела порадоваться, что с утра пополнила свежими ампулами запас строфантина. Уложила непослушного старика в постель, вколола ему строфантин, потом панангин и велела лежать тихо, как мышка, в противном случае пожалуюсь Наталье Сергеевне. Это я так угрожала.

Только-только я снова включила пылесос, как нарисовался Денис.

— Ника, когда обед?

Вот черт, непривычно мне кормить его днем, я так увлеклась магазинами и уборкой, что катастрофически опаздывала с мясом для дневного кормления студента. Обеды для язвенника Николая Григорьевича и вечно худеющей Алены я приготовила еще утром, Наталья предупредила, что у нее сегодня «день здоровья» и она будет питаться исключительно фруктами, так что за нее можно было вообще не беспокоиться, Гомер обедает на работе. А про Дениса я забыла.

— Ты уже совсем голодный или еще терпишь? — с надеждой спросила я.

— Еще с полчасика могу потерпеть, но вообще-то организм уже требует горючки. Сделай мне·свининки с жареной картошечкой, ладно?

Свининки. Во как. Да где ж ее взять, спрашивается? Я ее сегодня не покупала, взяла, как обычно, баранину для желудочно здоровых и парную телятину для диетиков. Сказал бы с утра, что будет днем хотеть свинину... Ну и что, бросать уборку и кидаться, ломая ноги, в магазин за мясом? Впрочем, бросать уборку все равно придется, обед-то для Дениса готовить нужно.

— А может, баранью котлету съешь? — предложила я.

— Баранью котлету? — Денис призадумался. — Можно. Только все равно с жареной картошечкой. И салат. И суп какой-нибудь.

Снова повезло. У Сальниковых хорошая бытовая техника, и на котлетный фарш у меня уходит минут десять, а суп я варила для Старого Хозяина, причем варила по-хитрому, так, чтобы язвенник мог его съесть без ущерба для здоровья, но чтобы после пятиминутной доводки он был вкусен и всем остальным. За год работы в Семье я много таких уловок освоила, не только с супами, но и с курицей, и с телятиной, и с овощами.

Короче говоря, со студенческим обедом тоже все обошлось. О приступе Главного Объекта я никому не говорила, чтобы не будоражить общественность, но поскольку весь наличный запас кислорода оказался израсходованным, нужно было первым делом бежать в аптеку заправлять подушки. Когда в доме больной с таким букетом диагнозов, кислород должен быть обязательно, поскольку может потребоваться в любой момент. И только я собралась одеваться, как меня подловила Мадам.

— Ника, я пошла в парикмахерскую, мой мастер как раз сейчас свободен.

Ах ты господи, неужели удачи закончились? Жаль. С ними было так приятно.

— А вы куда-то собрались? — спохватилась Наталья, заметив, что я сменила спортивный костюм, в котором обычно работала дома, на брюки и джемпер.

— Я хотела сбегать в аптеку заправить подушки.

— Ничего, Денис дома. Я думаю, за полчаса ничего не случится.

Я бы тоже хотела так думать, но Николай Григорьевич мне уже выдал сегодня незапланированное антре.

— Наталья Сергеевна, вы уж попросите, пожалуйста, Дениса не отлучаться, пока я не вернусь.

— Он никуда не уйдет, — твердо пообещала Наталья.

И что-то в ее тоне мне не понравилось. Неужели в Семье происходит нечто, о чем я и не подозреваю? Странно. Я целыми днями дома, все члены Семьи у меня на виду, казалось бы, все должна замечать. Ан нет, что-то от меня укрылось.

Ну да ладно, коль мать уверена, что сын останется дома, так тому и быть. Я на всякий случай велела Денису заглянуть минут через пятнадцать к деду, подхватила три пустые подушки и вместе с Мадам вышла из дома. Разумеется, подвезти меня до аптеки она не догадалась, села в свою машину и улетела за красотой.

Заправка подушек — минутное дело, и стоит всего ничего, по 2 копейки за литр кислорода, по 80 копеек за подушку. Но вот тащить три полные подушки — удовольствие сомнительное. Нет, не тяжело, они совсем невесомые, но большие, из рук вываливаются. Две — нормально, взял по одной подушке под каждую руку и пошел. Но три — это перебор. В зубах, что ли, ее нести?

Но не кончились мои удачи, решили еще побаловать меня. На полпути из аптеки рядом притормозила машина.

— Вы домой? Садитесь, подвезу.

Я нагнулась, чтобы рассмотреть водителя, потому что голос не узнала. Это был сосед Виктор Валентинович, тот самый, который однажды привел сбежавшего Патрика и с которым мы делили общий тамбур и дверь. Я с облегчением сбросила подушки на заднее сиденье и плюхнулась впереди.

— Как Николай Григорьевич? — спросил сосед.

— Потихоньку. Вот подушки для него заправила.

— Я так и понял, — кивнул он. — А почему он не делает операцию?

— Боится, — вздохнула я. Этот вопрос я и сама задала в первый же день знакомства. — Все-таки возраст, и операция на открытом сердце. Дебейки и Акчурину он, может, и доверился бы, а кому-то другому — нет. Или, говорит, в Америке оперироваться, или так жить. А на операцию в Штатах денег нет, это все-таки очень дорого.

— Жаль, что нет Аделаиды Тимофеевны, она бы его уговорила. Жесткая была старуха, властная, с ней не поспоришь. Кстати, она со своими связями и своей пробивной силой его и к Акчурину устроила бы.

— Вы ее знали? — с интересом спросила я.

— Ну а как же, мои родители с Сальниковыми были дружны, все время в гости друг к другу ходили. Меня Адочка даже в институт в свое время устраивала. А вот наше поколение, я имею в виду себя, Пашу и Женьку, его брата, как-то не сошлись. Родители очень хотели, чтобы мы дружили, а мы, наверное, в знак протеста сторонились друг друга. Не хотели, чтобы нам указывали, с кем водиться. Юношеский максимализм! — Он весело рассмеялся. — Кстати, как вас зовут? Вы ведь давно у Сальниковых работаете, а я даже имени вашего не знаю.

— Вероника.

— А я — Виктор.

— Валентинович, — добавила я. — Я знаю, мне Наталья Сергеевна говорила еще тогда, когда вы Патрика привели. Я уже пять лет в Москве живу, а все не перестаю удивляться вашим столичным нравам.

— То есть? — Сосед чуть повернул голову в мою сторону, вероятно, чтобы обозначить недоумение.

— Я работаю у Сальниковых больше года, то есть больше года живу в доме, и не знаю никого из соседей, кроме вас, да и то только по имени. Никто друг к другу в гости не ходит, никто не здоровается. По-моему, жильцы дома даже в лицо друг друга не знают. Не понимаю, как так можно жить. У нас в Ташкенте все совсем по-другому.

— Это Москва, голубушка Вероника, здесь волчьи законы. Каждый за себя. Не буду вдаваться в тонкости социальной психологии, позволю себе обратить ваше внимание только на одно обстоятельство: территориальные размеры нашего мегаполиса и транспортные проблемы. Люди тратят столько времени и сил на дорогу, что на человеческое общение не остается ни того, ни другого. А зачем вам соседи? Вы хотите ходить к ним в гости? Или сидеть на лавочке у подъезда и языком чесать, разглядывая прохожих? Насколько я успел заметить, посидеть на лавочке у вас и без того есть с кем.

Он намекал на мои периодические выходы на защиту родных рубежей. Действительно, раза два или три Виктор Валентинович, возвращаясь поздно вечером домой, заставал меня сидящей перед подъездом в обнимку со спящим Гомером. Не останавливался, не кивал приветственно, просто проходил мимо, как будто и не видел нас. Уж не думает ли он, что это романтические свидания? Неприятно... Но, в конце концов, какая мне разница, что именно он думает? Кто он мне? Кум, сват, брат родной? Он к Сальниковым даже в гости не ходит. А если бы ходил? Забавно, выходит, Виктор Валентинович прав, соседи и не нужны вовсе, близкое знакомство с ними может принести только одни осложнения.

Поездка закончилась куда быстрее, чем мне хотелось бы. Мне казалось, что сосед мог бы много интересного порассказать о моих работодателях. Может, имей я побольше информации, я бы лучше их понимала...

Он помог мне вытащить подушки и две из них понес сам. Одновременно с нами у подъезда парковалась еще одна машина, мне незнакомая, во всяком случае, раньше я этот темно-зеленый «Мерседес» возле нашего дома не видела. Вышедший из машины мужчина показался мне... ну, не Прекрасным Принцем, конечно, но чем-то близким к мужчине моей мечты. Рост, телосложение, цвет волос и глаз, тип лица, прическа — все в нем мне нравилось. Он придержал дверь перед соседом и мной (вежливый!), вошел вместе с нами в лифт и не нажал молча нужную кнопку, как делают многие, а осведомился, на какой нам нужно этаж (еще раз вежливый!). К моему удивлению, вышел он вместе с нами, на нашем этаже. Надо же, оказывается, в одной из двух квартир на противоположной стороне площадки живут такие роскошные мужики, а я и не знаю об этом. Впрочем, я этого красавца ни разу не видела, да и Виктор Валентинович с ним не поздоровался, они явно не знакомы, так что, возможно, он и не живет здесь, а в гости зашел. Жаль, шансы на знакомство резко падают.

Все это я успела подумать в какую-то долю секунды, потому что потом было уже не до размышлений. Незнакомец подошел к нашей тамбурной двери и молча стоял рядом, пока я доставала ключи и открывала замок. Виктор кинул тревожный взгляд на меня, я — на него. Кто это такой? Сосед его не знает, я тоже, а он идет в одну из двух наших квартир.

— А вы, собственно, к кому? — осторожно спросил сосед.

— К Денису, — спокойно ответил красавец.

На лице Виктора проступило облегчение, а я снова принялась удивляться. Что общего может быть у легкомысленного студента Дениса с этим мужчиной, который ему по возрасту в отцы годится?

— А я вас знаю заочно, — неожиданно обратился ко мне незнакомец, — вы Ника. Денис мне о вас рассказывал.

Я уже запирала тамбурную дверь, сосед терпеливо ждал, пока я открою квартиру, чтобы сгрузить мои подушки.

— А вы кто? — спросила я на всякий случай.

— А я — Владимир Петрович, отец Дениса. Можно просто Володя.

Вот это да! Ну точно, он ему в отцы и годится. Так вот почему Наталья вдруг засобиралась в парикмахерскую! И вот почему она была уверена, что Денис никуда не уйдет. Она знала, что парень договорился с отцом, и не хотела встречаться с бывшим мужем.

Ну что ж, как говорится, больному легче, можно без опаски открывать дверь и входить в квартиру, это не вор и не налетчик.

В течение следующих десяти минут выяснилось, что Владимир Петрович принес сыну какую-то жутко дефицитную и навороченную компьютерную программу, которую сам же, как специалист, и установит. Вообще-то, сын с отцом встречается регулярно с самого детства, но, как правило, на стороне, не у отца дома, где находится его вторая жена и дети от нового брака, и не у Сальниковых. Бывают исключения вроде сегодняшнего, но крайне редко и только при крайней необходимости. Наталья этому никоим образом не препятствует, но общаться с бывшим мужем отказывается наотрез (и куда только девается ее так называемая европейскость?!), потому и ушла под благовидным предлогом.

— А вы совершенно не похожи на узбечку, — неожиданно заявил отец Дениса. — Вы блондинка, и лицо у вас славянское.

— Так я и не узбечка, я русская, — удивилась я.

Денис залился краской и сделал вид, что внимательно изучает пирожок с рисом, от которого он уже половину благополучно отъел. И чего там изучать, вот скажите мне? Ну все понятно, он рассказывал отцу о домработнице, при этом называл ее «нацменкой» или по фамилии, Кадыровой. Ах, паршивец!

— Но ведь у вас узбекская фамилия, — не унимался любознательный Владимир Петрович.

— Фамилия по отчиму, он меня удочерил. А по рождению я Мельникова. — Я вперила в Дениса невинный и одновременно нахальный взгляд, чтобы у него не оставалось опасных иллюзий насчет моей недогадливости. — Разве вам Денис не говорил? Странно. Он прекрасно это знает.

— Ладно, пап, пошли программу ставить, — заторопился юный националист.

— Успеем, я еще чай не допил, — спокойно ответил Владимир Петрович. — Ника, вы мне не нальете еще чашечку? У вас дивные пирожки, просто не могу остановиться, еще хочется.

— Спасибо, — я расцвела улыбкой. — Может, вы голодны? Могу предложить бараньи котлеты, суп, салат, рагу из телятины.

— Я бы с удовольствием пообедал, если вас не затруднит.

— Пап, ну ты что, жрать сюда пришел, что ли? — возмутился Денис. — Пошли делом займемся.

— Денис, не будь грубым. Я тебя люблю, ты мой сын, но ты не центр вселенной. Я поставлю тебе программу, но дай же мне пообщаться с привлекательной женщиной.

— У тебя жена есть, какие еще женщины?!

— Кроме жены, с которой я живу и ращу детей, есть огромное число людей, с которыми я общаюсь. И приятных среди них куда меньше, чем неприятных. Мне есть о чем поговорить с Никой, а если тебе скучно слушать наш разговор, ты можешь пойти к себе.

Ох, ничего себе папаша у нашего Дениса! Ну и характер. Интересно, что получилось бы, если бы ему пришлось жить вместе с Адочкой? Зато я теперь понимаю, почему Мадам от него ушла и предпочла куда менее красивого (хотя, безусловно, очень привлекательного) и менее яркого Гомера. Наталья с таким мужиком просто не справлялась. Ей с ним было плохо. А мне было бы, пожалуй, хорошо, я не стремлюсь к лидерству, зато ценю ум, характер и самобытность.

Недовольный Денис гордо покинул пищеблок, а я принялась изображать гостеприимную хозяйку. Эдакую маленькую хозяйку эдакого большого дома. Я порхала по просторной кухне, подавала, наливала, накладывала, улыбалась и щебетала. Владимир Петрович ел и нахваливал.

— Вам трудно здесь, Ника?

Я на мгновение задумалась. Трудно ли? Не знаю. Я не думаю об этом. Потому что, когда у меня есть цель, я не оцениваю процесс с точки зрения трудности, я оцениваю его только с точки зрения эффективности.

— Нормально, — коротко ответила я. — Это обычная хорошо оплачиваемая работа, с которой я справляюсь.

— Но ведь она вам не нравится?

— Нет, — честно ответила я. — Не нравится. Мне нравится лечить людей и спасать тех, кто нуждается в экстренной помощи. Это моя профессия, и это я умею делать.

— Наташа вас сильно достает?

В его словах было больше утверждения, чем вопрос.

— Нет, не сильно. Мы с ней нормально ладим. Чай или кофе?

— Кофе, если можно. А Денис? Он вас не обижает?

— Володя, меня трудно обидеть, я ведь не барышня, я взрослая женщина, достаточно умная, чтобы не обижаться на детей. Я правильно догадалась, за глаза Денис называет меня нацменкой?

Он не ответил, из чего я сделала вывод, что догадалась правильно.

— Не беспокойтесь, в глаза он этого не говорит. Правда, частенько подшучивает надо мной, но беззлобно.

— Как именно? — встревоженно встрепенулся Владимир Петрович.

— Видите ли, я родилась и выросла в Ташкенте, я люблю пить чай из пиалы и с орехами, а арбуз ем ложкой и с белым хлебом. Ему это и многое другое кажется смешным, и он называет это восточными примочками. Это не обидно, честное слово.

— Я поговорю с ним.

— Не нужно, — испугалась я, — ни в коем случае, прошу вас, Володя. Не надо ничего говорить Денису. Я же сказала, мы с ним нормально ладим. Да мы, в сущности, почти и не общаемся, так только, на кухне, по поводу еды.

Неожиданно он взял меня за руку и погладил ладонь. Пальцы у него были теплыми и сильными, и у меня снова мелькнула мысль о том, что с таким мужчиной мне, наверное, было бы очень хорошо.

— Вы замечательная, Ника.

— Спасибо, — прошептала я.

Вообще-то, я собиралась сказать это нормальным голосом, но от волнения горло у меня перехватило и звуки из него вылетали какие-то невнятные и сипящие.

— Я хотел бы снова с вами увидеться. Это возможно?

«Да, да, да!!!» — кричала я маленьким язычком. Уже больше года я не улыбалась мужчине как именно мужчине, а не хозяину, продавцу или случайному прохожему. Уже больше года никто не брал меня за руку, не говорил, что я замечательная и не гладил мою ладонь. Уже больше года я не чувствовала себя женщиной. Но большим языком сказала совсем не то:

— Вряд ли. Я очень привязана к дому, не могу оставлять Николая Григорьевича одного. И потом, врать я не люблю, а если скажу правду, это может не понравиться Наталье Сергеевне, и она меня уволит. Мне нужна эта работа, я без нее пропаду. Мне жить негде.

— Уверяю вас, Наталье глубоко безразлично, с кем я встречаюсь, мы расстались восемнадцать лет назад.

— Володя, если бы ей было безразлично, она не уходила бы из дома и не избегала бы вас. Поверьте мне, я все-таки женщина. Я не могу так рисковать.

— А если бы не все эти обстоятельства, вы бы согласились?

— Да, — твердо ответила я.

— Но я могу вам хотя бы позвонить?

— Безусловно. Но желательно, чтобы Натальи Сергеевны и Дениса при этом не было дома.

Сердце у меня колотилось как безумное, я утратила навык флирта и сейчас с трудом его восстанавливала. И снова удача! Едва я отняла свою руку, как снова появился Денис.

— Я только что матери звонил, она через час будет дома, — хмуро и нервно заявил он. — Пошли уже, хватит общаться.

Не хотела бы я видеть его лицо, если бы он заметил, что его батюшка самым интимным образом держит за ручку их прислугу.

— Иди к себе, Денис, — холодно ответил Владимир Петрович, — я сейчас приду.

— Вы всегда так строги с ним? — спросила я, когда Денис вышел.

— Нет, но иногда приходится. Мне действительно пора, надо поставить программу и уйти, пока Наташа не вернулась. Не хочу ее нервировать своим присутствием. Так я позвоню вам?

— Буду рада, — коротко ответила я и стала убирать со стола.

Как только Владимир Петрович скрылся в комнате сына, я судорожно метнулась к зеркалу. И замерла перед ним, словно оглушенная ледяным душем. Целых полчаса я улыбалась, разговаривала, двигалась и даже думала, как та Ника, которая была ухоженной, хорошо одетой, сытой, благополучной и замужней. Как Ника, привыкшая к мысли о своей привлекательности и не удивляющаяся вниманию мужчин. Во что же я превратилась? Стильная стрижка стала невнятными лохмами, стыдливо забранными заколкой (жаль денег на парикмахерскую), лицо без привычного макияжа кажется блеклым и невыразительным, кожа, оставшаяся без ухода косметолога и без хороших кремов, масок и лосьонов, потеряла упругость и нежный цвет, которым я всегда так гордилась, в ушах нет изящных сережек, на руках, шершавых и покрасневших, нет колец и браслетов. И пахнет от меня кухней, уборкой и нищетой, а не дорогими духами. Куда меня занесло? Какой флирт? Кому я могу понравиться в таком виде? Ника-Женщина осталась в прошлом, а в настоящем есть только Ника-Домработница, упорно идущая к своей цели и экономящая на всем, на чем возможно, в том числе и на внешности. А Володя... Ну что ж, с каждым мужчиной это бывает, и нередко. Он начинает заигрывать с женщиной, которая ему совсем, ну просто совсем не нужна, и даже не нравится ни капельки, просто настроение такое. Назло кому-то, а порой и самому себе. Или из дурацкого принципа: мол, ты считаешь ее ничтожеством, а я использую каждую возможность, чтобы показать тебе, что ты кругом не прав и вообще полный дурак, поэтому буду оказывать ей знаки внимания.

В общем, не позвонит тебе Владимир Петрович никогда, дорогая моя, не надейся и не жди, и к зеркалу не бегай, не прихорашивайся, и не строй глупых планов, и не питай напрасных иллюзий. И главное — помни, что тебе самой это не нужно. Никакой личной жизни, пока ты работаешь здесь, иначе потеряешь все — и работу, и зарплату, и крышу над головой. Хозяевам, надо думать, все равно, есть у тебя личная жизнь или нет, но им не все равно, если ты станешь отлучаться не по делу. И ни один нормальный мужик не потерпит, если ты начнешь говорить ему, что не знаешь, когда сможешь быть свободна и надолго ли. Через месяц ему это надоест, вы разругаетесь, и, кроме переживаний и оскорблений, суеты, торопливости и нервозности, ты ничего не получишь. Тебе оно надо? Правильно. Не надо.

Вот и не надо. Не надо трепетно реагировать на поглаживание ладони и теплые взгляды. Не надо искать скрытый смысл в недомолвках и невинных вопросах. Не надо видеть невысказанные обещания в обычных словах. Не надо ждать звонка.

И не надо забывать о своих прямых обязанностях. Ты уже почти сорок минут дома, а к Николаю Григорьевичу даже не заглянула, хотя у него сегодня был приступ. Забыла ты о Главном Объекте, душечка моя. До того тебе понравилось снова ощущать себя Женщиной, интересной, привлекательной, желанной, что у тебя все из головы вылетело. Это тебя только поманили туманным намеком на нечто. А представляешь, что будет, если начнется настоящий роман?

Я отползла от зеркала, как побитая собака. Зашла к Старому Хозяину — он спал. Лицо бледное, но не синюшное, дыхание ровное. Ну и слава богу. Скоро придет Алена, ее надо будет кормить, но у меня есть еще минут двадцать-тридцать на то, чтобы побыть одной. Я нырнула в свою каморку и поняла, что хочу плакать. Зачем отказывать себе в таких невинных желаниях?

Я и не отказала. Старалась реветь потише, но Аргон все равно услышал и тут же прибежал меня жалеть. В отличие от маленького Патрика Аргон сам умеет открывать дверь вовнутрь, он прекрасно понимает, что такое дверная ручка и для чего она предназначена. Солнышко мое, глупый мой, необученный, но такой добрый пес! Он облизывал мое лицо и тихонько поскуливал, и мне становилось легче. Я вдыхала теплый, чуть кисловатый собачий запах и думала о том, что как мне ни обидно, но сегодняшний день принес определенную пользу. Я опять стояла у развилки и принимала решение. Я его приняла. Никакой личной жизни, пока я не выполню все, что задумала. До тех пор, пока я работаю в Семье, о романтических отношениях нужно забыть.

Слезы закончились, как ни странно, довольно быстро. Вероятно, дало о себе знать принятое решение: самое главное — сохранить эту работу во что бы то ни стало, пусть через боль, через унижение, через рыдания в подушку, через отказ от собственных радостей, но сохранить. А коль так, то нужно не сопли разводить на киселе, а идти и делать дело. Вот-вот явится Алена, да и Мадам на подходе, и я должна встретить их в полной боевой готовности.

Нет, это мне только так показалось, что я быстро успокоилась. Оказывается, прошло довольно много времени, потому что в прихожей не оказалось ни ботинок, ни куртки Владимира Петровича. Да и одежды Дениса не было — видно, ушел вместе с отцом.

И вот тут случилось то, что случилось.

Зазвонил телефон.

— Это Алена? — спросил приятный мужской голос.

— Нет.

— Значит, это вы, госпожа шлюха, — удовлетворенно заключил голос, и я помертвела.

Голос изменился и не сулил ничего хорошего. Шлюхой меня назвать не смог бы даже самый отъявленный недоброжелатель, это не мой диагноз. Значит, кого он имеет в виду? Ясно кого.

Я от волнения не успела сообразить, как правильно себя повести, то ли оборвать негодяя и разъяснить ему его ошибку, то ли промолчать и позволить ему принимать меня за Наталью. А он тем временем продолжал:

— Сходи вниз, посмотри в почтовый ящик, а я тебе перезвоню минут через десять.

И бросил трубку.

Я заметалась по кухне, плохо понимая, что происходит и что мне делать. Потом схватила ключи и помчалась на первый этаж к почтовым ящикам. В ящике лежал конверт, запечатанный и неподписанный. Довольно плотный. Дрожащими руками я разорвала его...

Господи, какая дура, ну какая же ты дура, Наталья! Зачем ты это делаешь, зачем тебе это нужно? А если уж делаешь, то почему так неосторожно, почему позволяешь себя фотографировать, почему ведешь себя так недвусмысленно-интимно в общественных местах? Убила бы я тебя, честное слово! Конечно, мужчина, с которым ты целуешься в ресторане, очень даже ничего, за вкус могу тебя похвалить. Но только за вкус, а не за мозги. А в парке зачем обниматься, да еще так неприлично, держа руку в районе его гульфика? А в Шереметьево зачем ты ездила? Провожала его? Встречала? Или улетала куда-то вместе с ним?

Но повезло, сказочно повезло, что тебя, моя дорогая Мадам, нет сейчас дома. Ты не работала на «Скорой», ты не умеешь сохранять хладнокровие в сложных ситуациях, ты не умеешь не впадать в панику, ты не умеешь собирать мозги в кучку и мобилизовывать их, вместо этого ты теряешься и начинаешь делать глупости.

Я приму удар на себя и посмотрю, что можно сделать.

Надо скорей возвращаться в квартиру, ведь этот тип с приятным голосом сейчас снова позвонит.

Он таки не заставил себя ждать. Позвонил ровно через десять минут, как и обещал. Значит, не юнец.

— Ну что, посмотрели? — Он снова перешел на «вы».

— Посмотрела.

— Что скажете?

— Плохо. Что еще я могу сказать? Все это очень плохо.

— Значит, понимаете, что вы попали глухо и накрепко?

— Ну еще бы. У вас есть предложения?

— Десять.

— Что — десять?

— Ну, вы дурочку-то из себя не стройте, госпожа шлюха. Десять тысяч рублей цвета плесени. Можно в цветных европейских фантиках. Значит, так. Не надо мне рассказывать, что таких денег у вас нет, вы как раз столько получили за два последних заказа.

— Но мне нужно время, чтобы придумать, как скрыть это от мужа. Он ведь сразу заметит, что из дома исчезла такая большая сумма.

— Три дня. Так и быть. Сегодня понедельник, я даю вам три полных дня на решение вопроса. Но если через три дня, в пятницу, денег не будет, конверт получит уже ваш муж, и без всякого предупреждения. Или ваши дети. Вы меня поняли?

— Поняла. Через три дня вы мне позвоните. Только нужно сделать так, чтобы дома в это время никого не было, иначе я не смогу с вами разговаривать.

— Идет. В котором часу?

Я стала быстро вспоминать. Что у нас через три дня? Пятница. По пятницам у Алены занятия ирландским степом, она приходит из школы, переодевается и уходит танцевать, Денис непредсказуем, но будем исходить из того, что его, как обычно, не будет дома. Гомер на работе. Николай Григорьевич не в счет, поскольку он в основном проводит время в своей комнате и телефонную трубку сам не берет. Мадам? С ней пока непонятно, работы у нее сейчас нет, но, может быть, к пятнице она появится. А если не появится и Наталья просидит весь день дома? Нельзя пускать дело на самотек, надо срочно что-то придумать. Куда бы ее отправить?

— Чего вы замолчали-то? Какие-нибудь ужимки и прыжки придумываете? Не советую.

— Да нет, я просто пытаюсь сообразить, когда у меня в пятницу никого дома не будет. Давайте в двенадцать.

— Ночи, что ли? — ухмыльнулся голос, который, несмотря на всю мерзопакостность ситуации, все-таки продолжал оставаться приятным.

— Дня. В двенадцать дня. Тогда и договоримся обо всем. Но вы, в свою очередь, тоже подумайте.

— А мне-то о чем думать?

— О гарантиях. Негативы вы мне отдадите, это само собой. Но как я могу быть уверена, что вы с них по сто снимков не напечатали?

— Придется поверить.

— Еще чего! — фыркнула я. — С доверчивыми знаете что бывает?

Я не успела развить свою мысль, потому что услышала, как кто-то открывает тамбурную дверь. Уж не Наталья ли? Надо сворачиваться, заканчивать разговор.

— Я не могу больше разговаривать, — торопливо проговорила я, понизив голос, — муж идет. В пятницу в двенадцать.

И быстренько положила трубку. Вовремя, потому что это действительно была Мадам, строгая, напряженная (а вдруг бывший муж все еще здесь?), но в новой стрижке.

— Кто у нас дома? — спросила она таким безразличным тоном, что я чуть не рассмеялась. Красивая она баба, но актриса — никакая.

— Только мы с Николаем Григорьевичем.

— А Денис?

— Ушел куда-то. Алена еще не приходила.

— Хорошо. Ника, сделайте мне кофейку.

Про бывшего мужа ни слова. Ах, до чего ж мы нежные... Ну и я лезть с разговорами не буду, мое дело теля-чье, спросили — ответила, не спросили — промолчала.

Мадам отправилась к себе переодеваться в один из своих упоительных пеньюаров, а я пошла заправлять ко-феварку.

Итак, у меня есть три дня на то, чтобы придумать, как вывернуться. Какие есть варианты? Всего три.

Первый: рассказать обо всем Наталье, и пусть она сама выкручивается. В конце концов, это же ее проблема, а не моя, это она, а не я, изменяет мужу, да еще так невлов-ко. Что из этого может выйти? Наталья запаникует, раз-нервничается и... Что «и»? Расскажет мужу? Будет скандал. Не расскажет, но деньги заплатит? Тоже будет скандал. Гомер хоть и Великий Слепец, но деньги считает очень хорошо, он всегда точно знает, сколько лежит в их до-машнем сейфе, и крайне не любит, когда его содержимое уменьшается. Скуповат он у нас, что есть, то есть. Мужу не расскажет, а обратится в милицию? Тогда муж навер-няка узнает, и все равно скандал. Ничего не расскажет, но и денег не заплатит? Тогда Гомер получит фотогра-фии, и все равно получается скандал. Как ни крути, ре-зультат выходит один и тот же. А скандала допустить нельзя, потому что на мне Главный Объект, который от-нюдь не Великий Слепец и который все видит, все слы-шит и все понимает. Глупо надеяться, что от полковника КГБ—ФСБ (пусть и в отставке) можно хоть что-то скрыть. Полный наив!

Второй вариант: ничего Наталье не говорить, но и самой ничего не предпринимать. Результаты такого ре-шения описаны выше. Ничего хорошего.

И, наконец, вариант третий: попытаться разрулить ситуацию собственными силами. Ни Наталья, ни Гомер, ни, что самое главное, Старый Хозяин ничего не узнают, и не будет никаких скандалов, и в доме будет мир, тиши-на и покой. Что и требовалось доказать.

Вот какая развилка возникла передо мной, уже вторая за сегодняшний день. Не многовато ли на одну меня? Лад-но, справимся, и не таких больных вытаскивали.

В ДОМЕ НАПРОТИВ

— Тебе совершенно безразлична трагедия твоего брата! Как ты можешь так себя вести?

Отец в гневе, и Костя понимает почему. Он, Костя, за Вадьку глотку кому угодно перегрызет, жизнь отдаст, но... Но Мила так ему нравится, он все время думает о ней, она ему снится. И ему так хочется проводить с ней пусть не все время, но хотя бы чуточку больше, чем дозволяется строгим расписанием, составленным отцом. Хотя бы два дополнительных часа.

Но когда он заикнулся дома о том, что после визита в больницу хочет погулять с девушкой, отец устроил ему выволочку.

— Мы здесь делом занимаемся, а не ради удовольствия время проводим! — дрожащим от ярости голосом выговаривал он Косте. — Мы сидим в этой дыре и дышим этой пьяной вонью, потому что у нас есть цель! Мама разрывается между работой и учениками, чтобы заработать побольше, чтобы нам всем было на что жить, потому что я сейчас работать не могу, я должен целыми днями караулить этого подонка. От тебя требуется только одно: ежедневно навещать Вадика, потому что ни мама, ни я этого делать не можем, и помогать мне по вечерам. Это такая малость по сравнению с теми жертвами, которые приносим мы с мамой! А ты даже такие скромные и необременительные обязанности стремишься сократить, стремишься уйти от них. Неужели тебе не стыдно?

Костя и сам удивлялся, почему ему совсем не стыдно. Нет, немножко все-таки стыдно. Но он влюблен, влюблен по уши, и то, что еще совсем недавно казалось ему справедливым и правильным, теперь кажется нелепым и непонятным. Почему, ну почему он не может проводить время с девушкой, без которой ему дышать трудно? При чем тут Вадька? Неужели братишке станет легче, неужели депрессия пройдет быстрее, а изрезанные руки заживут сами собой, если Костя не будет встречаться с Милой?

Лукавит отец, передергивает карты. Он не работает вовсе не потому, что нужно сделать то, что они задумали. Он — безработный. Он не работает уже давно, дворником — не хочет, а того, что он хочет, ему никто не предлагает. Амбиций у отца навалом, ему кажется, что он достоин высокооплачиваемой престижной работы, руководящей, с зарплатой не меньше двух-трех тысяч долларов, только отчего-то не нашелся пока работодатель, который бы эту точку зрения разделял. Отец гордо сидит дома уже полтора года, периодически заставляя сыновей рассылать по Интернету свое резюме, и ждет предложений. Вот мать и вкалывает, как ломовая лошадь. Неработающий и не приносящий в дом денег муж не может ни при каких условиях оставаться главой семьи даже номинально, и отец болезненно переживал утрату не только профессионального, но и внутрисемейного статуса.

А тут эта история с Вадиком... И отец вбил себе в голову, что должен найти виновника и отомстить ему. Он должен повести себя как мужчина, настоящий мужчина, глава семьи, не дающий в обиду своих близких и отрывающий головы всем, кто осмелится поднять руку на сыновей или жену. Отец заразил своей идеей и маму, и самого Костю, они все с энтузиазмом взялись за воплощение в жизнь задуманного, нашли и сняли эту жуткую конуру, из окон которой виден подъезд дома напротив, где живет Враг. Но этот Враг — не главный, есть еще кто-то, а может, и целая группа людей, которые обманули доверчивого Вадика. Вадик видел одного из них, но по тому адресу, где он с ним встречался, Костя с отцом никого не обнаружили. Понятное дело, они сменили точку. Вадик описал внешность того человека, и теперь, следя за каждым шагом Врага из дома напротив, Костя с отцом надеются выйти на его след. До сих пор им это не удалось...

Но отец буквально распрямился, словно новой силой налился, почувствовал себя главным. Он отдавал распоряжения, он командовал, он строил планы и вырабатывал тактику. Полководец. Генералиссимус.

Безработный, амбициозный, никому, кроме своих близких, не нужный бывший главный инженер пришедшей в полный упадок трикотажной фабрики, проданной за бесценок российско-канадской фирме. Теперь на этой фабрике шьют красивые шмотки по канадским лекалам, и персонал полностью обновили, весь управленческий аппарат уволили. И отца — одним из первых.

Отец просто самоутверждается, думал Костя с неожиданной злостью. Он придумал себе сценарий, в котором играет главную роль, и никому не позволяет от этого сценария отступать. Ладно, пусть самоутверждается, пусть тешит свое самолюбие, но почему за счет Кости? Почему сын должен жертвовать личной жизнью, чтобы отцу было хорошо? А может быть, это и правильно, ведь родители всегда жертвуют чем-то, чтобы было хорошо их детям, так почему дети должны вести себя по-другому по отношению к родителям? Наверное, потому, что у детей рано или поздно появляются собственные дети, и придется приносить жертвы ради них. Свой долг родителям мы выплачиваем нашим детям.

Мысль эта не давала Косте покоя, он любил брата, любил папу с мамой, и ему никак не удавалось найти гармоничный баланс между этой любовью и стремлением к собственному, личному счастью.

Но сегодня на свидание с Милой отец его не отпустил. Значит, сейчас придется помыть посуду, оставшуюся после обеда, и ехать в больницу к Вадику, а потом сразу возвращаться домой. Машину Милы уже починили, и теперь девушка исправно возила Костю в больницу и обратно. Из-за бесконечных пробок обратный путь, приходящийся как раз на часы пик, занимал куда больше времени, чем на метро, но отец, к счастью, пока этого не заметил, списывал более позднее возвращение сына на более длительное сидение в больнице у брата. А Костя радовался, что может побыть в обществе девушки лишние тридцать-сорок минут. Сидя в пахнущем чем-то лимонном салоне, они целовались на каждом светофоре и безропотно стояли в каждой пробке, не замечая течения времени.

Долгое время Костя Фадеев был свято уверен в правоте и отца, и того дела, которое они задумали. Но отказ отца отпустить его на свидание с Милой был не первой трещинкой в кирпичной стене Костиной уверенности. Не первой, а второй. Потому что первой были слова, сказанные примерно месяц назад Вадиком. Он тогда спросил Костю:

— Неужели папа совсем не скучает по мне? Мама хотя бы по выходным приезжает, а отца я уже сколько времени не видел... Он, наверное, презирает меня за слабость, за то, что я сделал, поэтому и не приходит. Он не хочет меня видеть, да?

— Ну что ты, Вадь, что ты говоришь? — возмутился тогда Костя. — Отец только о тебе и говорит, только о тебе и думает. Он тебя страшно любит, больше даже, чем меня.

Это было неправдой, отец любил своих близнецов совершенно одинаково, но нужно было как-то утешить Вадика.

— Тогда почему он не приходит? — настойчиво спрашивал Вадик.

Этот вопрос он задавал далеко не впервые, и каждый раз Костя находил какие-то уклончивые объяснения, не имеющие ничего общего с действительностью, потому что отец велел ни во что Вадима не посвящать. Но в тот раз Косте надоело выкручиваться, и он сказал брату все как есть. Дескать, они всей семьей решили найти того гада, который обманул Вадьку, и примерно наказать его. Никакой милиции — от нее все равно толку как от козла молока. Только сами. Им удалось найти посредника, который втянул Вадика в эту аферу, того мужика из института, куда Вадим сдавал вступительные экзамены, и отец целыми днями караулит его и ездит за ним по пятам, чтобы выследить главного фигуранта.

— Значит, у нас теперь другой телефон не потому, что нам сменили номер, а потому, что вы переехали? — задумчиво спросил Вадик.

— Ну да, — подтвердил Костя.

— Значит, вы меня обманули?

— Вадь, мы не обманули, мы просто не сказали тебе всей правды, чтобы ты не нервничал. Тебе нельзя нервничать.

— Значит, отец не приходит ко мне, потому что целыми днями занят этим мужиком из института?

— Ну, — снова подтвердил Костя.

— Значит, этот мужик для него важнее, чем я?

— Ну, Вадь, ну ты чего несешь-то? — Костя расстроился оттого, что брат сделал из его рассказа такой дурацкий и совершенно неправильный вывод. — Для отца никого важнее тебя нет, потому он и колотится, чтобы все это дело размотать. Он отомстить хочет. За тебя отомстить, пойми ты это.

Вадик, худенький, невысокий, грустно посмотрел на брата через сломанные и кое-как заклеенные очки.

— От того, что он кого-то найдет и кому-то отомстит, в моей жизни ничего уже не изменится. Что случилось, то случилось, и история назад не ходит. Лучше бы он просто любил меня и приходил хотя бы раз в неделю. Я так по нему скучаю. Для меня так важно, чтобы он не думал обо мне плохо... А он не приходит, и я все время думаю о том, что он меня презирает и отказался от меня.

Костя потом много раз возвращался мысленно к этому разговору. А такое ли уж правильное дело они затеяли по инициативе отца? Нужна ли вся эта морока и вся эта месть, если Вадька страдает?

Трещинка появилась, а история с Милой сделала ее шире. И Костя решил поговорить с матерью. Нет, не пожаловаться на отца и не попросить ее выступить в защиту сына и выторговать у непреклонного военачальника разрешение на увольнительные. Он хотел поговорить с мамой об этой трещинке. Конечно, лучше было бы поговорить с близким другом, но нельзя. Их общее дело — это их общая тайна, и обсуждать детали можно только в узком кругу, с отцом и с мамой. Так что выбор у Кости крайне ограниченный.

Сегодня Садовое кольцо в час пик стояло намертво, и по дороге из больницы Костя успел не только вдоволь наговориться с Милой, но и нацеловаться с ней до ломоты в губах. Домой он вернулся почти в девять вечера, квартира прямо от входа дохнула на него унылой пустотой. Но ничего удивительного, Костя был к этому готов, ведь машины отца у подъезда нет, значит, уехал «встречать» Врага с работы. Хорошо бы он вернулся попозже, а мама, наоборот, пришла бы поскорее, тогда у Кости есть шанс спокойно поговорить с матерью наедине. Когда отец дома, об этом и мечтать нечего.

Он уселся в своей комнате, раскрыл задачник и начал готовиться к завтрашнему семинару. Учеба давалась ему легко, ведь институт он выбрал не только по способностям, но и по склонностям, по душе. Он учился там, где хотел, и изучал то, что ему было по-настоящему интересно. Задачки по математике он щелкал как орехи, одновременно думая о предстоящем разговоре с мамой. А может, не стоит его затевать? Мать расстроится, ведь Костя видел, как она радовалась, когда отец встрепенулся, ожил, стал похож на себя прежнего, деятельного, активного. Но Костя не сможет жить спокойно, не расставив все точки над «i». Он должен понять, имеет ли он право негодовать на отца, запрещающего ему отлучаться по вечерам из дома, или такого права у него нет. Ладно, пусть отец не пускает его на свидания, это уже вопрос самого Кости — слушаться или нет. Скорее всего, он послушается и запрет не нарушит. Но он должен понимать, справедливы ли его мысли и чувства и есть ли у него в семье единомышленник.

Мать вернулась, как обычно, уставшей настолько, что не могла говорить. Изматывающие пятичасовые переговоры, которые она должна была переводить синхронно, потом частный ученик, потом двухчасовые занятия на курсах немецкого, где она вела «продвинутую» группу бизнесменов, совершенствующих знание языка и разговорную практику перед отъездом в немецкоговорящую страну. Понятно, что язык у нее не ворочается. А тут еще Костя со своими проблемами...

— Мам, тебе суп греть? — крикнул Костя из кухни, пока Анна Михайловна переодевалась.

— Греть, — коротко и негромко ответила она.

— А макароны?

— Нет.

Пока мать молча ела суп, Костя сидел за столом напротив нее и собирался с духом. Бедная мама, у нее даже не хватает сил спросить, как дела, есть ли новости. А может... Может, ей все равно? Может, ей тоже не нужна эта канитель со слежкой и последующей местью Главному Гаду, может, для нее важно только одно: чтобы отец снова почувствовал себя главой семьи, мужчиной? Чтобы не превратился окончательно в труху их брак, ставший похожим на холодную войну с тех самых пор, когда отец остался без работы и все материальное обеспечение семьи из четырех человек обрушилось на мамины плечи? Попробуй-ка прокорми, кроме себя, еще троих мужиков!

— Мам, вам с отцом, наверное, было бы легче, если бы

мы с Вадькой ушли в армию, — Костя не уследил за собой и произнес вслух мысль, неожиданно пришедшую ему в голову.

Анна Михайловна положила ложку и строго взглянула на сына.

— Ты вообще соображаешь, что говоришь?

— Соображаю, — уверенно ответил Костя, хотя вовсе не был уверен в этом, просто брякнул первое пришедшее в голову. — Мы с Вадькой — взрослые мужики, едим в три глотки, нас одевать нужно. А так мы бы два года были на государственном обеспечении. И тебе не пришлось бы так много работать. На тебя же смотреть невозможно без слез — такая ты приходишь каждый день с работы. У отца амбиции крупного руководителя, он себе работу найти из-за этого не может, сидит на твоей шее, но его одного ты бы как-нибудь вытянула, а тут еще мы с Вадькой. У меня стипендия грошовая, а у него так и вовсе никакой. Что, я не прав?

— Ты безусловно не прав, Костик, — мягко произнесла мать. — Ты прекрасно знаешь, что делается в нашей армии, какая там дедовщина, как измываются над солдатами и деды, и, самое ужасное, командиры. Ты знаешь, какой уровень самоубийств среди солдат? А сколько побегов? Ты думаешь, эти несчастные мальчики от сладкой жизни бегут? Ничего подобного, они от кошмаров бегут, от побоев, истязаний и вымогательства. Я недавно синхронила встречу представителей Комитета солдатских матерей с австрийцами и швейцарцами, так такого там понаслушалась — не приведи господь! А наши еще документы принесли, статистику, аналитические обзоры, я их потом три дня переводила для передачи в какой-то швейцарский фонд. Ужас! Но мы с отцом все это знали и раньше, поэтому и настраивали вас с Вадиком на обязательное поступление в институт с военной кафедрой. А если вас бы в Чечню послали? Два года неизвестности, два года постоянных мыслей о том, как вы там, не бьют ли вас, не унижают ли, не голодные ли вы, не убили ли вас... Нет, мы с папой этого не пережили бы. Да и вам было бы тяжко. Ты-то ладно, ты сильный и жесткий, тебя кто обидит — дня не проживет. А Вадечка? Ты представляешь, что бы с ним там было? Он такой хрупкий, такой тонкий, такой слабенький... Ты всю жизнь был рядом с ним и его защищал, а в армии его никто не защитил бы. Если бы у нас были деньги, мы бы дали за вас взятку и купили бы вам белые билеты. Но таких денег у нас нет, поэтому ваше и наше с папой единственное спасение — институт. А то, что мне приходится много работать, — это ерунда, выбрось из головы, у меня здоровье лошадиное, меня еще надолго хватит.

Но Костя видел, что это на самом деле не так. Никакое у мамы не лошадиное здоровье, она тайком от отца и сыновей пьет какие-то лекарства, да и выглядит совсем не так, как всего два года назад. За эти два года она постарела лет на десять, вон сколько морщин появилось, как будто ей не сорок три, а все пятьдесят пять.

— Вот вы с отцом и запугали Вадьку до такой степени, что он сухожилия себе порезал, только чтобы в армию не идти, — с непонятно откуда взявшейся злостью выпалил он. — И лежит теперь в больнице. От заражения крови чуть не умер. С депрессией справиться не может. По-твоему, это лучше, да?

Глаза Анны Михайловны налились слезами, но голос ее был по-прежнему ровным и четким. Она была высокопрофессиональным переводчиком-синхронистом, и это означало, что, какие бы чувства она ни испытывала, что бы у нее ни болело и как бы плохо ей ни было, голосом она будет владеть на все сто процентов.

— Это бессмысленно обсуждать, сынок. Что случилось, то случилось. История не знает сослагательного наклонения, это старая, всем известная истина. И если мы с папой будем чувствовать себя виноватыми в этом, Вадику легче не станет.

Да, подумал Костя, чудны дела твои, генетика! Мать только что слово в слово повторила то, что месяц назад говорил сам Вадька. Надо же, до чего интересно воплотились родители в своих сыновьях! От матери Косте достались решительность, сила и здоровье, от отца — внешность, широкие плечи, сильные руки и ноги. Вадик же взял от мамы хрупкость и субтильность фигуры и ее спокойную мудрость, а от отца — обидчивость, ранимость и пассивность. Вот и получились два брата такими непохожими друг на друга.

Но разговор, такой, какой нужен был Косте, не получился. Он с самого начала пошел не в ту сторону, а все из-за неосторожно произнесенной вслух фразы об армии. Дурак! Сам виноват. Мама смертельно устала, и, если сейчас Костя начнет заводить шарманку про свои права на личную жизнь, это будет уж вовсе бессовестным. Как там у Достоевского? «Ну это уж подло!» Вот именно. Он без того заставил ее столько говорить, хотя ей больше всего на свете хотелось бы сейчас помолчать. Ладно, перенесем на следующий раз, тем более к следующему разу в голове у Кости, наверное, будет больше ясности, появятся какие-то четкие аргументы, которые можно будет обсудить с матерью.

И хорошо, что он не завелся с разговором: явился отец. Взбудораженный, с горящими глазами.

— Кажется, есть! — воскликнул он прямо с порога.

Костя мгновенно забыл о своих обидах и правозащитных настроениях и кинулся к нему:

— Ну да?! Рассказывай.

Анна Михайловна тоже вышла, но ничего не говорила, просто стояла молча, прислонившись к дверному косяку, и смотрела на мужа.

— Он сегодня встречался с мужиком, с которым за все эти месяцы ни разу не контактировал и который по описанию похож на того, о ком рассказывал Вадик. Мне пока не удалось ничего о нем узнать, но я поехал за ним, и теперь у меня есть адрес, где его можно отловить. Так что дело сдвинулось с мертвой точки! Аннушка, доставай шампанское, это надо отметить!

Мать улыбнулась и, не говоря ни слова, пошла за шампанским.

— Костя, ты чего стоишь как неродной? — продолжал бушевать отец. — Иди помоги матери, накрой на стол, доставай конфеты, колбаску хорошую, у нас сегодня праздник!

Костя невольно поддался настроению отца, радостно кинулся на кухню, принялся рыться в холодильнике в поисках чего-нибудь празднично-вкусного. Сердитые мысли уступили место охотничьему азарту, азарту воина-разведчика, вышедшего на след вражеского шпиона. В эту минуту он забыл о Миле и превратился в молодого мужчину, играющего в войну.

НИКА

— Ника, Павел Николаевич задерживается, у него деловая встреча, он будет ужинать в ресторане, так что вы его не ждите, — сообщила мне Мадам, положив телефонную трубку.

Ну что ж, один едок с воза — кухарке легче, все остальные уже отужинали, и остается мне только Старый Хозяин со своим вечерним творожно-кефирным выступлением. Впрочем, кажется, я рано обрадовалась, Гомер собирается ужинать в ресторане... Это может плохо кончиться. Интересно, что по этому поводу думает его супруга? Надо мне идти защищать границу или обойдется?

Честно говоря, я с большим удовольствием взяла бы Аргона и ушла часа на два на улицу. Погуляла бы, сделала бы разминку на спортплощадке, подумала. А подумать мне есть над чем. У меня всего три дня до пятницы, и надо решить две проблемы одновременно: что делать с шантажистом и как обеспечить гарантированное отсутствие Натальи в пятничный полдень, когда эта гнида будет мне звонить. Вот смотрю я на Мадам — такую красивую, элегантную, довольную собой и всей своей жизнью, с новой стрижкой и изумительным цветом лица — результатом правильного питания и регулярного посещения косметолога — и думаю о том, какая угроза нависла над ней и ее благополучным существованием. А она даже не подозревает об этом. Так все-таки куда бы ее сплавить в первой половине дня в пятницу? Хорошо бы, заказчик подвернулся, но на самотек дело пускать нельзя, очень уж оно взрывоопасное.

— Если вы не возражаете, Наталья Сергеевна, я бы вышла с Аргоном. Хочу погулять подольше, очень голова болит.

Она испуганно посмотрела на меня. Голова болит, вы только подумайте! За весь год я ни разу не пожаловалась на недомогание, и тут вдруг — на тебе! Игрушка сломалась. Точнее, не игрушка, а бытовой прибор. Видно, ей как-то в голову не приходило, что я могу заболеть, и она совершенно не представляла, что в таком случае со мной делать. Не ухаживать же за мной, в самом-то деле. И требовать выполнения обязанностей как-то неловко... Бедная, мне бы ее заботы.

— Вы заболели, Ника? — с тревогой спросила Мадам. — Выпейте лекарство какое-нибудь, от давления или от мигрени.

— Да вы не волнуйтесь, я не заболела, — успокоила я ее, — это от духоты, слишком долго рядом с духовкой возилась, пока пироги делала, пока баранью ногу запекала, а в кухне жарко. Ничего страшного, мне просто надо погулять подольше, подышать, и все пройдет.

В глазах ее было такое облегчение, что я могла бы сейчас попросить у нее что угодно — Мадам согласилаеь бы на все, только бы я не заболела по-настоящему.

— Конечно, Ника, идите погуляйте сколько нужно. О Николае Григорьевиче не беспокойтесь, я ему в десять часов сама все подам, а вы гуляйте спокойно.

Благородно. Нет, что ни говори, а Наталья хорошая баба. После Старого Хозяина лучше всех в этой семье. Ну а что мозгов маловато — так не ее вина, и то, что даже имеющимся количеством она не умеет правильно распорядиться, — тоже не она виновата. Была бы она поумнее и похладнокровнее, я бы с легким сердцем предоставила ей самой разбираться с шантажистом. Но ведь не справится, не справится... Доведет дело до греха, до огласки, и Николай Григорьевич не переживет.

Ой, Кадырова, не умрешь ты от скромности! Наталья не справится, а ты? У тебя-то откуда уверенность, что ты справишься? Ты что, сто пятьдесят раз имела дело с шантажистами и у тебя богатый опыт? Ничего подобного. Так откуда же такое самомнение?

Из наблюдений за Натальей Сергеевной и самого примитивного расчета. За год с лишним я неоднократно имела возможность наблюдать, как она ведет себя в стрессовой ситуации или даже когда просто нервничает. Она совершенно теряет самообладание, она практически не слышит, что ей говорят, не понимает, что происходит вокруг, и не в состоянии все это осмысливать. В медицине это называется аффективной дезорганизацией мышления и деятельности. Может быть, у ситуации нет приемлемого выхода. И я с ней не справлюсь точно так же, как не справится Наталья. Но если выход есть, то она его точно не найдет, потому что три отпущенных ей (то есть мне) дня она проведет в паническом хлопании крыльями и все ее силы будут уходить на то, чтобы скрыть от домашних истерику и не дать ей вырваться наружу, ибо истерику, прорвись она вовне, надо как-то объяснять, а что она может объяснить? В конце концов, сил у нее не хватит, она даст себе волю и все разболтает. Плавали, знаем. А вот у меня есть шанс найти решение, если оно, конечно, существует. Только шанс, не более того, никакая не уверенность, но не использовать этот шанс я не имею права.

Перед уходом я заглянула к Главному Объекту, вид которого показался мне вполне удовлетворительным, учитывая сегодняшний приступ. Он читал, полулежа на диване, и на вопрос о самочувствии никаких жалоб не предъявил.

— Николай Григорьевич, я иду выгуливать Аргона, вас в десять часов покормит Наталья Сергеевна. Не возражаете?

Тут я заметила, что Старый Хозяин читает не книгу, а какие-то бумаги, причем делает на полях пометки и даже что-то выписывает в блокнот. Так бывало каждый раз, когда приближалось очередное заседание Совета ветеранов КГБ—ФСБ, в котором наш милый отставной полковник был активистом, а порой и основным докладчиком. Господи, сделай так, чтобы это заседание оказалось назначенным на пятницу, на нужное мне время, и чтобы Наталья согласилась отвезти туда свекра на своей машине!

— Готовитесь к заседанию? — спросила я.

— Да, Никочка, в пятницу. Такой вопрос сложный нам предстоит решить, надо как следует вникнуть...

Он что-то еще говорил, объясняя мне, какой сложный вопрос они будут обсуждать на заседании и как важно предварительно как следует в нем разобраться, но я уже не слушала. Господи, ты услышал меня! Ты снова помог мне! Спасибо тебе огромное, господи! Если ты помогаешь мне, значит, я иду правильной дорогой, которую ты одобряешь, в противном случае ты не стал бы помогать. Ты не мешал бы, но и не помогал, это я знаю точно.

— Кто вас повезет? За вами пришлют машину?

— Да что вы, Ника, не того полета я птица, чтобы за

мной машину присылать. Вызовете мне такси, и никаких проблем.

— А обратно как же добираться?

— Подбросит кто-нибудь из коллег-ветеранов, как обычно.

Коллеги — это хорошо. За время моей работы в Семье Николай Григорьевич уже шесть или семь раз ездил на такие заседания, при этом три раза я вызывала для него такси, это я точно помню, еще пару раз за ним заезжал кто-то из этих самых коллег, и два раза его отвозила Наталья, которая в те дни не работала. Ну, где два раза, там и три, бог, как говорят, троицу любит.

Я оделась и стала засовывать Аргона в шлейку. Наталья и Алена в гостиной смотрели какую-то юмористическую передачу, закусывая интеллектуальное удовольствие виноградом, Денис так и не вернулся с тех пор, как ушел вместе с отцом.

— Наталья Сергеевна, вы в пятницу работаете? — спросила я, оборудовав пса для прогулки.

— А что?

— У Николая Григорьевича заседание Совета ветеранов. Мне не очень нравится его сердце в последние дни, не хотелось бы, чтобы он ехал на такси с посторонним водителем. Вы не сможете его отвезти?

В это время актер сказал с телеэкрана что-то очень смешное, зрители в зале захохотали, Алена тоже, и Наталья отвлеклась. Ей хотелось смотреть передачу, а тут я с какими-то глупостями.

— Конечно, конечно, Ника, — рассеянно проговорила она, не отрывая глаз от звезды сатиры и юмора. — Я отвезу его.

— Вам напомнить?

— Да, в четверг вечером напомните мне...

— Мама, запиши в органайзер, — ехидно посоветовала Алена, которая записывала в свой ежедневник вообще все подряд, вплоть до фильмов, которые собиралась посмотреть по телевизору. Я не шучу, она каждую неделю внимательно просматривала программу на предстоящие семь дней и выписывала все, что представляло для нее интерес, чтобы не забыть потом и не пропустить. Фантастическая девчонка! Ее ждет карьера крупного администратора, не меньше. — А то до четверга еще долго, забудешь и договоришься с кем-нибудь.

— Да, хорошо, ладно... — пробормотала Мадам, отправляя в рот виноградинку.

Ах, Алена, Алена, тебе кажется, что до вечера четверга еще так долго, а вот мне кажется, что до полудня пятницы времени совсем не осталось...

Ну что ж, указаний насчет встречи Великого Слепца не поступило, стало быть, я могу чувствовать себя свободной. Вероятно, Наталья точно знает, что с ЭТИМ человеком ее драгоценный супруг во время ужина в ресторане режим не нарушит. Наверное, это не дружеская встреча, а деловая, и обилия спиртного не предполагается.

На улице я сразу повернула в сторону спортплощадки, но, пройдя несколько шагов, остановилась. Мне кажется, я знаю, что нужно сделать. Во всяком случае, стоит попытаться. Если не сегодня, то завтра, или послезавтра, или в четверг. Господи, ты же помогаешь мне, правда? Значит, ты поможешь мне найти того человека, который мне нужен. Конечно, может так случиться, что я его найду, но он не сможет или не захочет мне помочь. Но все равно пытаться надо, за жизнь больного я привыкла бороться до конца, не опуская рук и не думая о том, что предпринимаемые мной усилия могут оказаться бесполезными.

Я развернула сорок собачьих килограммов в противоположную сторону и отправилась прямиком к отделению милиции. Привязала Аргона рядом с крыльцом и направилась к окошку дежурного.

— Добрый вечер.

Я постаралась придать своему лицу такое выражение, чтобы сидящий в дежурке капитан с физиономией, на которой явственно проступали все выпитые за последние две недели литры водки, не подумал, что у меня что-то случилось и я собираюсь писать заявление и требовать немедленного введения операции «Перехват». Милое такое сделала личико, беззаботное, как у дамочки, которая от скуки зашла поболтать с душкой-офицериком.

На мое приветствие дежурный почему-то не ответил, молча посмотрел на меня с тоской и унылой безысходностью.

— Вы мне не уделите буквально три минуточки? — прощебетала я. — У меня к вам совершенно дурацкий вопрос, вы даже, наверное, будете смеяться.

Насчет посмеяться дежурный капитан был, по-моему, не против, во всяком случае, безысходность на его лице чуть-чуть подтаяла.

— Слушаю вас, девушка.

Ого, в свои-то тридцать семь я снова прорвалась в девушки!

— Я ищу одного человека, которого видела однажды выходящим отсюда. Это не преступник, совершенно точно. По-моему, он ваш сотрудник. Или знакомый кого-то из вашего руководства.

— Имя знаете? Фамилию?

— В том-то и дело, что нет.

— А звание?

— Не знаю, он был в штатском.

— Так откуда же вы знаете, что он наш сотрудник, а не из числа задержанных?

Пришлось в двух словах рассказать ему о том, как я стояла, ожидая, пока Аргон сделает все свои дела, как из здания выходили веселые, хорошо одетые люди, как потом вышел еще один человек с букетами цветов, по всей видимости, юбиляр, и как ко мне подошел пожилой мужчина и спросил, не нужна ли помощь.

— Вот этого человека я и ищу.

— Пожилой, говорите? — включился в беседу лейтенант, который до этого в той же самой дежурке увлеченно смотрел по телевизору ту же передачу, что и Мадам с Аленой.

— Лет шестьдесят или чуть меньше, так мне показалось. Но было темно, — уточнила я, — я могла плохо рассмотреть.

— А одет был как?

— В плащ, старый, немодный и мятый, — отрапортовала я, как на экзамене.

— На какой машине он уехал? — задал в свою очередь вопрос капитан, страшно довольный, что я пришла с таким пустяком, а не с заявлением об украденном кошельке или утраченной невинности.

— Он пешком ушел. Я тогда еще удивилась, что все на

машинах разъезжаются, а его никто не подвез, он пешком пошел в сторону метро.

— Это Никотин, — уверенно проговорил лейтенант и снова отвернулся к телевизору, утратив всякий интерес к продолжению разговора.

— Никотин? — удивленно переспросила я.

— Да, пожалуй, — задумчиво кивнул капитан, — очень похоже. А зачем он вам?

— Посоветоваться хочу. Он ведь спросил, не нужна ли мне помощь.

— Так это когда было, — фыркнул капитан, — начальник пятидесятилетие почти год назад отмечал.

— Вот год назад мне помощь и не была нужна. А сейчас нужна. Хотя бы совет.

— Ну, не знаю, не знаю. — Капитан пожал мощными плечами, тесно обтянутыми серо-голубой форменной рубашкой.

— Да тут и знать нечего, — убежденно заговорила я. — Вы мне только скажите, как его зовут и как его найти, для вас больше никакого беспокойства из этого не выйдет. Честное слово.

— Это не положено. Мы не можем давать имена, адреса и телефоны людей в первые попавшиеся руки. Мало ли кто вы такая...

Это точно. Я даже похолодела от понимания того, какой чудовищный промах допустила. А ну как он сейчас потребует показать документы? Что я ему покажу? Узбекский паспорт без справки о регистрации? Сомнительную бумажку о том, что я российская гражданка? И по всем моим рассказам выйдет, что я уже год живу без регистрации, коль в день пятидесятилетия начальника отдела милиции стояла и смотрела на разъезд гостей, и никакие жалкие частушки о том, что я только сегодня утром вновь вернулась в Москву из Ташкента, здесь не проканают. Ну и выдворят меня из Москвы в двадцать четыре часа. Или такой штраф потребуют, что лучше сразу повеситься.

— Я с вами согласна. — Я продолжала беззаботно улыбаться, тщательно контролируя голос и лицо. — А давайте мы сделаем вот как: вы же знаете, кто он такой, этот Никотин, вы с ним свяжитесь и спросите, помнит ли он женщину, которой предложил помощь, женщину с большой черной собакой, и готов ли с ней встретиться. Если нет, то и нет, его право решать, с кем он хочет общаться. А если да, пусть передаст через вас, как мне его найти. Можно так сделать?

— Пожалуй, можно, — протянул капитан. — Вы идите погуляйте пока, зайдите к нам минут через тридцать.

— И вы мне скажете ответ? — с надеждой произнесла я.

— Ну... я вам ничего не гарантирую... может, я его и найти-то не смогу за это время... и вообще...

Он вымогал подарок, это было очевидно.

— Мальчики, с меня коньяк, если через полчаса вы мне скажете, где и когда я смогу встретиться с этим вашим Никотином. Договорились?

По маслено блеснувшим глазкам капитана я поняла, что договорились. Но всю малину ему испортил лейтенант — любитель юмористических программ.

— Да брось ты, Сан Саныч, из женщины жилы тянуть. Чего его искать-то, Никотина? Здесь он, у Гришки Белецкого в кабинете. Сними трубку да позвони.

Капитан побагровел и кинул на лейтенанта, вернее, на его спину, поскольку тот так и сидел, отвернувшись к телевизору, взгляд, которым можно было бы испепелить небольшой подмосковный городок. Расстроился, бедолага. Но я никогда не отличалась неблагодарностью и страстью к халяве.

— Мальчики, я своих слов назад не беру. С меня коньяк. Я сейчас пойду в магазин, но вернусь не через полчаса, а минут через десять. Идет?

Капитан молча кивнул и уткнулся в какие-то бумажки, изображая невероятную занятость. Я выскочила на улицу, отвязала собаку и помчалась к киоску, где продавалось спиртное. Конечно, можно было нарваться на фальсификат, киоски — место крайне ненадежное, но нормальные магазины уже закрыты, а до супермаркета далеко. Но будем надеяться, что если именно сегодня ангел меня хранит, то он не позволит мне купить явную «палёнку».

Ровно через десять минут я снова привязывала Аргона у входа в отдел милиции, держа под мышкой бутылку коньяку. И в этот момент на крыльцо вышел тот самый человек. В том же самом плаще.

— Вы меня искали?

Глава 5

НИКА

— Всё понятно более или менее, — заключил он, выслушав мой путаный и торопливый (ввиду ограниченного резерва времени) рассказ.

Я уже предупреждала, что рассказчик из меня аховый, ну не умею я быстро, четко и последовательно излагать события, не дано мне от природы такое умение. Но человек, которого в дежурной части называли Никотином, слушал меня терпеливо и даже не морщился досадливо, когда я сбивалась и возвращалась в своем повествовании назад или забегала вперед.

— Так вы сможете мне помочь хотя бы советом? — нетерпеливо спросила я и замерла в ожидании приговора.

Я так торопилась с самого начала, что даже не спросила, как его зовут на самом деле и кто он такой. Просто он вышел и сразу спросил:

— Так вам все-таки нужна помощь?

— Теперь нужна.

— Хорошо, давайте погуляем, и вы все мне расскажете.

Ну я и кинулась скорей рассказывать, пока он не передумал меня слушать. И вот, закончив бестолковый свой

133

рассказ, я поняла, что даже не знаю, перед кем тут распиналась целых полчаса.

— А кстати, как мне к вам обращаться? — тут же задала я второй вопрос, даже не успев дождаться ответа на первый.

— Кстати — меня зовут Бычков Назар Захарович. Так что имечко у меня такое же специфическое, как и ваше, Вероника Амировна. Мой дед родом из Самарканда.

Я понимала, о чем он говорит. Многие считают имена «Захар» и «Назар» устаревшими и непопулярными русскими именами, хотя на самом деле эти имена — арабские и широко распространены на Востоке, в том числе и в Узбекистане. Что в переводе означает «Назар», я не помню, а вот «Захар», если не ошибаюсь, — яд. Просто в некоторых восточных языках в связи с особенностями произношения отдельных букв это может звучать как «Джахар» или, например, «Наджар». Надо же, почти земляк!

— А почему вас зовут Никотином? — бестактно спросила я.

— По трем причинам, — ответил он в рифму. — Первая — фамилия. Бычков — бычок — окурок — сигарета — никотин. Логический ряд понятен?

— Понятен. А вторая причина?

— Курю много. Всю жизнь много курил, причем исключительно «Беломор». Докурился до того, что на пальцах появились желтые пятна от никотина.

— А третья?

— А вам двух мало? — ехидно осведомился Назар Захарович.

— Вообще-то мне и одной было достаточно, но вы же сказали про три, а я люблю ясность.

— По третью причину говорить как-то... нескромно, что ли. Подумаете еще, что я хвастаюсь.

— Не подумаю, — пообещала я. — Честное слово. Так какая причина?

— Мои коллеги говорили, что я въедливый, как никотин, и такой же вредный. А уж когда я обмолвился, что мое отчество, то есть имя моего отца, в переводе с арабского означает «яд», тогда прозвище прилипло уже навсегда. Так с ним и хожу.

— А кем вы работаете, Назар Захарович?

— Да почти что никем, — рассмеялся он негромким и каким-то дребезжащим смехом. — Так, преподаю понемножку.

Вот уж кто не болтун, так это мой новый знакомый. Слова лишнего не скажет, не то что я.

— Какой предмет? — настырно продолжала я, краешком ума стараясь удерживать мысль о том, что на мой главный вопрос он пока так и не ответил.

— Предмет мой называется «Оперативно-розыскная деятельность». Вот через год мне шестьдесят исполнится, тогда уйду на пенсию, сниму погоны и буду сам себе хозяин.

— Так у вас же выслуги, наверное, лет тридцать пять, вы давно могли уйти в отставку.

— Сорок три года, — в его голосе прозвучала почему-то не гордость, а усталость и разочарование. — Я и не хочу в отставку, я хочу работать, но после шестидесяти меня никто не оставит на должности. Положение о прохождении службы не позволяет.

— А начальник отдела милиции — ваш знакомый?

— Ученик. И не только он. В этом отделе сразу трое моих учеников, так уж сложилось. Начальника, Юрку Белоглазова, я натаскивал и учил, когда он еще был молодым опером. Мы с ним вместе на Петровке работали, в уголовном розыске. А двое других — мои выпускники, я им лекции читал и практические занятия проводил, когда ушел из розыска и занялся преподаванием. Ну что, Вероника Амировна, удовлетворил я ваше любопытство?

— Нет еще.

— Ну и аппетиты у вас, — усмехнулся он. — Что еще вы хотите знать?

Я смутилась. В самом деле, чего я сую нос куда попало? Человек оказал мне любезность, согласился встретиться и выслушать меня, а я ему форменный допрос устраиваю. Но, с другой стороны, я собираюсь довериться ему, его знаниям и опыту, и хотелось бы понимать, можно ли это делать и правильно ли я поступаю.

— Еще я хотела спросить, почему вы регулярно приходите к своим ученикам. Водку вместе пьете?

Это было уж и вовсе грубо, но спросить я должна. Не

хватало еще решение своих проблем доверить алкоголику. Хотя пока что я никаких признаков запойного пьянства в Никотине не обнаруживала, но мы еще так мало общаемся, что я могу и ошибиться.

— Пьем, — согласился он. — Иногда. Когда есть повод или ситуация позволяет. Но чаще делимся информацией.

— Какой?

— Я ведь будущих оперативников учу, я должен держать руку на пульсе и вовремя узнавать, какие появляются новые способы совершения преступлений, какие группировки возникают в Москве, а какие распадаются, в общем, множество всяких тонкостей, которые видишь только тогда, когда на земле работаешь, а не в аудитории сидишь. А я, в свою очередь, какой-никакой совет то и дело подкину, опытом поделюсь. Обмен у нас взаимовыгодный. Еще вопросы будут?

— Будут.

— Валяйте, — обреченно вздохнул Бычков.

— Почему вы согласились со мной встретиться?

— А вы мне понравились. — Он лукаво посмотрел на меня и снова задребезжал своим тихим и, честно признаться, не очень приятным смехом. — Не стану врать, что весь год я вас помнил и только о вас и думал, нет, я забыл о вас через три минуты после той встречи. Но когда ребята из дежурки сказали, что меня разыскивает некая блондинка, которую я год назад видел с большой черной собакой, я вас вспомнил сразу же. И вспомнил, что тогда, год назад, вы мне понравились. Вы очень приветливо со мной разговаривали, несмотря на то, что я старый, некрасивый и немодный, кроме того, я немного выпил на юбилее у Юрки Белоглазова и от меня пахло спиртным, так что вы вполне могли подумать, что я к вам непристойно пристаю, но тем не менее вы не грубили и не хамили. И голос ваш мне понравился, и лицо, и фигура. И вообще я люблю блондинок, блондинки — моя слабость.

— И жена у вас блондинка?

Кажется, сегодня я решила побить рекорд по бестактностям. Но коль ангел меня хранит именно сегодня, то мне и этот грех простится.

— Была. Я вдовец, — коротко ответил Никотин.

— Простите, — удрученно пробормотала я.

— Ничего страшного, я вдовствую уже много лет, привык. Ну что, Вероника Амировна, мы можем наконец перейти к делу? А то время-то, я смотрю, уже позднее. Вас хозяева хватятся, да и мне до дома неблизко добираться.

— Да, давайте перейдем.

— Тогда перво-наперво мы с вами договоримся, что ты для меня будешь просто Никой, а я тебе буду дядей Назаром. Меня все ученики так зовут. За глаза, конечно, Никотином кличут, а в глаза — дядей Назаром. Мне так удобнее. А тебе?

— Нормально, — выдала я стандартный ответ.

Быть Никой привычно. А если Бычкову нравится быть дядей Назаром, так за ради бога. Мне-то какая разница? Лишь бы толк вышел.

— Вот и ладушки.

Он вытащил из кармана плаща пачку «Беломора», закурил.

— Теперь к делу. Этот тип обращался к тебе на «вы»? Я правильно понял?

— Да.

— И он был в курсе, сколько твоя хозяйка получила за два последних заказа. Значит, он из ее среды, не уголовник и не шантрапа, просто решил срубить денег влегкую. Согласна?

Я немножко подумала и согласилась. Все-таки я, как и большинство людей, — раб стереотипов. Если голос приятный, то и обладатель его — человек интеллигентный, а у урок и прочих придурков голос обязательно должен быть противным, а манера говорить — грубой. Умом-то я понимаю, что это все совсем не обязательно, но в жизни почему-то чаще всего именно так и получается.

— И для твоей хозяйки в этой ситуации есть еще одна опасность, о который ты, Ника, судя по всему, не подумала. Если этот ее любовник окажется женатым заказчиком или мужем заказчицы, что, в сущности, одно и то же, то... как ее? Наталья?

— Наталья.

— Наталья твоя может получить репутацию воровки чужих мужей. И ни одна семейная пара к ней больше не обратится. Ты же понимаешь, что дизайнер-архитектор — это человек, который придумывает дизайн для дорогих квартир или коттеджей, а то и особняков. То есть клиенты у нее — люди не бедные, а даже совсем наоборот. Такие клиенты дизайнера с улицы, первого попавшегося, не возьмут, они будут искать человека с рекомендациями, будут наводить о нем справки. И в таком деле репутация — первейшее условие. Ни одна женщина в здравом уме не согласится иметь дело с твоей хозяйкой, если узнает, что у нее был роман с заказчиком. Так что Наталья не только семейным благополучием рискует, но и финансовым. Но это так, к слову. Я просто хочу сказать, что этот шантажист, скорее всего, ее коллега, такой же дизайнер, поэтому он в курсе ее дел. И рассматривает ее как конкурентку. Может, она у него клиентов перехватила, или ему самому репутацию испортила, или еще как-нибудь напакостила. И если это так, то сначала он будет вымогать деньги за то, чтобы муж ничего не узнал, а потом — за то, чтобы это не просочилось в профессиональную среду. Так что одноразовой выплатой ты от него не отделаешься.

— Да я и не думала платить! У меня нет таких денег. А если бы и были, я бы их не отдала за чужие грехи.

— Понимаю, понимаю, — закивал Никотин. — Это я так, к слову. Значит, ты твердо решила, что хозяйке ничего не скажешь? Подумай еще раз, Ника, это ведь шаг очень ответственный.

— Ой, Назар Захарович...

— Дядя Назар, — строго перебил меня Бычков.

— Ну да, дядя Назар, — спохватилась я. — Дядя Назар, Наталья — приличная во всех отношениях тетка, не злая и не вредная, но в решающий момент может наделать глупостей. Мозги у нее так устроены.

— Как говорил умница Бабель, на этой земле нет женщины, которая не была бы безумна в те мгновения, когда решается ее судьба, — задребезжал он.

— Неужели Бабель это сказал?

— Сказал, Ника, сказал. Вернее, написал. Хорошо, будем априори считать доказанным, что у тебя нет другого выхода, кроме как взять все дело на себя. Это больше не обсуждаем. Какой совет ты хотела бы от меня услышать?

— Я бы хотела понимать, есть ли смысл обращаться в

милицию и есть ли в милиции люди, которые умеют разбираться с шантажистами так, чтобы члены семьи ничего не узнали.

— Отвечаю сразу: смысла нет. Люди, которые все это умеют, есть, а смысла обращаться к ним нет.

— Почему?

— Да потому, милая моя Ника, что они не захотят с этим возиться. Вот если бы у твоей хозяйки ребенка украли и требовали выкуп, тогда они на ушах стояли бы. Запомни, дочка, сегодня в милиции нет людей, которые не стремятся заработать денег помимо зарплаты. Нет таких, понимаешь? Все хотят жить и все хотят хорошо зарабатывать. Если у тебя есть деньги, чтобы заплатить операм, они все сделают. Если же денег нет, они, как только ты к ним обратишься, скажут, дескать, пусть придет сама потерпевшая и напишет заяву. Ты же не потерпевшая, с тобой даже разговаривать никто не станет. Они будут требовать, чтобы пришла Наталья, и вся твоя затея рухнет, даже не начавшись.

— А если я заплачу — станут разговаривать?

— За милую душу. Еще и в рот заглядывать будут и каждое слово твое ловить.

— Я вам не верю, — твердо заявила я.

— И напрасно, — Никотин снова закурил. — Некоторые из моих учеников знаешь как работают? Нароют, к примеру, материалы о каких-нибудь экономических нарушениях и давай провинившегося за вымя тянуть. Провинившийся кидается к своим покровителям за защитой, покровители звонят оперативникам, а те отвечают: плати деньги, мы передаем тебе все материалы, и делай с ними что хочешь. Вот и весь сказ, деточка. А если с преступника взять нечего, так на хрена им такая головная боль? Они пару дней повозятся, видимость активности изобразят и на тормозах спускают. Так что если ты платить за работу не собираешься, то и не суйся в милицию.

— Но у вас же есть ученики, знакомые, — растерянно проговорила я. — Неужели ради вас они не сделают все как надо?

— Ради меня — да, сделают. А ради тебя — нет. Есть разница.

— Даже если вы их попросите?

— Да пойми же, чудачка, они прекрасно знают, что есть я и есть мой единственный сын, то есть сделать что-то ради меня — это сделать лично для меня и для сына. Тут они в лепешку расшибутся, и то не факт, что сделают все как надо, потому как все люди, все ошибаются, а у кого-то, может, и просто мозгов не хватит, опыта, профессионализма. А все остальные, кого я к ним приведу, — это посторонние люди. Понимаешь? Сегодня я одного приведу, завтра другого, послезавтра третьего, и что же, им бесплатно пахать на весь круг моих знакомых? Им это не понравится, уверяю тебя. Даже если они и согласятся, то, во-первых, сработают не на совесть, а во-вторых, в скором времени начнут меня избегать, потому как от меня им одни только хлопоты и никакого навару. Да и я никогда на такое не пойду, злоупотреблять добрым отношением — неприлично.

— И все-таки, — тупо упиралась я, — неужели нет такого человека, который откликнется на вашу просьбу? Я не верю, что все преступления раскрываются только за деньги, так не может быть. Неужели нет такого милиционера, которому можно все рассказать, чтобы он сделал всю работу законным путем? Надо только попросить его, чтобы он отнесся к этому повнимательнее.

— Ника, дорогая моя, я могу их десять раз попросить, но что толку-то? Пока Наталья твоя не напишет заявление или хотя бы не даст письменных объяснений, дело не возбудят и работать по нему никто не будет. А работать за просто так, без возбужденного дела, они будут только за деньги. Более того, даже если я уговорю их работать бесплатно, они обязательно напортачат, и Наталья обо всем узнает. Тут нужна тонкость, профессионализм плюс хорошая голова на плечах. Такое дело, как у тебя, моим ученикам не доверишь.

— Неужели у вас за столько лет не было по-настоящему толковых учеников? — не поверила я.

— Были. И немало. Да только где они сейчас?

— А где?

— Где угодно, только не в милиции. В службах безопасности всяких фирм и банков, в частных детективных агентствах, еще бог знает где. И среди них есть такие, кто справился бы с твоим делом. Но — за деньги. Бесплатных гамбургеров не бывает, сама небось знаешь.

— И сколько такая работа может стоить?

— Две — две с половиной тысячи долларов. Может быть, и три. А может быть, и все десять. Шантажиста нужно сначала найти, а потом утихомирить. Если бы на твоем месте сейчас стояла твоя хозяйка, она назвала бы мне пару-тройку фамилий своих коллег, от которых можно ожидать подобной гадости, и тогда все было бы намного проще и дешевле. Ребята отрабатывают каждого кандидата и ищут среди их связей того, кто ей звонил и требовал деньги. Понятно ведь, что они не сами это делали, и фотографировали ее не сами, она их в лицо знает и голос узнать может. То есть у дизайнера-мстителя есть подельник, и надо обоих установить и головы им отвернуть. А если не знать даже приблизительно, кого отрабатывать, то все может усложниться. Поняла?

— Поняла, — понуро ответила я.

Две с половиной тысячи долларов. А может быть, и три. Это почти все, что у меня есть. А если все десять? И снова я стою у развилки и вынуждена принимать решение. По какой дороге пойти? Заплатить, отдать все, что удалось скопить, и начать все сначала в надежде на то, что Николай Григорьевич проживет еще много лет? Или не платить, и пусть все идет как идет, и пусть будет скандал, и пусть Старый Хозяин обо всем узнает и... Что — и? Переживет как-нибудь? Или выдаст такой приступ, от которого его не спасут самые лучшие врачи? И я останусь без работы... И ничего уже не смогу накопить.

— Мне нужно подумать, дядя Назар.

— Это само собой, — охотно согласился он. — Деньги немалые, обязательно надо подумать как следует. Время у тебя есть пока до пятницы, это три полных дня, а потом, если правильно себя поведешь, он тебе еще парочку дней подкинет. Так что подумай, не торопись. Но и не тяни, ребятам для работы тоже время нужно, они тебе такой объем за один день не выполнят.

— Дядя Назар, а вы сами тоже за деньги работаете?

— Я? — Он равнодушно пожал плечами, будто мой вопрос не задел его и не обидел. — Нет, мне хватает зарплаты, хотя она, конечно, до смешного маленькая. Но у меня запросы небольшие, я ведь почти старик, много ли мне надо? На работе в форме хожу, ее бесплатно выдают, а вне работы и в старой одежде сойдет, в мои годы модничать не пристало. В еде я неприхотлив, да и ем немного, не обжорствую. Машины у меня нет, так что ни на бензин, ни на ремонт не трачусь. Знаешь, детка, чем у человека меньше имущества, тем меньше денег ему нужно, чтобы прожить. Странный закон, да? А ведь правильный! Имущество — оно прожорливое, ненасытное, оно на себя затрат требует. Купил большой дом — ремонтируй его, обставляй, содержи, котельная там какая-нибудь, бассейн, сад, охрана, садовники. А живешь в малогабаритной квартирке, так и денег на все это не тратишь. И потом, Ника, ты меня с молодыми операми не равняй, я один, жены у меня нет, зато сын есть, он хорошо зарабатывает и меня всем необходимым обеспечивает. Я имею в виду, тем, чего я на свою зарплату купить не могу. А у молодых оперов у самих дети, которых надо содержать, и жены, которые все требуют, требуют, требуют...

Он безнадежно махнул рукой и потянулся за очередной «беломориной».

— Ладно, детка, иди домой, поздно уже. Пошли, провожу тебя до подъезда. Вот тебе мой телефон. — Никотин протянул мне визитную карточку, которую достал откуда-то из-за пазухи, вероятно из кармана пиджака, который был, как я думаю, таким же старым, немодным и мятым, как и его плащ. — Ты мне завтра обязательно позвони. Независимо от того, что ты надумаешь. Я должен знать, как у тебя дела.

— Почему?

Вопрос был глупым, но мне было все равно. Названная Никотином сумма, с которой мне, по всей вероятности, предстояло расстаться, подавила все прочие эмоции и благоразумные порывы.

— Потому что ты мне нравишься, — он улыбнулся. — У тебя приятный голос, красивое лицо и замечательная фигура. И вообще я люблю блондинок. Твой телефон не спрашиваю, сама позвонишь, когда тебе будет удобно, чтобы никто не подслушивал.

Он вошел в подъезд вместе со мной, и, пока мы ждали лифта, я при нормальном освещении сумела наконец рассмотреть как следует своего нового знакомца. Н-да, на роль благородного отца семейства его не утвердили бы не только в Голливуде, но и на «Мосфильме». Некрасивенький, какой-то плюгавенький, все лицо в глубоких морщинах, на голове три волосины. Но глаза! Яркие, умные, цепкие, живые. Наверное, он украл эти глаза у своего сына. Это были глаза веселого и неунывающего сорокалетнего мужика, уже кое-что повидавшего в жизни и даже успевшего это осмыслить, мужика, сознающего свою неотразимость для женщин. Это были глаза мужчины, твердо верящего, что для него нет ничего невозможного. Это были глаза победителя.

* * *

К моему возвращению с вечернего «собакинга» дома образовался полный сбор, и Гомер вернулся со своего делового ужина, и Денис притопал. Окефиренный и отвороженный Главный Объект даже успел лечь спать.

— Как ваша голова, Ника? — заботливо спросила Наталья.

— Спасибо, прошла. Все нормально, Наталья Сергеевна.

— Может, все-таки таблетку какую-нибудь выпьете?

Ой, не могу, держите меня семеро! Она еще будет учить меня, медика с высшим образованием, как мне лечиться! Ученого, говорят, учить — только портить. Но до чего ж она, бедняжечка, боится, что я заболею... А что, если нахально спекульнуть этим ее опасением? Кто знает, может, мне завтра свободное время понадобится.

— Вы завтра дома? — спросила я как бы между прочим.

— А что? Вам надо отлучиться?

— Еще не знаю. Но если завтра голова опять меня замучает, то надо будет подъехать к знакомому доктору в поликлинику, пусть снимок черепа сделают — нет ли внутричерепного давления, чтобы я точно знала, какие препараты принимать.

— Конечно, Ника, конечно, поезжайте. Со здоровьем шутить нельзя. Я завтра буду дома, так что можете рассчитывать.

Ну вот и славненько. Теперь остается только простерилизовать кухню после вечернего кормления, налить животным свежей воды на ночь, и можно запираться в своей комнате и начинать обдумывать предложение Никотина.

Через сорок минут я приняла душ, надела халат и закрыла дверь в кабинет Адочки. Времени у меня не так уж много, до утра всего, и за это время я должна принять решение. Итак, что мы имеем? Четыре с половиной тысячи долларов, накопленные ценой всяческих лишений, фактически — ценой утраты женственности. Чем еще я располагаю? Одеждой из бутиков, а также несколькими цацками, которые в скупке примут по цене лома. Могу я расстаться с тряпками? Наверное, могу, все равно при том образе жизни, который я теперь веду, они мне не нужны. Куда их надевать-то? Жарить отбивные в костюме за тысячу долларов? Или, может, поливать цветочки в летнем платьице от Кензо? К тому времени, когда я встану на ноги и снова смогу все это хоть куда-то носить (если такое время вообще настанет), эти милые тряпочки за бешеные бабки уже давно выйдут из моды. А с какой любовью я их выбирала! И Олег был рядом, терпеливо пережидал мои примерочные страдания и щедро доставал купюры из бумажника. Хорошее было время! Господи, как давно это было...

Я на цыпочках выкралась в длинный коридор, застроенный сплошным шкафом-купе, где мне отвели отдельную секцию. Неслышно отодвинула зеркальную дверцу, включила подсветку. Вот это черное длинное платье-стретч мы покупали, когда получили приглашение в ресторан на празднование дня рождения Олежкиного шефа. Олег тогда долго придирался и говорил, что я должна быть на этом сборище самая красивая и он не позволит мне выглядеть абы как. А вот этот костюмчик я покупала одна: Олег выдал мне перед Новым годом некую сумму и сказал, чтобы я сама выбрала себе подарок. А в этой юбке я ему почему-то особенно нравилась... Неужели у меня рука поднимется продать вещи, с которыми связано столько воспоминаний? Ведь у меня не осталось от жизни с Олегом ничего, кроме тряпок и украшений, ни дома, ни мебели, ни книг, которые мы вместе читали, ни телевизора, который мы вместе смотрели.

Я выключила свет и пошуршала тапочками назад, к себе. Включила компьютер, вышла в Интернет. Вот на что в Семье денег не пожалели, так это на компьютеры: их было целых три. Одним безраздельно обладала Алена, никого к нему не подпуская и ревностно оберегая свои смешные девичьи секреты, вторым владел Денис на паях с Мадам, а третий стоял у Адочки. То есть этим компьютером могла пользоваться я, что я и делала примерно раз в неделю — проверяла почту, писала письма друзьям, а если по ночам вдруг охватывала тягучая тоска, липкая и отвратительная, похожая на протухшую тянучку, то развлекалась какой-нибудь незатейливой игрой.

Я поискала и нашла несколько сайтов о комиссионной продаже и покупке элитной одежды. Посмотрела на цены и усмехнулась. За мои тряпки я смогу получить четверть цены, и то если повезет. Отправила на все сайты сообщения с предложением и полезла за коробочкой с украшениями. Руки дрожали, как будто я эти украшения воровала, а не доставала собственное имущество. Вот это кольцо Олег подарил мне на свадьбу, браслет — его подарок на мой день рождения, серьги — три года назад к 8 Марта. А вот это колечко, совсем маленькое, тоненькое, подарили мои родители на восемнадцатилетие... Сколько за все это можно выручить? Если по цене лома, то долларов триста, вряд ли больше. Смешно! Ну, за камни в кольце и серьгах — еще триста. И почему я так не любила камни и всегда просила, чтобы украшения были только из золота? Олег хотел, чтобы цацки были не простенькими, и поскольку я упиралась насчет камней, он заказывал мне украшения у ювелиров, которые делали эксклюзивные вещи и брали огромные деньги за работу. Вот в этом витом браслете, например, работа стоит почти столько же, сколько материал, а продать я его смогу за копейки, в скупке работа не оценивается, учитывается только чистый вес изделия. Каналов же, по которым можно продать украшение именно как изделие, за полную цену, и при этом твердо знать, что меня не обманули, у меня нет.

В дверь истошно замолотил пушистыми лапками Патрик, я открыла и впустила его. Он тут же по-хозяйски запрыгнул на диван, добрался до подушки и вопросительно-укоризненно посмотрел на меня: дескать, чего ты колобродишь, приличные люди уже третий сон смотрят давно, давай и ты укладывайся, а то мне спать негде. Патрик был строг, но доверчив. Для него главное — уснуть у меня на голове, на подушке, а потом может происходить все, что угодно, его это не сильно волнует. Я сжалилась над котом и прилегла, не снимая халат. Он тут же устроился на привычном месте, в верхней части подушки, опираясь теплым бочком на мое темечко, и тихонько заурчал. Минут через десять урчание стихло, я подождала еще немного и осторожно сползла с постели. Кот даже не шелохнулся. Не думаю, что он не слышал, как я встаю, кошки спят неглубоко и чутко и полностью контролируют ситуацию на подведомственной территории, просто Патрику было все равно, вот он и не реагировал. Во всем должен быть порядок, поздно вечером Ника должна лечь и пустить кота на подушку, так заведено, и менять ритуал никому не позволено. А потом можно делать что угодно.

Я снова села к компьютеру, решив на всякий случай поискать информацию о покупателях золотых изделий. Конечно, доверять незнакомым людям нельзя, но дополнительные знания не помешают. И черт меня дернул залезть в свой почтовый ящик, ведь только позавчера я смотрела почту и ответила на все письма. Чего я в него сейчас полезла? Будто дьявол за руку тянул. А может, все тот же ангел продолжал нести свою вахту. Не знаю, как правильно.

А в ящике меня ждало письмо от Жанны. От той самой Жанны, которая вышла замуж за однокурсника Олега и уехала с ним в США. От той Жанны, которая вместе с мужем так звала нас в гости к себе, в Калифорнию, и к которой в результате Олег поехал вместе со своей Галочкой. Из письма я узнала, что Галочка Жанне ужасно не понравилась, и она вообще не понимает, как такое могло случиться, и какой Олег свинтус и подлец, и как он мог так поступить со мной да еще привезти вместо законной жены какую-то бабу. Но одно дело — узнать что-то из письма, и совсем другое — понять кое-что из того же текста. И вот что я поняла: Галочка оказалась вовсе не хуже меня, а может, и лучше, и Жанне и ее мужу, в сущности, абсолютно безразлично, с какой спутницей приехал Олег (в противном случае они не оформляли бы им приглашение). Олег бодр, весел и счастлив. Но мягкосердечная Жанна решила отписать мне, чтобы я не сочла ее совсем уж предательницей. Ее письмо — не акт дружеской поддержки, а проявление жалостливого сочувствия, как мы жалеем порой сирых и убогих, потому что им недоступны те же радости, что и нам. Ее жалость перелетела через океан и, утратив первоначальную розовость крыльев, обрушилась на меня в центре Европы грязной рваной тряпкой, которую уже приготовился выбросить и поэтому без малейших сожалений отдаешь бомжу, ищущему, чем бы прикрыться, чтобы не замерзнуть.

Мне стало тошно. Именно в этот момент я вдруг поняла, что вся моя красивая сытая жизнь осталась в прошлом безвозвратно, и нет смысла цепляться за воспоминания о ней. Этот кусок жизни я прожила окончательно, бесповоротно, и не нужно вытаскивать из старого нарядного ковра короткие разноцветные ниточки в надежде наковырять их побольше и соткать новый ковер. Новые ковры ткутся из новых нитей. А из старых ниток, воровато вытащенных из уже не принадлежащего тебе ковра, могут получиться только маленькие носочки, не налезающие ни на одну ногу и расползающиеся на части прямо в руках.

И я твердо решила избавиться от дорогого и ненужного мне шмотья. А может быть, и от украшений. Независимо от того, буду я платить за работу с шантажистом или нет. Шмотки и цацки — это вопрос моего прошлого, шантажист — вопрос моего будущего. И не надо путать одно с другим. Прошлое должно помогать будущему, только в этом его предназначение, больше ни для чего оно не нужно. Прошлое — это опыт, это уроки, которые ты извлекаешь и потом используешь, чтобы твое будущее стало более соответствующим твоим желаниям и потребностям. Но если из прошлого можно извлечь немного денег, чтобы подкрепить будущее, — тоже неплохо. Только не надо цепляться за прошлое. Оно никуда не потеряется, оно свою роль и так сыграет, если у тебя есть голова на плечах.

«Храни меня вдали от тьмы отчаяния,
Во времена, когда силы мои на исходе,
Зажги во мраке огонь, который сохранит меня...»

Даже если этот огонь — не пылающий костер очага, где меня ждут и мне рады, а всего лишь глупая бирюзовая занавеска для ванны.

* * *

Утром выспавшаяся и свежая, как утренняя роса, Мадам наткнулась на мое серое осунувшееся лицо и запавшие глаза и ахнула:

— Ника! Вы заболели! Вы ужасно выглядите.

Тоже проявление большого ума, надо заметить. Разве можно говорить женщине, что она ужасно выглядит? Хотя, впрочем, наверное, можно, если она не подруга и не коллега по работе, а всего лишь прислуга. Знала бы она, что мой вид свидетельствует не о болезни, а о том, что я всю ночь и в буквальном, и в переносном смысле оплакивала свое прошлое и прощалась с ним. И с ним, и с несколькими квадратными метрами моей будущей квартиры. И если я выгляжу сегодня утром не совсем убитой, а всего лишь слегка подраненной, то лишь потому, что меня спасает бирюзовая с красными рыбками занавесочка для ванны. Так и стоит, родимая, у меня перед глазами, я видела ее в магазине «Бауланд» и никак забыть не могу. Я сделала из нее парашютик, который не дает мне разбиться при падении с высоты моего прошлого благополучия.

— Вам обязательно нужно съездить к врачу, — уговаривала меня Наталья. — Болезнь надо ловить в самом начале и душить в зародыше.

Ну кто бы спорил. Теперь нужно улучить момент и позвонить Никотину. Хотя чего там конспирацию разводить? Я же сказала, что собираюсь ехать к знакомому врачу проверять внутричерепное давление, вот и позвоню доктору дяде Назару. Прямо сейчас и позвоню, чего тянуть? Я вытащила из кармана куртки маленькую визитную карточку, на которой не было никаких данных, кроме имени, фамилии и трех телефонов.

Дозвонилась я с первой же попытки.

— Назар Захарович, доброе утро. Это Ника.

— Утро доброе, Ника! — Мне показалось, он обрадовался, услышав мой голос. — Как дела? Надумала что-нибудь?

— Хочу к вам подъехать, Назар Захарович. Это можно?

— Можно, но необязательно. Могу и я к тебе подъехать. У меня третья пара, лекция, потом я свободен. Ты как, просто поговорить настроена или дело делать?

— Дело будем делать. — Я оглянулась на стоящую в метре от меня Наталью, разглядывающую себя в зеркале, и на всякий случай добавила: — Мне надо давление измерить, вторые сутки голова болит — просто спасу нет.

Никотин выдал короткую порцию дребезжания:

— Маскируешься? Правильно. Дело у нас с тобой будет на Садовнической улице, так что давай встретимся в три часа на «Новокузнецкой». Сможешь?

— Смогу, Назар Захарович. В три часа. Спасибо вам.

— Да пока не на чем.

— Мне что-нибудь нужно иметь с собой? Паспорт, деньги?

— Пока ничего не нужно. Себя в целости довези, — усмехнулся он, — и на сегодня достаточно.

До двух часов я успела переделать всю полагающуюся на сегодняшний день домашнюю работу, которой было по сравнению с днем предыдущим не так много, поскольку уборку я сделала накануне и кошачье-собачье-аптечные вояжи тоже спроворила.

В два часа я начала собираться. Не удержалась от соблазна и надела хороший костюм, все-таки «в люди» выхожу, а не на рынок за картошкой. Пока надевала костюм — тихо порадовалась, что все пуговицы застегнулись без труда, стало быть, за минувший год я в весе не прибавила и не раздалась, хотя от стресса и переживаний я раньше всегда поправлялась. Но потом посмотрела на себя в зеркало и приуныла. Какой костюм от Шанель? О чем вы говорите, дамочка? Такой костюм требует головы и лица, сиречь прически и макияжа, неплохо бы и аксессуаров добавить в виде туфель, сумочки и украшений. Аксессуары были, но волосы и лицо все портили. Не подходили они к дорогой элегантной тряпочке, ну совсем не подходили!

И потом, в том месте, куда меня поведет Никотин, тоже не дураки сидят. Увидят фирменную одежку и сразу подумают, что с меня можно деньги тянуть немерено. Нет уж, Кадырова, снимай-ка ты свой красивенький костюмчик и влезай в брюки, джемпер и турецкую куртку, купленную на ташкентском рынке. Шапка должна быть по Сеньке, сомбреро — по Хуану, а каждый сверчок гораздо успешнее справляется с вокалом, когда сидит на своем шестке, а не на чужом.

— Наталья Сергеевна, вот обед для Алены, — я открыла холодильник и показала хозяйке кастрюльку и мисочку, — вот это — для Николая Григорьевича, вот в этой кастрюле — ваш овощной суп, разогреете в микроволновке, и салат, я его не заправляла, чтобы не мок.

Наталья рассеянно смотрела в мою сторону, но, по-моему, слышала не все, а понимала еще меньше.

— К ужину я вернусь, — пообещала я.

— Надеюсь, — бросила Мадам и удалилась в гостиную.

На «Новокузнецкую» я приехала минут за десять до назначенного времени, но Никотин уже ждал меня в условленном месте. Все тот же плащ, все та же «беломорина» в желтоватых пальцах, только глаза не веселые, как вчера вечером, а строгие.

— А куда мы идем? — спросила я, вышагивая рядом с ним.

— Мы идем в частное детективное агентство, которое возглавляет мой ученик.

— Вы с ним уже говорили о моем деле? Он согласен взяться за него?

— Я ему звонил.

Что-то дядя Назар снова стал неразговорчивым, уж не случилось ли чего? Не буду больше приставать к нему с вопросами, чтобы не раздражался.

Остаток пути мы проделали молча. Садовническая улица показалась мне тихой и провинциальной, наверное, из-за трехэтажных домов и некоторой обшарпанности фасадов. Вход в таинственное агентство оказался сродни поиску сердца Кощея Бессмертного: войти в дверь, сказать заветное слово охраннику, пройти во внутренний двор, найти еще одну дверь, набрать код, подняться на второй этаж, набрать еще один код, сказать еще одно слово еще одному охраннику... В общем, головоломка. Пройти по коридору, найти еще одну дверь и набрать еще один код. Наконец мы вошли и сразу попали в объятия шумного рослого мужчины, демонстрировавшего бурную радость от нашего прихода. Такой прием меня насторожил. Пусть у меня не такой уж большой жизненный опыт, всего-то тридцать семь прожитых лет, но и его хватало на то, чтобы вспомнить: когда тебя с таким энтузиазмом встречают, тебе, скорее всего, уже заранее собрались отказать, а показным радушием маскируют принятое решение, дескать, мы тебя так любим, так любим, а если уж отказываем, так не потому, что плохо к тебе относимся, а потому, что дело не в нашей компетенции, или не по нашему профилю, или нам не по зубам.

Нас тут же провели в уютный маленький кабинетик, усадили в когда-то мягкие, а ныне сильно помятые тяжелой жизнью посетителей креслица, предложили чаю и кофе. Никотин попросил кофе покрепче, я от угощения отказалась, потому что внутренне уже была готова либо к отказу, либо к заламыванию столь непомерной цены, что какой уж тут чай-кофе, тут валокордин впору принимать.

— Как жизнь, дядя Назар? — бушевал в своем откровенном благодушии хозяин кабинета. — Как же я обрадовался, когда вы мне позвонили! Сто лет вас не видел!

— Таки что тебе мешало? — неожиданно произнес Никотин как-то очень по-одесски. — Или я на другой планете живу? Давай-ка знакомься с клиентом, Сева. Не будем терять время.

— Всеволод Огородников, — привстал здоровяк, протягивая мне мощную длань. — Глава агентства, директор, можно сказать.

Я пожала руку и пробормотала:

— Вероника Кадырова.

Подумала немного и добавила:

— Женщина при маленьких деньгах и больших проблемах.

Вот так, пусть все будет ясно с самого начала. Если его отпугнут мои маленькие деньги, то это будет видно сразу, и можно будет обратиться в другое агентство, не теряя времени.

Всеволод оглушительно расхохотался:

— Маленькие деньги, большие проблемы плюс хорошая реакция плюс чувство юмора. Вполне высококачественный коктейль. Мы с вами поладим.

— Вы уверены? — осторожно спросила я.

— С ним можно ладить, — кивнул Никотин. — Не надо только плевать ему в кашу. Это мудрый совет старика Бабеля. Приступай, Севочка, время не ждет.

Всеволод как-то вдруг посерьезнел и приобрел вид деловой и неприступный.

— Дядя Назар в двух словах обрисовал мне вашу проблему, — обратился он ко мне. — Я так понимаю, ваша хозяйка — дизайнер-архитектор, занимается строительством и ремонтом? И времени у вас на все про все — дня три-четыре, не больше.

— Совершенно верно.

Он нажал какую-то кнопку и проговорил в микрофон:

— Леша, зайди ко мне.

Через минуту в кабинете появился совсем молодой парнишка лет, наверное, двадцати двух — двадцати трех.

— Леша, у нас объект — дизайнер-архитектор. Чем можешь помочь?

— Чем могу — помогу, — загадочно ответил юный Леша и потянулся к телефону. — Имя мне напиши.

Всеволод вопросительно посмотрел на меня.

— Сальникова Наталья Сергеевна.

А Леша уже быстро шнырял пальцами по кнопкам телефонного аппарата.

— Але, пап? Здорово. Нет, все в порядке... Да не трогал я твой мобильник, он еще со вчерашнего вечера на зарядке стоит... Ну да, на кухне... Нашел? Вот и ладно, а то чуть что, так сразу я виноват. Слушай, а мать дома?.. Понял. Я ей на мобильник звякну. Нет, ничего не случилось, просто нужна ее консультация. Ага, пап, пока, до вечера.

Он снова принялся набирать номер.

— У нашего Лешки матушка тоже дизайнер, они там все в одной профессиональной толпе тусуются, — вполголоса сообщил нам с Никотином Сева.

— Але, мам? Привет. Ты можешь говорить?.. Ну, минут на десять... Ага. Слушай, у нас тут клиентка одна, она загородный дом строит, ей порекомендовали дизайнера, но она хочет предварительно собрать сведения, а то сама знаешь... Да ну их, этих богатых, у них свои примочки. Боится, что ее обманут, обсчитают, обшарлатанят и все такое... Ага... Сейчас... Сальникова Наталья Сергеевна. Знаешь, да? Класс! Мам, ты мне можешь назвать буквально по три фамилии тех, кто может ее охарактеризовать хорошо, и тех, кто может о ней рассказать что-нибудь негативное? Нет, больше не нужно, по три свидетеля с каждой стороны — вполне достаточно для грамотного судьи. Шучу. Если будет нужно, я потом еще тебя спрошу, а пока мне и по три человека хватит. Ага... Ага... И телефончики их, если можно...

Леша нагнулся над столом и быстро записывал фамилии. Сердце у меня забилось от предчувствия удачи. Вот ведь до чего все, оказывается, просто! Сейчас Лешина мама назовет имена самых яростных недоброжелателей Мадам, и найти шантажиста среди этих троих — дело одного дня. Ну сколько может стоить один день работы частного детектива? От такой суммы я точно не разорюсь. Может, даже украшения продавать не придется.

Леша положил трубку и выпрямился.

— Вот список людей, которые могут дать общую характеристику объекта. Что-нибудь еще, Всеволод Андреевич?

— Пока можешь идти, но далеко не уходи, я тебя позову. Если мы с клиентом, — Сева бросил на меня быстрый взгляд, — договоримся и подпишем контракт, ты будешь заниматься этим делом.

Такой молоденький! Да что он умеет-то?! Только дело все испортит. Я-то, дурочка наивная, думала, моими проблемами будут заниматься самые лучшие сыщики из числа учеников Никотина... А меня отфутболили к какому-то молокососу.

Дождавшись, когда Леша покинет помещение, Всеволод взял в руки список, быстро пробежал глазами.

— Вот, значит, какой у нас получается расклад, уважаемая девушка Вероника, — неторопливо заговорил он. — В этом списке люди, которые знают вашу хозяйку. Но крайне маловероятно, что тот, кого мы ищем, находится среди них. Такие удачи случаются, но исключительно редко. С каждым из этих людей нужно поговорить, прощупать их, получить от них еще какие-нибудь имена и конкретные истории про Наталью Сергеевну. Потом вычленить наиболее вероятных ее врагов и пустить за ними наружку. Вы, надеюсь, понимаете, что сам шантажист, то есть тот, кто вам звонил, не входит в число ее знакомых, но действует он по наводке. Таким образом, мы сначала вычисляем нескольких предполагаемых наводчиков, или, если хотите, инициаторов шантажа, его организаторов, а потом при помощи наружного наблюдения устанавливаем их связи. Из этих связей отбираем самые подходящие, то есть наиболее подозрительные, и работаем уже конкретно с ними. Было бы идеально, если бы нам удалось все сделать настолько оперативно, что к пятнице у нас осталось бы всего три-четыре подозреваемых. Тогда нам останется только проследить, кто из этих четверых будет звонить вам в двенадцать часов. На этом закончится первый этап и начнется второй.

— Какой? — ошеломленно спросила я.

Все мои надежды рушились. Я-то думала, что будет легко и просто, а это ж какая прорва работы предстоит! Мне за всю жизнь столько не заработать, чтобы расплатиться.

— С шантажистом нужно будет поработать, чтобы он больше не поступал так некрасиво. И с тем, кто его нанял или в долю взял, — тоже.

— И это тоже стоит денег, — безнадежно добавила я.

— Ну это само собой. Все стоит денег.

— Сколько? — спросила я, собираясь с духом, чтобы услышать свой приговор.

— Один час работы наружки стоит пятьдесят долларов.

Я зажмурилась, пытаясь быстренько прикинуть, на сколько часов работы хватит моих денег.

— Установить данные о человеке, то есть кто он, где живет, чем занимается, его паспортные данные, — четыреста пятьдесят долларов, — безжалостно продолжал Всеволод Андреевич. — Сделать так, чтобы он больше не пакостил, — полторы тысячи. Плюс собственно работа по установлению круга отрабатываемых, то есть беседы с людьми, обладающими нужной информацией. Здесь могут быть скидки, поскольку эту работу мы делаем сами, в частности, Леша. А всю остальную работу делают профессиональные сотрудники милиции, с которыми у нас контракт, и на их услуги существуют твердые тарифы, там никакие скидки не предусмотрены. Вот и давайте подсчитаем, что у нас выходит.

— Не надо, — грустно сказала я. — Не надо ничего считать. У меня нет таких денег.

Я сделала движение, чтобы встать и покончить с этим мероприятием. Но Никотин ухватил меня за руку и усадил на место.

— Погоди, Ника. Я ведь Севе рассказал только общую картину, деталей он не знает. Давай-ка ты расскажи нам все с самого начала и подробно, мне кажется, там была одна интересная зацепка.

Я добросовестно принялась излагать историю вчерашнего звонка неизвестного человека, думавшего, что он разговаривает с Мадам.

— Ты понял, Сева? — Никотин поднял желтоватый палец.

— Нет, — честно признался Огородников. — Я чего-то пропустил, дядя Назар?

— Сколько денег требовал шантажист?

— Десять тысяч долларов. — Сева неуверенно посмотрел на меня, будто на экзамене в ожидании подсказки, и я одобрительно кивнула, мол, все правильно.

— И чем он мотивировал именно эту сумму? — продолжал экзаменовать его Назар Захарович.

— Тем, что Сальникова именно столько получила за два последних заказа, — уже почти бодро отрапортовал Сева.

— А почему за два последних, а не за три, не за пять, не за десять?

— Ну... — Сева помаялся секунд десять и вдруг улыбнулся. — Ну вы и жук, дядя Назар! Неужели все так просто?

— Не знаю, — покачал головой Никотин. — Может, просто, а может, и сложно. Но эту идею надо отработать в первую очередь, это может существенно сэкономить время, а стало быть, и деньги нашей Вероники. Севочка, положение у Вероники очень серьезное, если она не разрулит ситуацию с шантажом, то может потерять работу и крышу над головой. Она готова платить собственные деньги, чтобы не допустить семейного скандала, но этих денег у нее не так много. Не спрашивай сколько, просто скажи, хотя бы ориентировочно, во сколько это может вылиться по минимуму и по максимуму.

— Про максимум говорить пока не будем, дядя Назар, это не прогнозируется. А по минимуму... Ну, допустим, Лешка поработает бесплатно, я его уговорю, тем более там все несложно, в рамках уже существующей легенды он говорит, что его клиент, прежде чем связываться с Сальниковой, хотел бы посмотреть два-три ее последних объекта, чтобы оценить ее уровень и вкус. При этом клиент хотел бы, чтобы сама Сальникова не знала, что ее проверяют, потому что... Ну, неважно почему, у богатых свои причуды. То есть двух последних заказчиков Натальи Сергеевны мы устанавливаем легко и просто. Дальше начинаются финансовые затраты. Наружка за обоими и их супругами, если таковые имеются, то есть за четырьмя объектами, на протяжении... ну, скажем, десяти-двенадцати часов, то есть весь завтрашний день. Две тысячи четыреста. Если повезет, появятся два-три фигуранта — претенденты на роль собственно шантажиста. Можно не устанавливать их личности, а организовать в пятницу наружку за каждым из них на момент звонка вам. Это еще двести. Плюс процесс разъяснения неприемлемости подобного поведения. Если вы, дядя Назар, правы, то у нас получается два человека или даже три, это либо три тысячи, либо четыре с половиной. Теперь еще один тонкий момент: если мы пойдем по пути контроля поведения фигурантов на момент двенадцати часов в пятницу, то нужна будет дорогая аппаратура, это тоже стоит денег. Глупо рассчитывать, что все они в интересующий нас момент будут находиться в общественных местах и звонить из автоматов или с мобильников, и к ним можно будет подойти вплотную и все услышать. Они могут находиться где угодно, в том числе и у себя дома или дома у инициатора шантажа. И в этом случае без аппаратуры не обойтись. Вероника, у вашего телефона нет определителя номера?

— Нет.

— Тогда ставить бесполезно, подключение определителя сразу услышат, и шантажист забеспокоится раньше времени. И потом, на всякий наш хитрый определитель у него найдется не менее хитрый антиопределитель. Так что нужна будет аппаратура.

Я лихорадочно подсчитывала. Нижняя граница у меня получилась на уровне пяти тысяч шестисот долларов. Без аппаратуры. Отдать все, что накопила, и продать все, что есть. На верхнюю границу мне не хватит ни при каких условиях. Черт возьми, я даже не предполагала, что работа частных детективов стоит так дорого! Впрочем, если верить Севе, то так дорого стоит работа не частных детективов, а ассоциированных с ними милиционеров.

— Можно на чем-нибудь сэкономить? — спросила я, не желая мириться с мыслью о том, что все потеряно.

— Если повезет, — кивнул Сева. — Например, поведение первоначальных объектов даст нам нужную информацию уже в первые же два часа работы наружки, тогда мы ее снимаем. Или первоначальных объектов окажется не четверо, а всего двое. Или даже один, так тоже может быть. Тогда это выйдет не две тысячи четыреста, а долларов, например, шестьсот, или, может, триста. Это как повезет. Здесь никаких гарантий дать нельзя, все может выйти и с точностью до наоборот, если первый день плотного наблюдения ничего не даст, придется работать еще и в четверг.

Ужас. Полный, можно сказать, обвал. Надо же, как интересно устроен человек! Еще только вчера вечером я мучительно принимала такое тяжелое для себя решение пожертвовать частью своих денег, чтобы не рисковать здоровьем Старого Хозяина и не потерять работу, а уже сегодня я готова отдать не часть, а вообще все, и прихожу в отчаяние от того, что мне не хватает. Эдакая интеллектуальная лабильность. А где же мой ангел-хранитель, который вчера помогал мне изо всех сил? У него смена — сутки, потом он отдыхает несколько месяцев от трудов праведных. Успеешь в сутки уложиться со своими бедами и проблемами — твое счастье, не успеешь — твое несчастье.

— Так что вы мне скажете, Вероника? Мы подписываем контракт и начинаем работать? Или вы отказываетесь?

— Я не отказываюсь, просто у меня нет таких денег.

Скажите, а вот эти... объяснения о неприемлемости поведения... их обязательно давать всем? Вы сказали, три человека.

— Может быть, двое. Может быть, только один. Это будет видно по ситуации. И потом, разъяснения бывают разные, есть и подешевле, я вам назвал самый дорогой способ.

— А подешевле — это как? — заинтересовалась я.

— Можно не перекрывать кислород, а просто нанести физические травмы, которые человек будет долго залечивать. Это стоит пятьсот долларов.

— Нет, — испугалась я, — грех на душу не возьму. А что входит в самое дорогое разъяснение?

— За полторы тысячи долларов человека ставят в такое положение, при котором он почитает за счастье уехать из Москвы и никогда больше здесь не появляться, в противном случае ему грозят большие неприятности.

— Но мне так тоже не нужно, пусть они остаются в Москве, только пусть Наталью не трогают. Неужели нет никакого промежуточного варианта?

— Да есть, есть, — тихонько проговорил Никотин. — Ну что ты, Сева, девушку мне пугаешь прямо до полусмерти!

— Ну, дядя Назар, я должен обозначить максимальные расходы, чтобы клиент потом не говорил, что я его обманул и ввел в незапланированные траты. — Сева развел руками. — А если на деле выходит дешевле, так клиент только рад и благодарен, и потом рекомендует нас своим знакомым. Тактика.

— Тактика, — передразнил его Назар Захарович, пошевелив глубокими мимическими морщинами на лице. — Ты мне своей тактикой Нику до обморока доведешь. Значит, так, дорогие мои. Ника, какой суммой ты готова рискнуть без гарантии нужного результата? Я понимаю, что если гарантировать результат, то ты отдашь все, что у тебя есть. Ну а без гарантии? Можешь выбросить деньги в форточку?

Могу ли я? Наверное, могу. Никогда не пробовала... Хотя нет, вру. Пробовала. Сколько денег мы с Олегом выкинули в эту самую форточку? Господи, ведь он столько зарабатывал, и куда мы девали все эти деньги? Где они? Вот именно. Там они, за форточкой. В ресторанах, боулингах, ночных клубах, в поездках на машинах, в его и моих тряпках, в роскошных букетах, которые он дарил мне еженедельно, и дорогих подарках, которые мы дарили друзьям и родственникам к праздникам и дням рождения. Так что выбрасывать деньги мне не впервой.

— Две с половиной тысячи долларов, — произнесла я одеревеневшими губами.

Почему я назвала эту сумму? Не знаю. Она как-то сама назвалась. Не две тысячи, не три, а именно две с половиной.

— Сева, ты подписываешь с Вероникой контракт, формулировки сам придумай, и работаешь в пределах обозначенной суммы. Когда затраты доходят до двух с половиной тысяч, мы собираемся здесь снова и решаем, что делаем дальше. Либо продолжаем работу, потому что осталось совсем чуть-чуть, либо прекращаем, потому что в имеющиеся у Вероники деньги ты никак не укладываешься.

— Годится, дядя Назар, — согласился Огородников.

Через полчаса мы с Никотином покинули Кощеево гнездо. Вместо фотографий, присланных шантажистом и оставленных в агентстве у Севы, в моей сумочке лежал контракт.

— Ты торопишься? — спросил меня Назар Захарович. — Нам с тобой надо бы поговорить, обсудить кое-что.

Я посмотрела на часы. Без десяти шесть. Через час нужно кормить ужином Старого Хозяина. Правда, у меня все готово, остается только разогреть и подать, но неизвестно, как на такие вольности посмотрит Мадам. Она уже и без того обед сама грела и подавала.

— Мне нужно позвонить.

— Звони, — он протянул мне мобильник.

Опасения мои подтвердились, но не полностью. Наталья, само собой, не пришла в восторг от того, что мне нужно задержаться, но, когда я наплела что-то насчет своей больной головы, внутри которой образовалось какое-то невероятное давление, и мне нужно ставить капельницу, а потом меня посмотрит профессор, и ко всему этому я присовокупила неизвестные ей и пугающе звучащие слова про периферическую вазоконстрикцию и гиперволемию, Мадам сразу же заголосила:

— Конечно, Ника, лечитесь, лечитесь, сколько нужно, главное, чтобы вы не разболелись всерьез. А вас в больницу не положат?

Ах вот, оказывается, чего мы боимся!

— Нет-нет, никакой больницы, я сразу предупредила, что это невозможно, поэтому меня и будут лечить амбулаторно. Только это, может быть, займет несколько дней, и мне придется отлучаться.

— Ой, да ради бога, Ника, о чем речь? Я все равно сейчас без работы, так что посижу с дедушкой, а вы лечитесь.

Врать нехорошо. Но иногда приходится. Оставив Наталье все руководящие указания по питанию и тщательно объяснив, где какая мисочка и что в какой кастрюльке, я вернула мобильник хозяину.

— Я готова разговаривать.

— Экая ты быстрая, — усмехнулся Никотин. — Такие разговоры на ходу не ведутся. Пойдем куда-нибудь, посидим, поедим, мы же с тобой оба без обеда сегодня остались. И поговорим.

Предложение мне понравилось по сути, но напрягло по финансовой стороне. И я решила быть прямой, как черенок от швабры.

— Дядя Назар, я не могу тратиться на общепит, у меня весь бюджет до копейки расписан.

— Да брось, Ника, я же тебя приглашаю. Я, конечно, тоже не миллионер, но на обед с блондинкой денег хватит.

НА СОСЕДНЕЙ УЛИЦЕ

— Мне теперь придется долго разбираться с собой. Не понимаю, что на меня нашло, зачем я это сделала.

Игорь лениво повернулся к лежащей рядом женщине. Ну и ничего особенного, зря он боялся. Конечно, времени на нее потрачено ого-го сколько, ни на одну свою даму он не тратил четыре месяца, чтобы уложить в постель. Но дело того стоило. Вернее — Дело. И вовсе не так страшно заниматься любовью с теткой, которой за пятьдесят, разницы практически никакой, что пятьдесят, что двадцать пять, все устроены одинаково. Другое дело, что он ее и не хотел вовсе, и потому боялся, что получится плохо или даже совсем не получится. Но — получилось. Все-таки здоровье у него могучее, да и на сексуальную самооценку зловредная тетя Аня повлиять не смогла. И пусть Игорь долгие годы прожил в убеждении, что он некрасивый, никудышный, глупый и никому не нужный, но уж в том, что он далеко не импотент, он никогда не сомневался. Уговорил себя, настроился. И мысль о выполненном Деле будоражила, поднимала тонус.

— Ну что ты, — он подумал, что надо, пожалуй, быть ласковым, и погладил Ольгу Петровну по волосам, — не надо так говорить. Ты сделала то, что хотела, и не надо теперь себя корить. Мы же с тобой оба этого хотели, разве нет?

Она вздохнула и отвернулась.

— Я не имею права спать с мужчиной моложе себя на двадцать лет. И тем более не имею права этого хотеть.

— Почему? — он прикинулся непонимающим, хотя, конечно же, все отлично понимал.

— Потому что это неприлично. Потому что я бабушка, у меня внучка растет. И еще потому, что я учитель, и ты по возрасту годишься мне в ученики. Понимаешь, Игорь? Ты мог бы быть моим учеником, ведь когда тебе было десять лет, мне было уже тридцать и я к тому времени работала в школе восемь лет. Ты еще в ясли ходил, а я уже была учителем.

Конечно, была. И тем более была, когда ему было пятнадцать. Когда он был влюблен в нее без памяти. До одури, до темноты в глазах, до непристойных мыслей и ужасных снов. И ведь она об этом знала. Вот чего Игорь Савенков не мог простить Ольге Петровне — она знала и не приняла всерьез, более того, позволила вынести эту оглушающую любовь на всеобщее осмеяние. Не заступилась за своего ученика, не защитила его. Он до сих пор с трудом верил в то, что она его не помнит. Но ведь действительно не помнит, за четыре месяца Игорь смог в этом убедиться.

Игорь подавил в себе острое желание сказать ей все сейчас, именно сейчас, и покончить с этой частью Дела. Нет, рано, пока рано. Что такое один постельный эпизод?

Тем более Ольга в нем раскаивается. Нужно подождать, пока она увязнет в их отношениях, увязнет окончательно, нужно дождаться, чтобы она просила его о встречах и умоляла о ласках, вот тогда он ей все скажет, и Дело можно будет считать завершенным.

Он не мстил, Игорь вообще не был мстительным. Он лишь расставлял все на те места, на коих всему этому надлежало находиться. Он возвращал вещи, мысли и события на круги своя. Тетя Аня убила в нем любовь и уважение к самому себе — он вернул эти чувства ценой упорного, ежедневного, многомесячного труда. Он работал над собой, над своим самосознанием, над самооценкой, над поведением, он прочел великое множество умных книг и почерпнул в них дельные советы, которые успешно воплотил в жизнь. Теперь его чувства, изгнанные тетей Аней и запертые в пыльную темную кладовку, извлечены на свет божий, отмыты, отчищены, причесаны, аккуратно одеты и водворены на место, на почетное место в его душе.

Тетя Аня, воспитывая племянника, почти не пользовалась пряниками и орудовала в основном кнутами в виде запретов. Игорю запрещалось все, и не только то, что родители всегда запрещают своим детям, то есть курить, воровать, нецензурно выражаться, посещать школу с невыученными уроками и так далее, но и то, что большинству детей все-таки разрешают. Приводить домой друзей. Смотреть допоздна телевизор. Читать взрослые книжки. Ходить в кино не только в выходные дни и во время каникул, но и по будням. Носить хорошие вещи. Впрочем, хороших вещей у него не было, тетушка не была к Игорю щедрой и одевала его по минимуму, тратя неслыханные суммы исключительно на себя и свою дочь. Помимо всего прочего, Игорю запрещалось лезть к тете Ане с разговорами и задавать несанкционированные вопросы, высказывать свое мнение и говорить «я хочу». Слова «я хочу» или «мне нужно» были ядовитыми химикатами вытравлены из его подросткового лексикона и заменены вежливо-просительными формами:

— Как вы думаете, тетя Аня, можно мне съесть кусочек торта?

— Говорят, это очень интересный фильм. Как вы думаете, тетя Аня, мне имеет смысл сходить в кино и посмотреть его?

— Витя пригласил весь класс к себе домой, праздновать день рождения. Как вы думаете, может, мне тоже пойти? А как вы думаете, удобно пойти без подарка?

Тетя Аня была, безусловно, мастером педагогики. В правильности ее целей можно сомневаться до бесконечности, но достигала она их с высочайшей степенью эффективности.

Ну что ж, теперь Игорь Савенков не позволяет никому управлять собой. Никто не может что бы то ни было ему запретить. Права такого ни у кого нет. Он сам решает, что ему делать, что говорить и как жить. Разумеется, Уголовный кодекс он чтил. Есть запреты, вполне разумные, которые признаны всем человеческим сообществом, и есть вещи, которые нельзя делать никому и нигде. Нельзя воровать и вообще брать чужое в любой форме, нельзя убивать, нельзя насиловать, нельзя уклоняться от уплаты налогов. Это справедливо, и такие запреты Игорь уважал и не тяготился ими. Все, что человеку делать нельзя, перечислено в кодексе, а все остальное он может делать, если считает нужным, и никто, ни один человек на свете не имеет права ему это запретить. Никому не дано право руководить им и управлять.

— Иди в душ, — раздался у него над ухом тихий голос Ольги Петровны.

— Иди ты первая, — он постарался улыбнуться, — я еще поваляться хочу.

— Нет, ты первый, — неожиданно заупрямилась Ольга, и Игорь снова улыбнулся, но на этот раз не принуждая себя, не расчетливо.

Он понял, что его новая любовница стесняется своего немолодого тела и не хочет вылезать из постели у него на глазах. Момент, когда они в эту самую постель укладывались, имел место часа два назад, когда в комнате было значительно светлее, но тогда Ольга об этом как-то не думала... А Игорь не разглядывал ее вполне умышленно: боялся, что складки и обвисшая, потерявшая упругость кожа отпугнут его, убьют мужскую силу.

Нельзя, чтобы ей было некомфортно, иначе она начнет комплексовать и больше не придет, и тогда уже не сможет его бывшая учительница русского языка и литературы Ольга Петровна увязнуть в отношениях со своим бывшим учеником Игорем Савенковым.

Он легко выпрыгнул из-под одеяла и быстро вышел из спальни, прихватив валяющиеся на полу трусы и джинсы. Через минуту вернулся и положил на кровать поверх одеяла длинный махровый халат. Ольга благодарно посмотрела на него и слегка улыбнулась. Хорошо, что она немногословна, подумал Игорь, включая душ. Если бы она ударилась в эту идиотскую болтовню, которой его частенько угощали подружки после первого раза, он бы, наверное, сорвался. Конечно, задуманное так или иначе оказалось бы выполненным, но... Не то удовольствие, совсем не то. Он подождет.

Если бы Игорю Савенкову кто-нибудь сказал сейчас, что задуманное им Дело является всего лишь банальной местью, он бы страшно удивился глупости собеседника. Слово «месть» вообще не приходило ему в голову. Просто он считал, что семнадцать лет назад его необоснованно лишили права на любовь этой женщины и на близость с ней. Право должно быть восстановлено, только и всего.

Все вещи должны стоять на своих местах. А если их оттуда забрали или передвинули, их надлежит вернуть. Все очень просто, логично и правильно.

НИКА

Мы сидели в маленьком уютном кафе и ждали, когда официант принесет заказанные нами салаты, пирожные и кофе.

— Ну что, Ника, ужасаешься, небось не можешь понять, во что я тебя втравил? — с усмешкой произнес Назар Захарович. — Я ведь не зря сказал, что нам нужно кое-что обсудить. Вижу, у тебя много вопросов, а в таком деле, как у нас с тобой, недомолвки только мешают. Когда есть недомолвки, тогда нет полного доверия.

— Вы ни во что меня не втравливали, дядя Назар, — угрюмо ответила я, не глядя на него. — Я сама принимала решение и сама ввязалась.

— Жалеешь?

— Нет. Даже если ничего не получится, жалеть все равно не буду. Мне нужно знать, что я сделала все, от меня зависящее, тогда я буду сама перед собой спокойна.

— Хорошее выражение. — Никотин одобрительно кивнул головой и вытащил из квадратной пачки очередную папиросу. И это при том, что мы сели за столик минут пятнадцать назад, а в пепельнице лежали уже два окурка. Не бережет себя дядя Никотин! — Спокойна сама перед собой... Надо взять на вооружение. Ну валяй, спрашивай, а то у тебя вопросы скоро из ушей полезут. А потом и я кое о чем тебя спрошу. Откровенность за откровенность.

Никотин угадал, меня действительно мучили вопросы, и мне ужасно хотелось их задать.

— Когда вы вели меня к Севе, вы уже знали, что у одного из его сотрудников мать — дизайнер? — начала я.

— А то как же! Времени у тебя мало, всего-то до пятницы, и рисковать было бы глупо. Я шел наверняка.

— А почему же вы вчера вечером не сказали мне, что у вас есть ученик, который почти наверняка справится с моим делом? Темнили? Хотели, чтобы я подольше помучилась?

— Ни боже мой! Вчера, дорогая моя Ника, я вернулся домой и начал обзванивать своих знакомых, почву прощупывал. В двух словах описывал ситуацию и спрашивал, есть ли возможность помочь. Вот когда дело до Севки Огородникова дошло, он и сказал мне, что можно попытаться, потому что у него есть на побегушках мальчик Леша, а у мальчика Леши есть мама, вращающаяся в интересующих нас сферах.

— Но ведь вчера вечером я еще не давала согласия обратиться к частному детективу.

— Ну и что? Если бы я ждал, когда ты позвонишь, мы бы и сейчас еще с места не сдвинулись. А так колесо завертелось, мы тут с тобой кофейком наслаждаться еще только собираемся, а человек уже поехал информацию искать.

— А если бы я не позвонила?

— Ну, нет так нет. Лучше сделать что-то напрасно, чем потом кусать локти от досады, что не сделал.

— Но вы же тратили свое время и силы, звонили, искали людей, разговаривали с ними... И все могло бы оказаться впустую. Неужели вам не было бы обидно?

— Ни капельки. — Никотин пожал плечами, словно вообще не понимал, о чем это я ему толкую. — Я предложил помощь, ты от нее отказалась. Самая обычная вещь, на каждом шагу происходит. Что тут обидного?

Мне стало чуть-чуть легче. На свой первый вопрос я ответ получила, а то у меня было такое противное чувство, что кто-то за меня все решил и всем распорядился. Или что на меня хотят произвести впечатление и достают кроликов из шляпы. Дескать, пошли наугад, а вышли куда надо. Вот какие мы ловкие и удачливые Сусанины! Но Назар Захарович не стал строить из себя волшебника, а рассказал все честно. Спасибо ему за это.

Теперь можно и второй вопрос задать.

— А что вы с Севой имели в виду, когда он сказал, что вы — жук?

— Кто жук? Я?! — возмутился Никотин. — Когда это он такое сказал?

— Когда вы предложили ему подумать, почему шантажист назвал сумму в десять тысяч. Он подумал, а потом рассмеялся и сказал: «Ну вы и жук, дядя Назар». Забыли?

— Теперь припомнил. — Он звонко задребезжал своим особенным смехом и одним сильным движением затушил окурок в пепельнице. — А ты сама-то сообразить не можешь?

Мне показалось, он хочет уличить меня в тупости, как на экзамене, и мне это не понравилось.

— Я не сыщик, я врач, — сухо ответила я. — Не надо меня проверять на вшивость, Назар Захарович, а то я ведь могу начать спрашивать у вас, чем отличается первичное пролабирование митрального клапана от вторичного, и буду сильно удивляться, что вы не знаете таких простых вещей.

— О-о-о, уже обиделась! Назаром Захаровичем называет, слова какие-то страшные произносит... Ты, Ника, на меня не обижайся, на меня нельзя обижаться.

— Почему это? — Я так удивилась, что и вправду забыла о своей обиде.

— Потому что я мужчина одинокий, свободный и в полном расцвете сил. А вдруг я на тебе жениться захочу?

— Вы?!

Хорошо, что официант еще не принес кофе, иначе быть бы ему разлитым по всему столу и по моим обтянутым брюками коленкам. Мог бы даже ожог случиться... А так все дело ограничилось упавшим пластиковым стаканчиком с бумажными салфетками.

— А что это ты так бурно реагируешь? —. Глубокие мимические морщины на лице Никотина задвигались, будто хотели переместиться на другое место. — Тебе такая мысль кажется невероятной?

— Ну... в общем, да, — призналась я, не зная, смеяться мне, удивляться или сердиться.

— И почему же, позволь-ка спросить?

Он снова вытащил папиросу и принялся мерно постукивать ею по льняной салфетке, которой был накрыт стол.

— Но... вы ведь меня совсем не знаете... — залепетала я беспомощно, потому что ничего умного в голову не приходило, а говорить правду не хотелось. Да и что это за правда? Одно сплошное оскорбление. Мол, вы старый, некрасивый, небогатый и невыдающийся и если и можете рассчитывать на ком-то жениться, так только на пенсионерке. Мне самой стало противно от этой мерзкой мысли, но никаких других мыслей у меня в тот момент не было, все куда-то разбежались и попрятались.

— Дорогая моя Ника, блондинку не нужно знать, чтобы принять решение на ней жениться. Блондинку нужно видеть, чувствовать, обонять, осязать и на основе этих ощущений приходить к выводу, хочешь ли ты, чтобы она стала тебе близкой и родной, или не хочешь. Вот и вся премудрость. Так что знать тебя мне совсем не обязательно.

— А что, с брюнетками не так? — заинтересовалась я. — Или с шатенками? Там какая-то другая технология?

— Абсолютно, — не задумываясь ответил Никотин. — Но это к делу не относится, поскольку ты есть самая натуральная блондинка и обсуждать мы будем тебя, а не каких-то там мифических шатенок или брюнеток. Тебя, дорогая моя, смущает, что я называю тебя на «ты», а ты меня — на «вы» и дядей Назаром, поэтому ты и не можешь представить меня в роли твоего мужа. А зря. У тебя глаза зашорены, если «дядя» — так непременно родственник и существенно старше тебя, а это исключает какие бы то ни было неплатонические поползновения.

Я забыла вовремя отвести глаза и натолкнулась прямо на его взгляд. Взгляд, существующий словно бы отдельно от него самого. Глаза, украденные у голливудской суперзвезды. Рутгер Хауэр — вот у кого точно такие же яркие светлые глаза и такой же взгляд. Жесткий, холодный, знающий себе цену и осознающий свою силу, уверенный в собственной правоте и удачливости, но видящий при этом собеседника насквозь, а ситуацию — на тридцать три шага вперед, и потому если и рискующий, то очень разумно и взвешенно, мужчина, не ведавший отказа у женщин и не просивший милости у победившего врага. Господи, неужели Никотин на самом деле именно такой? Говорят же, что внешность обманчива, а вот глаза не лгут.

И тут я вспомнила! Я вспомнила, что в переводе означает имя Назар. Взгляд. Назар — взгляд, Захар — яд. Ядовитый взгляд. Взгляд, который может убить. А ведь и вправду может.

Я сидела как загипнотизированная и даже не заметила, как официант принес и расставил на столе заказ. Из оцепенения меня вывело ставшее уже знакомым негромкое дребезжание, на этот раз не звонкое, а приглушенное.

— Ника, очнись, не принимай мои шутки так серьезно. Сегодня нам еще рано говорить о женитьбе, у нас пока на повестке дня твой шантажист.

— Да, — рассеянно проблеяла я, приходя в себя, — шантажист. Так до чего вы с Севой додумались, чего я не понимаю?

— Сейчас объясню. Вот представь себе, что ты решила сделать ремонт, перепланировать квартиру и все такое. Где ты будешь искать дизайнера-архитектора?

— Сначала повспоминаю своих знакомых, не делал ли кто из них недавно ремонт, и спрошу у них, — быстро ответила я.

— Правильно. Ты такого знакомого нашла, у них только что закончился ремонт или даже еще не закончился, идет вовсю, но скоро завершится, она или он тебе рассказали, как у них все происходит. А ты, вполне естественно, спрашиваешь, сколько этот дизайнер берет за свою работу. И тебе отвечают, что с них, к примеру, он взял шесть тысяч, потому что расценки у этого человека — по сто долларов за квадратный метр площади, если с авторским сопровождением, и по пятьдесят долларов — без сопровождения, только проект. И если тебя такой дизайнер устроит и ты воспользуешься его услугами, то будешь совершенно точно знать, сколько он получил именно за два последних заказа. Одну сумму тебе уже назвали, другую ты сама заплатила.

— Вы хотите сказать, что шантажист — последний заказчик Натальи? — ошеломленно спросила я, не веря своим ушам.

— А почему нет? — вполне резонно ответил вопросом же на мой вопрос Никотин. — Что тебя в этом не устраивает?

— Ну... Я как-то думала всегда, что шантажисты — уголовники, а у Натальи заказчики — люди состоятельные, ведь ремонт с перепланировкой стоит очень дорого...

— Ника, Ника, — с укором вздохнул Назар Захарович, — такая ты у меня молодая, а уже с такими закосневшими взглядами. У тебя представления о преступниках как у столетней бабки.

Нет, как вам это понравится? Я, видите ли, у него молодая! Впрочем, стоп! Не зарывайся, Кадырова, вспомни его взгляд и не забывай, что внешность обманчива.

— Чем вам мои представления не нравятся? — спросила я без малейшей обиды и ткнула вилкой в салат, выполненный из чего-то непонятного, но выглядящий вполне презентабельно.

— Устаревшие они, да и не жизненные вообще-то, а исключительно из литературы советского периода почерпнутые. Во-первых, по нашей грешной земле ходит огромное количество отпетых уголовников, у которых денег столько, что они эти ремонты с перепланировками могут делать хоть по два раза каждый год. А во-вторых, дорогая моя Вероника Амировна, состоятельные люди — все равно те же самые человеки с точно такими же общечеловеческими слабостями, как и все прочие люди. Им ровно в такой же степени, как и всем остальным, свойственны ревность, зависть, глупость и жадность. Ну-ка возрази мне, — предложил он.

— Не буду. Аргументов нет, — честно ответила я. — Вы думаете, последний заказчик Натальи сделал ремонт, а потом решил вернуть свои деньги, потраченные на дизайнера? Жлобство заело?

— Угу, — кивнул Никотин, энергично пережевывая не опознанные мною визуально продукты, из которых был сооружен его салат. — И заметь себе, не только свои, но и деньги предыдущего заказчика.

— Вы хотите сказать, что они действуют вдвоем? — Я поразилась собственной догадливости и дождалась наконец похвалы, а не критики.

— Молодец. Они действуют вдвоем и пытаются вернуть свои денежки. Но могут быть и варианты. Например, вымогает деньги у твоей Натальи только один из них, а второй об этом ничего не знает и в деле не участвует.

— То есть он хочет вернуть собственные деньги, а деньгами своего знакомого еще и нажиться?

— Вполне возможно. Но в любом случае, если наша с Севой догадка верна, твоих денег хватит, даже с избытком, если повезет.

Я так обрадовалась, что начала мести с тарелки салат с утроенной скоростью. Вероятно, я все-таки здорово проголодалась. После проведенной в переживаниях и слезах ночи я ничего не смогла съесть на завтрак, только чаю выпила, и теперь организм настойчиво напоминал мне, что у меня, кроме души, есть еще и тело.

Но Никотин, похоже, был неплохим знатоком женской психофизиологии, потому что темпы поедания мною салата были им истолкованы правильно.

— Ты раньше времени не радуйся, — окатил он меня холодным душем, вероятно, для улучшения пищеварения, — ведь мы с Севкой могли и ошибиться.

Н-да, если Назар Захарович помрет, то не от чрезмерного употребления никотина, а от скромности. Мы с Севкой... Наша с Севой догадка... А ведь именно Никотин первым до этого додумался, а потом уж Огородникову подсказал. Или это не скромность, а стремление разделить ответственность?

Салат оказался вкусным, но идентифицировать я смогла далеко не все его ингредиенты. Подошла очередь пирожных.

— Дядя Назар, а когда будут известны первые результаты?

— Это как бог пошлет. Может, через час, а может, и завтра к вечеру. У тебя еще есть вопросы?

— Пока нет, — соврала я.

Вопросы были, но их можно было пока и не задавать. Тем паче что далеко не все из них касались моей проблемы с шантажом. Пусть человек спокойно доест и попьет кофе. Однако же Никотин, похоже, решил паузой не пользоваться.

— Тогда спрошу я, теперь моя очередь.

— Спрашивайте.

— Предположим, все закончится благополучно, шантажиста ребята отловят и мозги ему на место поставят. Что ты будешь делать дальше?

— Я? Ничего. А что я должна делать?

— Ну, например, придешь к своей хозяйке и скажешь: так, мол, и так, висела над вами угроза страшная и погибель неминучая, но я ее отвела, так что можете расслабиться и чувствовать себя свободно. И стоило мне это столько-то и столько-то денег, так что возместите мои затраты, будьте любезны.

— Еще чего! — возмущенно откликнулась я. — Зачем я буду ей это говорить?

— А что ты ей скажешь? — Назар Захарович посмотрел на меня хитро и испытующе.

— Ничего не скажу.

— Совсем-совсем ничего?

— Совсем. Я не пойму, а зачем мне ей что-то говорить?

— Чтобы она знала.

— Зачем ей это знать?

— Ну как зачем? Чтобы была благодарна, чтобы понимала, кому она своим благополучием обязана.

— Нет, дядя Назар. — Я покачала головой и отпила кофе, который, в отличие от салата, был плохим и невкусным. — Это не нужно. Это будет неправильно.

— Объясни-ка, — потребовал он, и взгляд его снова

стал чужим, в том смысле, что не никотиновским, а рутгер-хауэровским.

— Понимаете, я ведь делаю это не для Натальи, а для себя. Для себя лично. Чтобы не было скандала, чтобы Николай Григорьевич ничего не узнал, чтобы его сердце не подвело и чтобы я не потеряла работу. А лично на Наталью и ее семейное счастье мне, грубо говоря, наплевать. Я понимаю, это звучит не очень-то красиво, но у меня, знаете ли, ситуация не книжная. Это в книжках и в кино рассказывают истории про домработниц, которые становятся у своих хозяев буквально членами семьи, ангелами-хранителями, поверенными во всех душевных тайнах и вообще живот готовы положить за их благополучие. Может, я эгоистка, не знаю, а может, жизнь устроена совсем не так, как в книжках, но только я у Сальниковых далеко не член семьи, я там — прислуга, и борюсь я не за их счастье, а за собственное выживание.

— Это я понимаю, — неожиданно мягко сказал Никотин, — но все-таки почему ты не хочешь поставить Наталью Сергеевну в известность? Ты ведь приносишь жертву, и немаленькую, для тебя деньги, потраченные на решение проблемы шантажа, — это не копейки, и достаются они тебе не сахарно. Почему ты не хочешь, чтобы Наталья об этом узнала? Может быть, узнав, что ты для нее сделала, она станет лучше к тебе относиться, или зарплату прибавит, или еще как-то отблагодарит тебя. Или хотя бы деньги вернет, которые ты Севке по контракту заплатишь. Я ведь вижу, какая ты сегодня, и понимаю, какую ночь ты провела, пока принимала решение с деньгами расстаться. Ревела?

Я молча кивнула.

— Все правильно. Как говорил Бабель, подкладка тяжелого кошелька сшита из слез. Пока заработаешь себе на квартиру, еще не раз наплачешься. Может, все-таки сказать Наталье?

— Нет, — я снова упрямо помотала головой. — Это будет неправильно. Человек должен иметь право выбирать, к кому он готов испытывать благодарность, а к кому — не готов. Именно поэтому нельзя навязывать людям свою помощь. Ее нужно предложить, но если человек отказывается — не настаивать.

— Что-то я не все понял. — Взгляд Никотина стал настороженным. — Можно поподробнее?

— Можно. Представьте себе, что вам нужны деньги, большие и на длительный срок, и вы прикидываете, у кого можно было бы их занять. Среди ваших знакомых есть, ну, допустим, три человека, которые теоретически могли бы вам одолжить требуемую сумму. Вы думаете о первом: да, этот даст, и без процентов, но за это я должен буду быть ему благодарен, а он такой противный, такой подлый, что испытывать к нему чувство благодарности я не хочу. Возьмем второго: этот тоже даст, и тоже без процентов, и он в общем-то неплохой мужик, и я готов испытывать к нему благодарность, но ведь он в обмен на беспроцентную ссуду начнет обращаться ко мне с просьбами, которые я сам выполнить не смогу, и мне придется, в свою очередь, напрягать других людей, и если они сделают то, что нужно этому кредитору, то я уже должен буду быть благодарным и им тоже... а к этому я не готов. А вот третий, пожалуй, подойдет, он без процентов денег не даст, это я точно знаю, но ведь даст же! Причем сразу и без всяких разговоров, и процент этот будет маленьким, ниже банковского, и меня не обременит. И главное — я знаю наверняка, что он устанавливает процент не для того, чтобы нажиться, а для того, чтобы не испортить отношения с друзьями, чтобы они не чувствовали себя обязанными и не тяготились благодарностью. Так вот благодарность к этому человеку меня отягощать не будет, он мне симпатичен, и я готов эту благодарность к нему испытывать. То есть вы сами решаете, кому вы хотите быть благодарным. Знаете, дядя Назар, я уже давно поняла, что это очень важно — уметь быть благодарным. Благодарность — тяжкий душевный труд, и выполнять этот труд люди готовы далеко не для каждого. Если человека поставить перед необходимостью быть благодарным кому-то, кого он не выбирал сам, это может искалечить отношения вплоть до полного разрыва. Вот почему я говорю, что помощь нельзя навязывать. И нельзя ее оказывать, если тебя об этом не просят.

Некоторое время Никотин молчал, вероятно, обдумывая услышанное. Хотя чего тут обдумывать-то? Мысль казалась мне несложной. Впрочем, я, наверное, плохо ее объяснила, поскольку устное изложение — не мой конек. Я плохой рассказчик, я уже это говорила.

Никотин курил и маленькими глоточками пил невкусный кофе.

— А я всегда думал, что чувство благодарности — это божья благодать, — наконец задумчиво проговорил он. — Испытывать чувство благодарности легко и радостно, оно теплое и сильное, как рука друга. А ты, выходит, полагаешь, что это не так.

— Да нет же, дядя Назар, это так, и вы совершенно правы, но для того, чтобы чувствовать так, как вы сказали, надо быть мудрым и душевно зрелым. А подавляющая часть людей таковыми не являются. Они не умеют быть благодарными, они не умеют любить само чувство благодарности, они воспринимают это как тяжкую обязанность, которую на них взвалили и с которой они не знают что делать. Я вам могу с уверенностью сказать, что моя хозяйка не готова испытывать чувство благодарности к своей прислуге. Ее будет от этого коробить. И отношения наши испортятся настолько, что она будет искать, пусть и подсознательно, повод, чтобы меня уволить и убрать с глаз своих долой.

— Может, ты о ней слишком плохо думаешь? — усомнился Никотин.

Слишком плохо? Я вспомнила один эпизод примерно трехмесячной давности. К Алене приходили две подружки, я подавала им чай с плюшками, а они дружно восхищались Патриком, который из жалкого дрожащего крысеныша превратился в красавца с роскошным меховым воротником, пушистым хвостом и изумрудными глазами. А вечером я нечаянно услышала разговор Алены с Мадам. Я не подслушивала, это вышло случайно, я тихонько возилась на кухне, а они разговаривали в прихожей, не замечая, что я рядом. Наталья только-только вошла, и Алена кинулась к матери рассказывать, как девочкам понравился котик.

— Между прочим, это все благодаря Нике, — мимоходом заметила Наталья, раздеваясь. — Помнишь, как она его выхаживала?

— Ой, ну можно подумать! — фыркнула Алена. — Чего

она там особенного-то сделала? Я бы и сама не хуже ее Патрика выходила.

— Но тем не менее выходила его все-таки не ты, а она. Ты ей хоть спасибо сказала?

— Вот еще! За что спасибо-то? Это ее обязанность, мы ей за это деньги платим.

— Не мы, а я и папа, — со смехом поправила ее мать.

Вот и все. На этом разговор и закончился. И ни слова моя Наталья Сергеевна не произнесла ни по поводу моих обязанностей, ни по поводу благодарности. Ее не ужаснуло то, что говорит Алена. Она не сочла нужным осечь ее, поставить на место, что-то объяснить. Алена не хочет быть благодарной прислуге. И от ее матери я ничего другого тоже не жду. Разумеется, дежурное «спасибо» я от Натальи слышу регулярно, но прекрасно отдаю себе отчет в том, что это всего лишь вежливое слово, а не истинное чувство. В противном случае ее разговор с дочерью не закончился бы так, как он закончился. В общем, выводы свои я из этой нечаянно подслушанной беседы сделала... А теперь Никотин спрашивает, не слишком ли плохо я думаю о Наталье.

— Я была бы рада оказаться неправой. Но рисковать я не могу, дядя Назар.

— Ну хорошо, это я понял более или менее. А если у нас ничего не выйдет и деньги окажутся потраченными впустую? Я имею в виду, ничего не получится в рамках той суммы, которую ты обозначила. Будешь жалеть, голову пеплом посыпать?

— Не буду, — улыбнулась я. — Вы же сами сказали, лучше что-то сделать в превентивных целях, пусть и напрасно, чем потом кусать локти от досады, что не сделал.

Глава 6

НИКА

Похоже, ангел мой и вправду улетел в отпуск, измучила я его вчера, истерзала, изнемог он, бедняжечка, в борьбе со случайностями, которые могли разом подорвать мое относительно спокойное существование. Он сделал все, что мог, а дальше, Кадырова, давай сама.

Первое, что я услышала по возвращении домой, были возмущенные вопли Алены:

— Ника, где мой белый свитер? Я же просила отнести его в химчистку! Мне завтра нечего будет надеть в школу! Ничего нельзя вам поручить, честное слово!

Свитер я в чистку сдала, более того, сегодня утром я успела принести его назад и аккуратно положила в шкаф в Алениной комнате. Интересно, почему она его не нашла?

— Свитер у тебя в шкафу, — ответила я, стараясь не раздражаться.

— Его там нет!

— Ты смотрела? — усомнилась я.

— Да, смотрела!

— Точно?

— Да чего мне смотреть в шкафу, если я помню, что он лежал в прихожей в пакете. А теперь пакета нет.

Логика просто убийственная. Кто там у нас был великим логиком? Все фамилии из головы вылетели. А, вот, вспомнила, Гегель, «Наука логики». А еще были младогегельянцы... Что ж, учитывая нежный возраст Алены, ее вполне можно так именовать, хотя изначально термин обозначал совсем другое.

Свитер в пакете был три дня назад приготовлен для транспортировки в химчистку и действительно лежал в прихожей. Вероятно, Алена полагает, что от пребывания в пакете именно в этом месте он сам собой должен стать белым и чистым, и именно в этом месте она его и заберет, когда понадобится. Нет, непроходимой дурой наша Алена никогда не была. Значит, ищет повод пнуть меня в очередной раз.

Меня подмывало, не говоря ни слова, пройти к ней в комнату, открыть шкаф, вынуть свитер и швырнуть в нее. Но нельзя. Нельзя входить в комнату Алены без ее разрешения и тем более нельзя открывать ее шкаф. Так же, как нельзя включать ее компьютер и перекладывать книги и вещи на столе. И вообще, без ее разрешения в ее комнате нельзя ничего, в том числе и делать уборку. Из-за этого у меня с уборкой постоянная головная боль. Убираться можно, только когда Алена дома, при этом она стоит у меня над душой и внимательно следит за тем, чтобы я, не дай бог, не сунула свой нос куда не надо, имеется в виду — в ее секреты. Чтобы не открывала книги и не смотрела, на каких страницах лежат закладки. Чтобы даже не смела интересоваться, какие книги читает Алена, из этого она тоже делала секрет, вкладывая их в специальные обложки из клеенки или кожзаменителя. Чтобы не открыла ненароком ее ежедневник и чего-нибудь там не подсмотрела. И ведь я больше чем уверена, что не было у Алены Сальниковой никакой тайной жизни, в которую нельзя посвящать посторонних, никаких там страшных секретов, участия в криминале или пристрастия к порокам. Вся эта таинственность — не более чем реакция на Адочкино давление, на ее требования полной открытости и стремление сделать все свое семейство подконтрольным и подотчетным ей самой. Ну и жажда взрослости, конечно, не без этого.

Сегодня я осмелилась зайти к ней в комнату, когда она была в школе, и положить свитер в шкаф. Во-первых, мне нужно было уходить, и не хотелось оставлять в прихожей сумку с вещами, чтобы это не выглядело так, будто я сорвалась с работы, оставив квартиру в беспорядке. И во-вторых, я, конечно, отлично понимала, что могу нарваться, но в тот момент мне было на это наплевать, меня куда больше беспокоили шантажист, мое прошлое, мое будущее и мои деньги. Ну вот и нарвалась. Вернее, сейчас нарвусь.

— Ты все-таки посмотри в шкафу, — устало посоветовала я, переобуваясь в домашние тапочки. — Я его туда сегодня положила.

Алена умчалась к себе, и через пару секунд ее возмущенный голосок зазвенел с новой силой:

— Зачем вы лазили в мой шкаф? Кто вам позволил?

— Извини. Мне нужно было убрать свитер, чистые белые вещи не должны валяться в прихожей, особенно когда в доме собака.

— Вы сами должны следить, чтобы животные не пакостили, вам за это деньги платят!

Может, я и не гигант мысли, но по терпению — точно чемпион. Врезать бы этой дуре так, чтобы надолго запомнила, но нельзя. Маленьким язычком я, разумеется, высказалась, не стесняясь в выражениях, но большим ответила вполне мирно:

— Мне нужно было уходить надолго, я знала, что не смогу проконтролировать животных. Переложить эту обязанность на твою маму я тоже не могла, ведь это моя обязанность, — я подчеркнула слово «моя», — и мне за нее деньги платят.

— Вам деньги платят за то, чтобы вы сидели дома целый день, а не гуляли неизвестно где.

Спасибо, что всего лишь «гуляла», а не «шлялась».

— Алена, — донесся из гостиной томный голос Мадам, — Ника не гуляла, она ездила к врачу. Я ее отпустила. И перестань, пожалуйста, кричать. От твоего визга в висках стучит.

Вот вам мама и дочка во всей красе. Перестань кричать. Не хамить, не разговаривать неподобающим образом со взрослой женщиной, которая по возрасту Алене в матери годится. Всего-навсего кричать. И то не потому, что кричать на взрослую женщину неприлично, а потому, что у Мадам в ушах звенит и в висках стучит. И уж поскольку смертельно больная домработница приехала от врача, то, может быть, все-таки поинтересоваться ее самочувствием? Да куда там! Приехала же, не подохла по дороге, на своих двоих явилась — значит, будет и дальше работать. Нет, что ни говори, а я была права, когда объясняла Никотину, почему не хочу, чтобы Наталья была мне благодарна. Не вынесет ее хлипкая душонка такого груза, не справится с ним. И при первой же возможности меня отсюда выкинут. А куда мне идти?

— Ника, зайдите к Николаю Григорьевичу, он что-то неважно себя чувствует, — промурлыкала Наталья, перелистывая толстый иллюстрированный журнал по архитектуре и дизайну.

— Мама, вот зачем ты отпустила Нику, когда дедушке так плохо? Мы ее для чего нанимали? Чтобы она дедушкиным здоровьем занималась. Дедушкиным, а не своим. — Алена, естественно, и тут не смогла промолчать.

Господи, неужели ему действительно «так» плохо? Я рванула по длинному коридору к его комнате. Главный Объект сидел в кресле, читал книгу и потирал рукой ту часть туловища, где расположен желудок. Лицо немного бледное, но дыхание хорошее, не поверхностное. Патрик, натурально, сладостно дрых на коленках любименького дедули, привалившись пушистым бело-серым бочком к области желудочно-кишечного тракта. Рука Старого Хозяина совершала движения в аккурат над спинкой котика, то и дело задевая шерстку, но Патрика это не нервировало, он даже ушами не шевелил.

— Добрый вечер, — я была сама лучезарность, — что у нас случилось, Николай Григорьевич? Почему за живот держимся?

— Что-то стал желудок болеть, — пожаловался он.

— Давно?

— Да вот как покушал в семь часов, так через полчасика где-то и заболел.

— Что вы кушали?

— Котлеты с тушеной капустой.

— Вас кто кормил? Наталья Сергеевна?

— Нет, Аленушка. Наташенька в это время по телефону разговаривала, у нее был какой-то важный и очень долгий разговор.

— Покажите мне точно, где болит.

Он показал.

— В плечо отдает?

— Кажется, нет.

— А в шею?

— Нет.

Так, френикус-симптом отсутствует, это обнадеживает. Я взяла его за руку, посчитала пульс, потом велела поднять джемпер (Патрик при этом и не подумал оставить завоеванные позиции, недовольно муркнул, сместился вдоль коленей Николая Григорьевича ровно на три сантиметра и снова заснул) и посмотрела, как ведет себя живот при дыхании. Мне не очень понравилось, но все остальное было вполне приличным. Так что до катастрофы дело, пожалуй, не дошло. Обострение, конечно, есть, и к гадалке не ходи, но прободения нет.

Не вдаваясь в объяснения, я достала лекарства и заставила Старого Хозяина их выпить. Обволакивающее — чтобы снять раздражение слизистой, омез — чтобы утихомирить боль. А в том, что боль была сильной, я не сомневалась, просто Главный Объект умеет терпеть и не ныть. Это же надо при его-то язве накормить старика жирными бараньими котлетами, щедро сдобренными перцем, как любит Гомер, и не менее острой тушеной кислой капустой. Это была еда, предназначенная для Великого Слепца, он у нас любит остренькое и жирненькое. А для Николая Григорьевича я сегодня делала нежное пресное куриное филе и пюре из тушеных овощей.

На кухне я провела ревизию холодильника. Так и есть, Павел Николаевич остался практически без ужина. Ну какой урод мог перепутать блюда? Впрочем, вопрос явно риторический, мне же сказали — Алена. Вообще-то, в семнадцать лет пора уже соображать... Руки бы ей оторвать и голову отвернуть.

«Храни меня от злых мыслей...»

Ладно, что съедено, то съедено, теперь задача номер

один — из оставшихся продуктов приготовить ужин для Павла Николаевича. Господи, и зачем эта дурочка дала деду пять котлет? Куда ему столько? Аппетит у Главного Объекта отменный, но и дисциплина на уровне, если нельзя много кушать — значит, нельзя, и он никогда не роптал на относительно небольшие порции. Однако же если дали много, то он много и съест. Ну а как же, ведь тот, кто подает на стол, знает, что делает. Сначала знала Адочка, и он ей верил. Потом знала Наталья, теперь знаю я. Если ему сказано, что Ника это приготовила для него, то он и съест, даже если это окажется острой солянкой и маринованными огурчиками. Поставили на стол пять котлет — он все пять и сверетенил. А ведь грубые погрешности в диете и переедание — одно из основных условий, способствующих перфорации язвы, особенно если она локализована так, как у Николая Григорьевича, то есть на передней стенке пилорического отдела желудка. Вот только прободной язвы у Старого Хозяина мне сейчас и не хватает для полного комплекта неприятностей! Но, судя по тому, что Николай Григорьевич не лежал, подтянув колени к животу, а все-таки сидел с книгой, не был бледным, не покрылся холодным потом и нормально дышал, до катастрофы дело все-таки не дошло. А ведь могло... Ах, Алена, Алена!

Придется быстренько делать чесночно-ореховый соус и тушить в нем куриное филе. С овощным пюре тоже что-нибудь придумаю, не пропадать же добру, а то еще обвинят в расточительности, в том, что неэкономно трачу хозяйские денежки. Знали бы они, как расточительно я собираюсь потратить свои собственные! Хорошо бы еще понимать, что у нас происходит с Денисом и его ужином. Вчера он готовился к зачету, сегодня, надо полагать, сдавал его и теперь радостно расслабляется. Домой-то придет или как? Его ведь тоже кормить надо.

— Наталья Сергеевна, мы Дениса сегодня ждем?

— Ах да, я забыла сказать. Денис звонил, он остается ночевать у своей подружки.

Что ж, больному легче.

— А вам что приготовить на ужин?

— Я видела в холодильнике овощное пюре...

— Но оно совсем пресное, — предупредила я, — я его делала для Николая Григорьевича. Вам вряд ли понравится.

— А что же Николай Григорьевич его не съел? — Мадам, облаченная в пеньюар, на этот раз нежно-салатового цвета, наконец оторвалась от журнала и соизволила взглянуть на меня. — Оно что, такое противное?

— Ему нравится. — Я пожала плечами. — Просто ему этого пюре не дали.

— Почему?

— Не знаю. Меня ведь не было дома в семь часов, когда Николай Григорьевич ужинал, — ненавязчиво напомнила я.

— Ах да... Кстати, что там с дедушкой?

Ну наконец-то! А если бы не разговор об ужине, она бы только завтра спросила о здоровье свекра? Или не спросила бы вообще?

— У Николая Григорьевича болит желудок. Он на ужин ел не то, что я ему приготовила. И вот результат.

— А что же он ел? — Наталья так искренне удивилась, что я ее даже пожалела.

— То, что предназначалось Павлу Николаевичу. Жирное, кислое и перченое. А Николаю Григорьевичу такого есть нельзя совсем.

— Алена! — внезапно заорала Мадам.

Я до такой степени не была готова к громким звукам, что вздрогнула. В коридоре послышались шаги, в гостиной возникло небесное видение в том самом многострадальном белоснежном свитере, но без брюк, в одних колготках, обтягивающих точеные стройные ножки. Фигурка у нашей Алены прелестная, чего не скажешь о характере. Вероятно, мать оторвала ее от важного процесса выбора туалета для завтрашнего визита в школу.

— Что, мам?

— Ты чем дедушку на ужин кормила?!

— Что в холодильнике было, тем и кормила. Чего ты кричишь? Ты же сама сказала разогреть мясо и овощи.

— Ты что, не отличаешь диетическое мясо от бараньих котлет? Ты что, слепая, ты не видишь, где кислая капуста, а где овощное пюре? Ты накормила деда папиным ужином, у него теперь приступ из-за тебя!

— Ты сказала: мясо и овощи, — злобно упиралась Алена. — Надо было объяснять как следует. И вообще, я не обязана деда кормить и в этих ваших кастрюльках разбираться, у меня других проблем хватает. Это Никина обязанность, вот пусть она и кормит.

— Господи, — Наталья схватилась за голову, — раз в жизни Ника отлучилась на полдня, и ты уже чуть деда не угробила! Тебе семнадцать лет, ты через месяц школу заканчиваешь, в институт собираешься поступать, а ведешь себя как младенец. На тебя ни в чем нельзя положиться.

— На Нику тоже, — отпарировала выпускница.

— Ника-то тут при чем? Ее дома не было.

— А пусть вовремя приходит, а не гуляет неизвестно где.

Стройные ножки в колготках сделали пируэт и исчезли из поля зрения. Интересно, в этой семье кто-нибудь когда-нибудь говорил о том, что обсуждать присутствующих в третьем лице — дурной тон? Вероятно, говорили. Поверить не могу, чтобы Аделаида Тимофеевна допускала такое. Или здесь под присутствующими подразумеваются равные себе по статусу, а не прислуга?

Я отправилась назад, в пищеблок, доводить до приемлемой кондиции овощное пюре, на которое положила глаз Мадам, и попутно создавать какой-то гарнир для Гомера, поскольку жалких остатков тушеной капусты ему точно не хватит. Какой чертовски длинный день... Он начался вчера утром и ночью не дал мне возможности сделать перерыв. И все никак не закончится. Скорей бы уж вернулся с работы Великий Слепец, я его накормлю, потом в десять часов вместо кефира с творогом заставлю Старого Хозяина съесть две ложки жидкой овсяной каши, которую он люто ненавидит, но давится и ест, если нужно. Потом вечерний «собакинг» — и можно ложиться спать.

Хотя смогу ли я заснуть — это еще вопрос. За домашними полускандальными перебранками и кулинарными хлопотами мысли о шантажисте, о Севе Огородникове и о деньгах слегка отодвинулись с переднего плана на боковой, ближе к кулисам, но как только авансцена освободится... Короче, свято место пусто не бывает. А желающие потусоваться на авансцене найдутся всегда.

В ДОМЕ НАПРОТИВ

Отец и сегодня вернулся поздно, но уже не был таким воодушевленным, как накануне. Костя понимал, что отец слишком много надежд возложил на вчерашний успех и рассчитывал, что теперь дело сдвинется с мертвой точки и помчится семимильными шагами. Он думал, что, увидев наконец Врага в обществе Главного Врага, сразу все поймет, все выяснит и найдет нужные ходы. И план дальнейших действий составится легко и быстро.

А за сегодняшний день ничего, похоже, не произошло. Отец умчался с самого утра по тому адресу, где накануне закончил свою деловую активность предполагаемый Главный Враг, но вечером вернулся ни с чем. Никакой новой информации, зато много новой злости и усталости. Даже имя Главного Врага не сумел выяснить. И почему он думал, что это будет легко и просто?

Наверное, его обманула та легкость, с которой все получалось на первых порах. Доверчивый Вадька, жестоко обманутый в своих ожиданиях и не поступивший в институт, сказал, что имел дело с неким доцентом, преподававшим им на подготовительных курсах. Конкурс в институт был жестоким, как, впрочем, и в любой другой, где обучают бесплатно и есть военная кафедра. Платную учебу родители не потянули бы, это понятно. И Вадька старался изо всех сил, ходил на подготовительные курсы, занимался дни и ночи напролет. Он был талантливым математиком, здорово разбирался во всяких там компьютерных программах, но с правописанием у него беда, по русскому языку никогда выше тройки в году не выходило. И конечно, вступительного экзамена по русскому он боялся смертельно, будет это сочинение или изложение — значения уже не имело, даже если Вадик будет знать, что написать, он все равно напишет с такими чудовищными ошибками, что наверняка провалится. Но он надеялся на чудо. На то, что приемная комиссия оценит его математическую и компьютерную подготовку и закроет глаза на вопиющую безграмотность.

И чудо поманило его. Тот самый доцент, который преподавал на подготовительных курсах математику, однажды пригласил Вадима Фадеева поговорить с глазу на глаз.

— Ты очень способный парень, — сказал доцент, — и будет просто страшно обидно, если ты не поступишь. Твое слабое место — русский язык. Ты ведь знаешь об этом?

— Знаю, — понурил голову Вадик. — Столько лет бьюсь — и ничего не получается. Наверное, мне это не дано. Ведь есть же люди с врожденной грамотностью. А у меня врожденная неграмотность. Вы думаете, если я напишу изложение с ошибками, но все остальные экзамены сдам на «отлично», меня не примут?

— Наверняка не примут, — твердо ответил доцент. — И будет очень жаль. Но... У тебя есть шанс.

— Какой? — радостно встрепенулся парнишка.

— Понимаешь, один человек нуждается в помощи. Он имеет очень большое влияние в приемной комиссии, к нему все прислушиваются... Ты про ректорские списки слыхал?

— Смутно, — признался Вадим. — Слышал, но точно не знаю, что это такое.

— Ректорский список — это список абитуриентов, которые должны поступить во что бы то ни стало, даже если у них совсем никаких знаний нет. Как в этот список попадают — история длинная и неинтересная, важно другое: если ты в списке, то можешь спать спокойно и ни о чем не волноваться, обо всем за тебя экзаменатор на экзамене будет думать. Так вот, если ты поможешь одному человеку, ты гарантированно попадешь в этот список.

— А что нужно делать?

— Проявить знание компьютерных технологий, — доцент улыбнулся так, словно хотел сказать, что в возможностях Вадима не сомневается, что именно это парень и умеет, и именно это от него и требуется. — Видишь ли, этого человека обманули. Он ведь государственный служащий, зарплата у него не ахти какая, и он, как все нормальные люди, хотел попробовать вложиться в ценные бумаги, чтобы получить хоть какую-то прибыль. Продал машину, дачу, собрал все, что имел, и вложил туда, куда ему один биржевой жук посоветовал. А они, сволочи, обманули его и разорили. Длинная была история, не буду тебе ее пересказывать, чтобы не сплетничать. Но факт есть факт: его нагло обманули, он остался ни с чем. И хочет теперь попытаться вернуть свои деньги. Понимаешь?

— Понимаю. А как это можно сделать?

— При помощи компьютера. Взламывается сеть, туда вносится определенная информация... Ну, ты не экономист, для тебя это сложно будет. Твоя задача — взломать сеть и ввести информацию, какую именно — тебе на бумажке напишут. И все.

— Но я не хакер, — неуверенно возразил Вадим. — Это же хакерство — взламывать чужую сеть, разве нет?

— Хакерство, — легко согласился доцент. — Но кто сказал, что это преступление? В каком законе это написано? Ни в каком. Это всего-навсего считается неприличным, но ведь и ругаться матом считается неприличным, а почти все ругаются. И потом, разве обманывать и красть чужие деньги — хорошо? А разве справедливо, что талантливые математики вроде тебя не могут получить специальность и приносить пользу своей стране только лишь потому, что не умеют правильно расставлять знаки препинания? Ведь глупость же!

Вадим согласился, что да, действительно, глупость.

— В общем, если ты сделаешь то, о чем попросит тебя тот человек, и поможешь ему вернуть обманом отнятые деньги, то место в ректорском списке тебе гарантировано. И никакой русский язык тебе больше не страшен. Ну как, согласен?

Вадим колебался. Предложение было заманчивым, но неожиданным и не сказать чтобы уж совсем обычным.

— А этот человек... он кто? — задал он робкий вопрос.

— Проректор. Проректор нашего института по учебной работе. На самом деле он даже более влиятелен, чем сам ректор, потому что ректор у нас уже старенький и часто болеет, а проректору он доверяет как самому себе и ни во что не вникает, все в его руки отдал. Ты же понимаешь, что если проректор, особенно такой, как наш, будет тебе обязан и благодарен, то проблем ни с поступлением, ни с дальнейшей учебой у тебя не будет. Он человек слова, можешь мне поверить. И с этими акциями он попал, прости за выражение, в такую задницу, что хоть вешайся. Неужели не поможешь хорошему человеку?

В том, что человек хороший, Вадим Фадеев был не очень уверен, он просто этого человека не знал. Но в том, что он хочет учиться именно в этом институте, и в том, что панически боится армейской дедовщины, он был уверен процентов на триста, а то и на пятьсот. И он согласился.

Через несколько дней доцент привез его в какую-то контору, адреса и месторасположения которой Вадим не запомнил, и представил «тому человеку», проректору. Вадима посадили за компьютер, объяснили, что нужно сделать, поставили задачу. Через три часа он задачу выполнил. Ему сказали «большое спасибо», напоили чаем с вкусными бутербродами, угостили хорошим коньяком и отвезли на машине домой.

Он еще мог подать документы в другой вуз. Он мог, перенапрягая память, подзубрить правила синтаксиса, потренироваться в написании изложения дома и выучить правописание слов, в которых чаще всего делает ошибки. Но ничего этого он не сделал, потому что был уверен: теперь все в порядке. Он, считай, уже поступил.

Но он не поступил. Более того, даже по тем предметам, в которых он чувствовал себя свободно и уверенно, он почему-то получил четверки и проходного балла не набрал, даже если бы написал изложение на «отлично», а написал он его на двойку.

Поступать в другой институт было уже поздно. А в декабре ему исполнялось восемнадцать лет, и он подлежал весеннему призыву на военную службу. Вадим был в шоке. В панике. В ужасе. Откупиться от армии семья не могла — достаток не позволял, не было денег ни на взятки, ни на «белый билет». И хрупкий, нежный, доверчивый, мягкий и пугливый Вадик сделал единственное, что, по его мнению, могло спасти его от ужасов дедовщины, которыми на протяжении последних лет упорно стращали его родители: прибегнул к членовредительству. Перерезал ножом сухожилия на правой руке. С точки зрения ухода от службы — вполне удачно перерезал, но с точки зрения здоровья и всего остального... Короче говоря, кровопотеря, инфицирование раны, сепсис, глубочайшая депрессия. Плюс почти не сгибающиеся два пальца правой руки, средний и указательный. Уже восемь месяцев Вадим Фадеев не выходит из больницы.

Но правда выяснилась далеко не сразу. Только после перевода из хирургии в клинику нервных болезней Вадим рассказал обо всем родителям и брату. Вот тогда отец и принял решение найти тех, кто так подло обманул сына.

На первом этапе все было действительно легко. Вадим назвал имя доцента, отец поехал в институт, выяснил, что такой есть, работает не на постоянной основе, а почасовиком, поскольку основная работа у него в другом месте, в какой-то фирме, а в институте он просто подрабатывает. Что же касается проректора по учебной работе, то им оказалась женщина, занимающая эту должность уже четыре года. Правда, проректором по науке (отец допускал, что неопытный Вадька мог что-то напутать) был мужчина, но ни по описанию внешности, ни по имени он не подходил. Когда доцент знакомил абитуриента с «проректором», он назвал имя: Дмитрий Дмитриевич. Во всем огромном институте ни одного Дмитрия Дмитриевича не сыскалось. Вернее, нет, один все-таки нашелся, но на роль «проректора» никак не тянул, поскольку был сантехником.

Отец Вадима Фадеева не был сторонником тупых и прямолинейных мер. Он прочел в своей жизни достаточно книг и посмотрел достаточно фильмов, чтобы понимать, что приди он к коварному доценту и возьми его за грудки — толку не будет. Даже если доцент сильно испугается и начнет говорить, скорее всего, это будет заранее заготовленное вранье, к которому невозможно придраться. Он ведь не полный дурак, и если обманывает мальчишку, который знает его по имени, по месту работы и в лицо, то мальчишка ведь может и сам прийти с ненужными вопросами и претензиями, и родителей привести, и даже милицию. И доцент к подобному повороту наверняка готов. Так какой смысл устраивать скандал, чтобы выслушать гладенькую, как обтесанная морской волной галька, ложь? Нужно выяснить правду. Нужно узнать, что произошло на самом деле и кто такой этот «проректор» Дмитрий Дмитриевич.

Вадька уже лежал в больнице и показать доцента сам

не мог, но он так хорошо его описал, что отцу после нескольких дней несения вахты в институте удалось его найти и даже выследить, где тот живет. Еще Вадик сказал, что доцент упоминал о своей собаке, называл породу — черный терьер, их еще иногда называют русскими терьерами, и имя называл, какое-то химическое, вроде инертный газ, что ли. Да, в том подъезде, где жил Враг, была такая собака, одна на всю улицу, и это подтверждало, что и сам Враг, и его адрес установлены безошибочно. Теперь вставала задача куда более сложная: наблюдать за доцентом, пока тот не встретится с Главным Врагом, с Дмитрием Дмитриевичем. Фадеевы сняли квартиру напротив дома, где живет доцент...

Тогда казалось, что это ненадолго. Максимум на месяц. Оказалось, что все куда сложнее. Примитивным наблюдением задачка отчего-то не решалась, и отец уже терял терпение. Вернее, он потерял его именно сегодня, когда после вчерашнего успеха — встречи доцента с Дмитрием Дмитриевичем — все снова застопорилось.

— Константин, — начал он, и Костя понял, что разговор пойдет серьезный, — тебе пора подключаться. Нужно, чтобы ты познакомился с женщиной.

— С какой женщиной?

— С его женой. С той, которая гуляет с собакой.

— Зачем, папа? Неужели ты думаешь, что она что-то знает и мне расскажет? — недоумевал Костя, которому совершенно не улыбалась перспектива знакомиться с какой-то старой теткой, чуть ли не ровесницей его родителей.

— Нет, я так не думаю. — Отец медленно закипал, и Костя испугался, что тот может сорваться и начать кричать. — Но я думаю, что поскольку она является женой нашего Врага, то может рассказать тебе о его жизни, о его работе, о его привычках и друзьях, о его вкусах и образе мыслей.

— Да с какой стати она начнет рассказывать мне о своем муже?

— Женщины, Константин, очень любят рассказывать своим любовникам о своих мужьях. Это невозможно объяснить, но это факт.

— Да ты что, пап?! — От негодования у Кости даже

голос задрожал, и внутри стало горячо и противно, словно в грудную клетку попали кипящие помои. — Я что, должен стать ее любовником?

— Придется, если будет нужно. Ты легко сделаешь для своего брата такую малость.

— Пап, ты соображаешь, что говоришь? Ты на что меня толкаешь?

— На то, чтобы отомстить за родного брата, — голос у отца стал жестким и неприятным. — У тебя есть цель, и ты должен к ней идти, а не разводить слюни на романтических бреднях. Если ты умный, тебе не придется с ней спать. Если дурак — извини. Напряжешься и потерпишь.

Это звучало до такой степени цинично, что Костя ушам своим не верил. Он не подозревал, что отец может быть таким... Что может предложить сыну такое... И даже не предложить — заставлять делать. Впрочем, он сказал что-то о том, что если Костя не дурак, то спать с ней не придется. Что он имел в виду?

— А... как сделать, чтобы не спать с ней? — осторожно спросил он, понимая, что фактически уже согласился на все варианты.

Не мог он сказать отцу «нет». Не мог отказать ему. Не мог послать его подальше с такими «интересными» предложениями. Ведь он отец, а речь, в конце концов, идет о Вадьке, для которого Костя готов пойти на все.

— Молодой влюбленный юноша, которому некуда пригласить свою даму сердца, а идти к ней домой, туда, где живет, спит и ест ее законный муж, он не может по этическим причинам. Эдакий романтический чистоплюй. Робкий и влюбленный по уши.

— А если она сама предложит куда-нибудь пойти? К подруге, например?

— Если умный — выкрутишься. Найдешь аргументы. Не найдешь — трахнешь ее, ничего с тобой не сделается.

— А если она мной вообще не заинтересуется? Если я ей не понравлюсь?

Отец критически осмотрел сына, как иные мамаши оглядывают своих дочерей на выданье.

— Ты рослый, плечистый, симпатичный, неглупый. Почему ты должен ей не понравиться? И потом, запомни, ты раза в два моложе ее, и не родилась еще женщина, которой не польстило бы внимание юноши при такой разнице в возрасте. Тем более внешность у нее самая невыдающаяся, обыкновенная, и вниманием мужиков она наверняка не избалована. Клюнет, я уверен. Она затюканная несчастная домохозяйка, ты посмотри, она постоянно с сумками таскается, с собакой гуляет утром и вечером, а он? Ты хоть раз видел, чтобы он с собакой вышел?

— Ни разу, — признался Костя. — Но я ведь не смотрю, это же ты за домом наблюдаешь.

— Так вот я тебе ответственно заявляю, что за те месяцы, которые мы тут прожили, он с собственной собакой не погулял ни разу. Все, что можно, на жену перевалил. Какие у нее радости в жизни? Никаких. Вот и пусть будет у нее маленькая тайная радость — молодой любовник. Или поклонник, это уж как ты сам справишься с ситуацией.

Впервые в жизни в голову Кости Фадеева закралась мысль о том, что его отец — жестокое, бессердечное чудовище. Нет, это не может быть правдой, отец не чудовище, ведь он все это ради Вадьки делает, ради сына! Чудовище не может так беззаветно любить своих детей.

— Пап, а может, лучше ты сам? — неуверенно предложил Костя.

— Что — сам?

— Ну это... познакомишься с ней, роман закрутишь... Ты все-таки ей по возрасту ближе, ей с тобой интереснее будет.

— Я слежу за ее мужем, и мне нельзя светиться, иначе она меня узнает в самый неподходящий момент. И потом, ты что, хочешь, чтобы я изменил маме? — надменно проговорил отец. — Не ожидал, что у меня сын — подонок.

«А ты хочешь, чтобы я изменил Миле?» — чуть было не выкрикнул Костя, но сдержался. То есть он непременно сказал бы это вслух, но растерялся, услышав, что отец назвал его подонком. Растерялся и не нашел что ответить. Это было так неожиданно...

Если бы отец был чудовищем, он не остановился бы перед тем, чтобы изменить маме.

Но если бы он не был жестоким и бессердечным, он

не послал бы своего сына охмурять женщину, у которой и без того безрадостная жизнь.

Если он чудовище, то он не вкладывал бы столько души в Вадьку.

Если же нет, то не назвал бы Костю подонком.

В голове у Кости царила неразбериха, и он чувствовал, что в присутствии отца ему с ней не справиться. Ему нужно побыть одному. Помолчать и подумать.

А мама что скажет? Что она скажет, когда придет поздно вечером домой и узнает, на что отец толкает сына? Может быть, остановит мужа, объяснит ему, уговорит? Устроит скандал, защитит Костю?

Костя лег в своей комнате на продавленную узкую кушетку, закинул руки за голову и уставился в серый пятнистый, покрытый трещинами потолок. Если ему придется сделать то, что от него требует отец, так сказать, в полном объеме, то получится, что он на самом деле изменит Миле, потому что у Милы, конечно, сложная бабушка, да и родители непростые, но зато есть подружки, которым предки снимают квартиры и которые без всякого напряга дают ключи «попользоваться». Мила и Костя «пользовались» такими квартирами неоднократно, поэтому Костины интимные отношения с другой женщиной могли получить только одно толкование: измена. Да они и сегодня «пользовались», честно отсидели первую пару, семинар, а вторую и третью — лекции — прогуляли, вернее, провалялись в чужой, но от этого не менее мягкой и сладкой постели. Потом Мила везла его домой, ждала, пока он соберет купленные матерью с утра фрукты и соки для Вадима, потом они заехали в «Мак-авто», купили еды и сидели в машине часа полтора, жуя, разговаривая и целуясь. Потом ездили в больницу, Костя навещал брата, а Мила ждала его в кафе, развлекаясь в Интернете или готовясь к завтрашней контрольной. Вечером он думает о ней, ночью видит ее во сне, а с девяти утра и до восьми вечера они снова будут вместе. Мила заполнила его жизнь целиком, вернее, ту часть жизни, которая неподконтрольна отцу. И как же он может начать ухаживать за другой женщиной? За чужой, незнакомой и совсем ему ненужной? Да еще и в два раза старше.

— Он вернулся, — послышался из соседней комнаты голос отца. — Ты слышишь, Костя?

— Слышу.

— Как только она выйдет с собакой, я тебе скажу.

— Ладно.

Через некоторое время отец заглянул в его комнату и недовольно поморщился, увидев сына лежащим на кушетке.

— Я думал, ты занимаешься.

— У меня завтра нет семинаров, одни лекции, — соврал Костя, отлично помнивший о предстоящей контрольной.

— Все равно нужно заниматься каждый день.

— Мне нужно подумать, пап, — вывернулся он. — Ты же меня озадачил, и мне нужно все продумать как следует.

Отец смягчился, взгляд потеплел.

— Ты будешь ужинать? Разогреть тебе?

— Не хочу, спасибо.

Врет он все, он голоден как волк. Но почему-то Косте сейчас совсем не хочется сидеть с отцом на кухне за одним столом. Почему-то отец стал ему неприятен. Наверное, это пройдет. Лучше он потерпит, а потом, когда вернется, поужинает вместе с мамой. Или один. Или ляжет спать совсем без ужина. Но сейчас, именно сейчас, прежде чем он начнет знакомство и разговоры с ненужной и уже заранее отвратительной ему женщиной, он хочет побыть наедине с собой и подумать о Миле. Пока еще он имеет право думать о ней честно, не кривя душой и не обманывая ни себя, ни ее, ни ту незнакомую и ненужную ему женщину. Через пару часов такого права у него уже не будет, и надо ловить последние минуты, последние мгновения чистого и искреннего счастья.

— Костя, она вышла. Давай одевайся и иди к ней.

Ну вот и все. Сейчас все начнется. И все кончится.

НИКА

Ну почему этот бесконечный день никак не закончится и не оставит меня в покое? Мне кажется, он истязает меня с каким-то садистским наслаждением. И не в том дело, что я хочу спать, это-то как раз ерунда, работая на «Скорой», я привыкла к суточным дежурствам.

Я уже собралась было выйти с Аргоном на прогулку, сладко мечтая о том, как дам ему полчаса, не больше, на отправление всех необходимых надобностей и потом приму душ и лягу спать. Правда, Великий Слепец почему-то до сих пор не объявился, но я надеялась, что, пока я буду гулять, он придет. Может быть, Наталья даже сама его покормит. Ну, в крайнем случае я подам ужин и уж потом...

Но не тут-то было. Увидев, что я одеваюсь в прихожей, Наталья выплыла из гостиной и зачем-то прикрыла за собой дверь.

— Ника, вы, когда возвращались домой, не видели внизу машину Павла Николаевича?

Вопрос поставил меня в тупик. Во-первых, Гомер держит машину в гараже-«ракушке» в двадцати метрах от подъезда, и, даже если она там и стояла, увидеть ее я все равно никак не могла. А во-вторых, откуда вообще такой вопрос? Что, у Натальи есть основания полагать, что ее драгоценный супруг вернулся, поставил машину, но домой не пошел, так, что ли? А куда же он пошел? К любовнице в соседнем подъезде? Бредятина.

Я ответила, что машины не видела.

— Сходите посмотрите, — не то попросила, не то велела Мадам.

— Но у меня нет ключей от гаража.

— Зачем вам ключи? Возьмите фонарик и посветите в щель. Если машина там, вы ее увидите.

Смысл происходящего остался для меня пока неясным, но я взяла за правило в этой семье не задавать лишних вопросов, чтобы, не дай бог, в один прекрасный момент не стать неудобной.

Я достала из шкафчика в прихожей фонарик и потянулась за поводком, но Наталья меня остановила:

— Ника, сначала посмотрите машину, вернитесь и скажите мне, а потом пойдете с Аргоном.

Да что ж это такое-то! Почему она не может подождать, пока я выгуляю собаку? Если ей так не терпится, пошла бы сама да и посмотрела, стоит машина в гараже или нет, а не гоняла меня туда-сюда. Ладно, Кадырова, заткнись, ты прислуга, и твое дело телячье.

Аргон, крутившийся рядом, посмотрел с обидой, когда я стала открывать дверь. Что же это делается, граждане-товарищи?! Время самое что ни есть «гулячее», половина одиннадцатого, и Ника уже оделась и даже поводок трогала — и что теперь? Все отменяется? До утра, что ли, терпеть?

Я спустилась вниз, подошла к «ракушке» и посветила в щель. Странно, но машина Гомера действительно была на месте. А где же он сам? Может, он ее и не брал с утра? Но тогда это означает, что Павел Николаевич уже с утра знал, что собирается «нарушать режим». Ох ты, доля моя горькая, выходит, мне еще и встречать его придется! Прощайте, мечты о горячем душе и теплой постели, о покое и тишине.

— Машина на месте, — сообщила я как можно спокойнее, вернувшись в квартиру.

— Ника...

Ну все понятно. Как я и предполагала.

— Наталья Сергеевна, вы хотя бы приблизительно знаете, когда вернется Павел Николаевич?

— Не знаю. — Она отвела глаза. — Но зато я знаю, где он и с кем. Он в сто десятой квартире на девятом этаже. Там живет его одноклассник. Вернее... Он там раньше жил, он уже давно уехал в Австрию, здесь осталась его сестра. Когда он приезжает в гости, он всегда звонит Паше... Павлу Николаевичу...

— И сейчас он в Москве? — уточнила я.

— Я его видела вчера. Он здесь. Я думаю, они столкнулись случайно, у подъезда, когда Павел Николаевич уже шел домой. Ну и Миша затащил его к себе. Иначе Павел Николаевич предупредил бы меня, что задерживается. А так знаете ведь как бывает... Кажется, что заходишь на минутку и что уже сейчас уйдешь, и еще минутка, и еще... И не замечаешь...

Ты моя золотая. Как же ты его оправдываешь! Интересно только, перед кем — передо мной или перед собой? Квартира на девятом этаже. И что мне делать-то прикажете? Идти вызволять его оттуда? Или сидеть на девятом этаже и караулить, когда Гомер соизволит прекратить накачиваться водкой и соберется домой? И тащить его оттуда на себе, чтобы он не свалился в пьяный беспробудный сон где-нибудь возле лифта? Ну хорошо, допустим. А собака? Кто и когда будет с ней гулять, если мне придется занять пост внутри здания? Черт бы вас взял, Сальниковы большие и маленькие, с вашими тайными и явными проблемами, с вашим гонором и вашими претензиями!

— Хорошо, Наталья Сергеевна, не волнуйтесь, я все сделаю.

Нежно-салатовый пеньюар всколыхнулся вокруг делающего поворот тела, Наталья, вполне удовлетворенная моим обещанием, вернулась в гостиную, к телевизору и журналам. Взяв Аргона на поводок, я вышла из квартиры и поднялась на девятый этаж. Здесь тоже были две тамбурные двери, на каждой по два звонка. Найдя две единички и нолик, я решительно надавила на кнопку. Не открывали довольно долго, мне даже пришлось позвонить еще раз. Наконец загромыхали замки, и мне открыла приятная женщина лет пятидесяти.

— Вам кого?

— Извините, пожалуйста, Павел Николаевич Сальников не у вас случайно?

— А вы кто такая?

— Домработница. Жена Павла Николаевича волнуется, он до сих пор не пришел с работы, но она видела вашего брата вчера и подумала, что они, наверное, встретились.

— Еще как встретились, — обреченно вздохнула женщина. — Каждый раз как встретятся, так расстаться не могут, пока все не выпьют. Вы хотите его забрать?

Она так и сказала: забрать. Как забытую в гостях вещь, книгу, например, или зонтик. Вероятно, смысл этого глагола состоял в том, что Павел Николаевич уже плохо передвигается на своих двоих и транспортировать его можно только с посторонней помощью.

Соблазн был велик. Схватить Гомера в охапку, дотащить до квартиры, сдать с рук на руки Наталье и отправиться на «собакинг». Через полчаса вернуться и...

Но нет, нельзя. Вытаскивать мужа из пьяной компании дозволяется только жене, а никак не домработнице.

Престиж главы семьи, репутация, чувство собственного достоинства — существует множество слов и понятий, при помощи которых выстраиваются аргументы, объясняющие, почему мне нельзя входить в эту квартиру и забирать Гомера.

— Как вы думаете, Павел Николаевич у вас еще долго пробудет? — спросила я.

— Там еще много есть чего выпить, — очень серьезно ответила сестра Гомерова одноклассника. — Я думаю, не меньше часа еще.

— Понимаете, мне нужно с собакой погулять, — торопливо заговорила я. — А потом...

— Да я все понимаю, — женщина скупо улыбнулась, — я же сколько раз видела, как вы с ним, с пьяным, на лавочке у подъезда сидите. Гуляйте спокойно, час я вам гарантирую.

— А вдруг он раньше соберется?

— Не соберется. Я их знаю. В крайнем случае я его задержу. Года два назад Паша так нажрался с моим Мишкой, что заснул прямо в лифте. Кто-то из жильцов на него наткнулся, выволок на первом этаже из лифта, так Паша до утра там и проспал. Правильно, конечно, что вы его в таком состоянии одного не отпускаете. Это из-за детей, да?

— Нет, дети в курсе. Они уже большие, их этим не удивишь. Но у отца Павла Николаевича больное сердце, и ему совсем не нужно видеть сына в таком состоянии.

— Понимаю, — снова повторила женщина. — Так вы идите гуляйте. Вы его где караулить будете? На своем этаже или на нашем?

— Лучше на вашем, так надежнее.

— Ладно, возвращайтесь, как погуляете, я вам стульчик вынесу.

Горячо поблагодарив неожиданную помощницу в моем деликатном деле, я вывела страдающего и поскуливающего от нетерпения Аргона на улицу. Черт с ним, с пьяным Гомером, зато у меня есть целый час тишины, кислорода и общения с собственными мыслями, с которого меня постоянно сбивают, когда я нахожусь дома.

Ан нет, Кадырова, рано ты размечталась! Если уж везет, как вчера, то во всем, а если не везет, то тотально.

Даже такую малость, как час молчаливой прогулки, у меня отняли.

— Добрый вечер.

Передо мной стоял паренек лет двадцати, высокий, широкоплечий. И, кажется, симпатичный, но в темноте апрельского вечера разглядеть его лицо в деталях было трудновато.

— Добрый вечер, — вежливо откликнулась я.

— Вы меня не помните?

— Нет. А должна?

— Помните, я с вами на улице разговаривал? Про собаку спрашивал. Вы мне сказали, что его зовут Аргон. Он еще руки мне лизал, помните?

Я вспомнила. Такой эпизод действительно был, но вот лица своего тогдашнего собеседника я совершенно не помнила. Вполне возможно, именно этот мальчик и был. Вполне возможно. Ну и дальше что?

— Да, помню, — кивнула я.

— Можно я с вами погуляю? — спросил паренек.

— А зачем?

Мне показалось, он не то смутился, не то растерялся.

— Понимаете... Я с родителями поссорился. Хлопнул дверью и ушел. Конечно, я поступил как дурак. Куда уходить-то на ночь глядя? Мы вот в этом доме живем, — он указал рукой на страшненького вида пятиэтажку, стоящую на противоположной стороне улицы. — Вот я и решил просто погулять пару часиков, пока они не уснут, потом вернуться. Детский сад, правда? Вроде я уже взрослый, а иногда такие глупости делаю... Впрочем, говорят, что для своих родителей мы никогда не становимся достаточно взрослыми. Как вы думаете, это правда?

Его выступление мне понравилось, в нем были самокритичность, искренность и зерна здравого смысла.

— Думаю, что правда, — подтвердила я. — Правда, у меня своих детей нет, так что собственным родительским опытом поделиться не могу. Но наблюдение за другими семьями говорит о том, что это правда.

— Вы не замужем?

— Почему вы решили? — опешила я.

Конечно же, я не замужем, по крайней мере фактически, потому что юридически мой брак до сих по не расторгнут и я считаюсь замужней дамой, но на самом-то деле... А как он угадал, интересно?

— Вы сказали, что у вас детей нет, — объяснил паренек.

— Одно с другим не связано, — уклончиво ответила я. — Я замужем.

— Я часто вас вижу, когда вы с собакой гуляете, и утром, и вечером, и вы всегда одна.

— Для выгула собаки двое не нужны. Это вполне можно делать одному.

— А меня Костей зовут, — ни с того ни с сего сообщил мальчик. — А вас?

— Вероникой.

Я подумала, не назваться ли мне полным именем-отчеством, все-таки я намного старше, но потом решила не усложнять. И вообще, отчества — это такой анахронизм, нигде в мире нет никаких отчеств, только имена и фамилии. А для сохранения дистанции вполне достаточно обращения на «вы».

— Я знаю, вы по вечерам с собакой на спортплощадку ходите. Так вы из-за меня маршрут не меняйте, я с вами пойду, можно?

— Откуда вы знаете, куда я хожу с собакой по вечерам? — с подозрением спросила я.

На самом деле подозревать этого мальчика мне было абсолютно не в чем, было бы глупо предполагать, что он вынашивает коварную затею покуситься на мою женскую честь, а больше у меня взять нечего.

— Я... за вами наблюдал, — пробормотал он и снова смутился.

— Зачем? Зачем вы за мной наблюдали?

Мне стало интересно.

— Вы очень красивая, — проговорил он, преодолев смущение. — Я хотел с вами познакомиться и не знал как, ходил за вами по пятам как дурак, а подойти не решался.

Теперь мне стало не только интересно, но и смешно.

— Сегодня, значит, решился, — насмешливо констатировала я. — А про ссору с родителями выдумал, да?

— Нет, я правда с ними поссорился, честное слово.

Может, поэтому и решился с вами заговорить. Обнаглел от стресса.

Это бывает.

— Вам сколько лет, Костя?

— Восемнадцать.

— А мне тридцать семь. Зачем вам со мной знакомиться? Что у нас может быть общего?

— Но мы же все равно уже познакомились.

Резонно. И чего я, собственно говоря, колючки выставила? Мне уже давным-давно никто не говорил, что я красивая. А слышать приятно. Хотя нет, вру, говорил. Никотин. И не далее как вчера. Он сказал, что у меня приятный голос, красивое лицо и отличная фигура. Но Никотин не в счет, в его возрасте все женщины моложе сорока кажутся красавицами. А вот комплимент восемнадцатилетнего мальчишки дорогого стоит, ведь женщины моего возраста для его поколения — ветошь, негодная к употреблению. Только что мне делать с этим комплиментом? Куда его девать?

— Хорошо, — согласно кивнула я, — мы познакомились. И что мы будем делать дальше?

— Встречаться, — легко улыбнулся Костя. По крайней мере, мне в темноте показалось, что он улыбнулся. — Мы будем с вами по вечерам вместе гулять с собакой и разговаривать. Вы будете рассказывать мне о себе, я вам — о себе. И еще я буду дарить вам цветы и не буду обижаться, если вы, возвращаясь домой, станете засовывать их в урну или в мусоропровод. Я ведь понимаю, вы замужем, и эти цветы, принесенные с прогулки, вы мужу никак не объясните.

— Зачем же тогда дарить цветы, если вы заранее будете знать, какая печальная участь их постигнет? Неужели не жалко?

— А чего их жалеть? Их все равно уже срезали, и жить им осталось всего два-три дня. Срезанные цветы для того и предназначены, чтобы служить знаком внимания и любви.

Опять же резонно. Мальчишка неглуп, это точно. Но насчет цветов, которые он собирается дарить мне в знак любви, — это он погорячился.

— А без цветов никак не обойдемся?

— Если вам неприятно — я не буду их дарить, — очень серьезно ответил он.

Мы дошли до спортплощадки, я отпустила Аргона и в нерешительности остановилась. Делать разминку при постороннем мужчине, хоть и совсем молоденьком, как-то не хотелось. С другой стороны, если он наблюдал за мной и ходил по пятам, то наверняка сто раз видел, как я это проделываю, так что особо стесняться-то нечего.

— Костя, если вы за мной наблюдали, то, вероятно, знаете, зачем я прихожу сюда, — сказала я.

Он молча кивнул.

— Тогда не мешайте мне, пожалуйста. Идите погуляйте минут двадцать, не отсвечивайте здесь.

Он послушно отошел. Я дождалась, пока его фигура скроется из виду, сделала для проформы несколько наклонов, прыжков и приседаний, два раза подтянулась на турнике и поняла, что сегодня заниматься своей физической формой мне совсем не хочется. И не то чтобы я устала... А может, устала... Не знаю. Ну ее, эту гимнастику, нет у меня больше сил ни на нее, ни на Наталью с ее шантажистом, ни на Гомера с его пьянками, ни на Алену с ее беспредельным идиотским выпендрежем, ни на собственную жизнь, безмужнюю, бездомную, растоптанную и униженную.

Я даже не сразу поняла, что плачу. Сначала почувствовала, как заложило нос и стало нечем дышать, а потом уже сообразила, что реву.

«Храни меня вдали от тьмы отчаяния,
Во времена, когда силы мои на исходе,
Зажги во мраке огонь, который сохранит меня...»

Ровно через двадцать минут мальчик вернулся, но у меня уже не было никакого настроения ни кокетничать с ним, ни даже просто разговаривать. Всю обратную дорогу я угрюмо молчала, то и дело посматривая на часы, чтобы не опоздать и не упустить Великого Пьяного Слепца. Правда, хозяйка квартиры обещала задержать его, если он попытается уйти до моего возвращения с «собакинга», но я пока не знаю, насколько надежны ее обещания. Знал бы этот милый юный мальчик с хорошей фигурой и низким, вибрирующим от избытка гормонов голосом, знал бы этот чудесный воспитанный мальчик, который считает меня очень красивой и собирается дарить мне цветы в знак любви, что через очень короткое время я буду сидеть на чужом стульчике перед чужой дверью, как попрошайка, которой из милости предоставили возможность отдохнуть, и караулить чужого мужа, который напился вдымину, не ворочает языком и с трудом шевелит ногами и который будет дышать мне в лицо отвратительным перегаром и слюнявить мне щеку вонючим мокрым пьяным поцелуем, не понимая, что я домработница, и принимая меня за некий приятный сердцу гибрид жены и собутыльника. Знал бы этот мальчик, что, отмучившись с транспортировкой и укладыванием чужого мужа в чужую постель, я буду принимать душ в чужой ванной и спать под чужой крышей. Что в этой жизни у меня нет ничего своего, кроме собственно жизни.

— Вы завтра вечером выйдете гулять? — робко спросил Костя на прощание, видимо, не понимая, чего это я стала такой неразговорчивой.

— Выйду, куда ж я денусь, — усмехнулась я.

— А можно я к вам подойду?

— Попробуйте. Может быть, завтра у меня будет другое настроение.

— А утром? Вы же утром рано выходите, я до института успею...

— Попробуйте, — коротко повторила я и отправилась отлавливать Гомера.

Сестра одноклассника Мишки обещание сдержала, на мой звонок открыла дверь, вынесла табуретку и даже предложила чай и бутерброд. Чаю мне хотелось, бутерброда тоже, но есть и пить, сидя под чужой дверью, показалось мне настолько унизительным, что я отказалась.

Эпопею ожидания Великого Слепца и препровождения его в родные пенаты я опущу, нет в ней ничего интересного и достойного внимания. К моменту нашего возвращения Николай Григорьевич уже спал, и нужно было постараться не нашуметь. Гомер моих намерений не разделял, говорил громко и двигался неаккуратно, но вдвоем с Натальей нам кое-как удалось запихнуть его под одеяло, не разбудив Старого Хозяина.

Вот и кончился этот безразмерный сдвоенный день. Я приняла душ, впустила блюстителя режима Патрика, приткнулась темечком ему под брюшко и попыталась уснуть. Получалось плохо. Перед глазами стояли купюры, зелененькие такие, по сто, пятьдесят и двадцать долларов. Мне кажется, я знаю «в лицо» каждую из них. Вот этими, по двадцать, мне заплатили зарплату в тот месяц, когда у Патрика был дисбактериоз и я каждый день засовывала ему в попку свечи, а в пасть — таблетки, причем сопровождалось это тугим спеленыванием жалкого, но активного тельца, норовящего вырваться из моих рук, и насильственным пропихиванием горькой таблетки прямо в маленькую розовую глотку. Весь тот месяц я ходила с расцарапанными руками. А вот эту купюру в сто долларов с крохотным чернильным пятнышком мне выдали за ноябрь прошлого года, когда Николай Григорьевич решил расхвораться не на шутку, и дело уже почти дошло до госпитализации, но Старый Хозяин уперся, мол, ни в какую больницу не поеду, меня там залечат, все равно лучше Ники за мной никто ухаживать не будет и все такое. Конечно, слышать это было приятно, но я понимала, какая ответственность на меня ложится — выхаживать в домашних условиях больного, место которого в стационаре. Я делала уколы, ставила капельницы, ежедневно бегала в аптеку заправлять подушки кислородом, почти совсем не спала, боясь пропустить что-нибудь важное, какое-нибудь изменение в состоянии Главного Объекта.

А вот четыре купюры по пятьдесят долларов с идущими подряд номерами, их я получила прошлым летом, в июне. Тополиный пух. От него не было спасения, и от жары тоже, и приходилось выбирать между спасительным сквозняком, моментально наносящим маленькие светлые сугробы во все углы и на все ковры, и чистотой в невыносимой духоте. Учитывая нездоровье Николая Григорьевича (всех остальных целыми днями не было дома, а Алена вообще после окончания учебного года уехала отдыхать на Мальту с подружкой и ее родителями), предпочтение отдавалось сквозняку, и убирать квартиру мне приходилось дважды в день.

Каждую купюру я помню. И помню, когда и за что я ее получила. Это был честный труд, ни одна зеленая бумажка не досталась мне даром, за просто так.

И может быть, через несколько дней мне придется расстаться с ними. Отдать их в чужие руки. И это будут отнюдь не руки продавца квартиры, для которых деньги, собственно говоря, и предназначались. А вдруг никакого толку не выйдет? Я деньги отдам, а скандал все равно разразится, и Николай Григорьевич... не дай бог, конечно... и меня уволят. А вдруг скандал разразится именно потому, что я влезла в это дело своими неумелыми руками и глупыми мозгами? И получится, что я сама привела себя к краху. Как же поступить? Как правильно?

«Дай мне силы, чтобы каждое мое действие было на благо других,

Дай мне силы, чтобы быть уверенной в моих мыслях, которые укрепят разум...»

Надеюсь, вам понятно, что и эта ночь не прервала невыносимо длинного дня, он все продолжался и продолжался, не давая мне передохнуть, расслабиться, набраться сил. Наступило утро среды, позади две бессонные ночи и миллион горестных и пугающих мыслей, а сколько всего этого еще впереди?

Глава 7

НИКА

Среду я кое-как прожила, хотя, признаться, плохо помню, как именно. Я что-то все время делала, куда-то ходила, то в магазин, то в прачечную с тяжеленной сумкой, набитой постельным бельем, то на базар (тоже, кстати, один из поводов для постоянных издевок со стороны Дениса и Алены — моя ташкентская привычка называть рынок базаром), то в ДЭЗ за какой-то справкой для Натальи (вот те крест — не могу даже вспомнить, за какой именно, голова была будто песком набита: мозги тяжелые, тупые и неповоротливые), еще я что-то готовила и, кажется, гладила... Нет, точно, гладила, только вот что? Не то сорочки Гомера и Дениса, не то блузки Мадам, не то выстиранные кухонные полотенца, а может, все вместе.

А еще я потихоньку, чтобы никто не слышал, звонила Назару Захаровичу и спрашивала, нет ли новостей. Новостей пока не было, и это, как вы сами понимаете, ни душевного спокойствия, ни ясности мысли не прибавляло.

Но организм у меня все-таки зайка, не дает глупой бабе истощить ресурс до конца, не позволил мне третью ночь посвятить переживаниям, волнениям и слезам. В сре-

ду вечером он уснул. Крепко, глубоко и безмятежно. И даже снов посмотреть не дал, заставил меня отдохнуть по
полной программе. Так что в четверг утром я встретила
наступающий день во всеоружии хорошего настроения и
прекрасного самочувствия. Да пропади оно все пропа-
дом, и шантажист этот поганый, и шмотки, и украшения,
и деньги! У меня есть самая главная ценность — моя
жизнь, моя единственная безраздельная собственность,
которой я могу распорядиться так, как мне хочется, а
разве этого мало? Деньги, в конце концов, растрачивают-
ся, вещи ветшают и ломаются, и как бы я ни старалась,
они приходят и все равно уходят, у них свои законы существования, повлиять на которые я не могу. А законы,
по которым существует моя жизнь, я устанавливаю сама.
Я — хозяйка своей судьбы. Не кто-то, не Олег, не Мадам,
не какой-то чужой дядька и уж тем более не шантажист, а
я сама. Как я решу, так и будет. В конце концов, нет не-
разрешимых проблем, есть неприятные решения. Просто
мы не любим неприятные решения, мы любим, чтобы все
было приятно и легко, поэтому, когда приятно и легко не
получается, делаем вид, что решения как бы не существует вовсе. А оно есть.

Так что на утренний «собакинг» я выплыла лучезар-
ной, спокойной, уютной и мягкой, как меховые тапочки.
И про давешнего юного Вертера вспомнила только в тот
момент, когда увидела его. Надо же, как крепко отдыхала
голова-то! Даже про такую нерядовую вещь, как появление молодого поклонника, забыла. Вообще-то, интересно жизнь устроена, и поговорка «разом густо — разом
пусто» не с неба нам свалилась, а самим течением событий проверена. Сначала муж бросил, и больше года — ни
одного заинтересованного мужского взгляда. А теперь
буквально за два дня целых три человека образовалось,
сначала, в понедельник днем, бывший муж Мадам за
ручку держал и разрешения позвонить просил, потом, вечером того же дня, Никотин комплименты говорил, а во
вторник уже и про замужество что-то намекал, во вторник же вечером мальчонка подкатил. А кстати, вчера-то, в
среду, мальчонка был или нет? Как ни напрягала я память, ничего отчетливого не вспоминалось, вчерашний
день казался мне листом бумаги, разорванным в клочки,

смятые в грязный слипшийся комок: вот есть бумага, вот есть на ней какой-то текст, но прочитать его уже невозможно. Вроде бы и утром в среду, и вечером я гуляла одна... Но я не уверена.

— Доброе утро, — первой поздоровалась я.

— Доброе утро.

А мальчик-то какой-то хмурый сегодня. Не в настроении? Плохо спал? Ну так и не выходил бы с утра пораньше на свидание, спал бы себе в полное удовольствие. Никто ведь не заставляет...

— Вы меня не забыли? — неуверенно спросил Костя.

Когда я поняла, что помню его имя, мне почему-то стало легче. Выходит, голова-то не совсем отказала, кое-какую информацию удерживает. Однако же, судя по его вопросу, вчера он ко мне не подходил. Так что если я не помню, как общалась с ним накануне, то не потому, что у меня амнезия, осложненная маразмом, на фоне острого нервного истощения, а потому, что его действительно не было.

— Не забыла, — улыбнулась я. — Как ваш конфликт с родителями? Уладился?

— Не совсем. А куда вы идете?

— В магазин. Утренний выгул собаки я обычно сочетаю с покупкой продуктов.

— Можно я с вами пойду?

— Можно, — разрешила я. — Поможете мне сумки нести.

В этот момент я сообразила, что Наталья-то сегодня опять сидит дома, и в магазин, стало быть, можно будет сходить и попозже, а сейчас, в половине седьмого утра, ограничиться только чистым «собакингом». Да, хвалить свою голову я явно поторопилась. Но менять решение не стала, зачем вызывать у нежного мальчика лишние вопросы? То мне надо в магазин, то не надо... Ладно, догуляем быстрым шагом до круглосуточной лавки, я куплю что-нибудь полезное, но необременительное, например, свежий хлеб с семечками, который очень любит Денис и который как раз в шесть утра привозят с хлебозавода. Или ананас для изысканного завтрака Мадам. Или даже три ананаса, поскольку есть тягловая сила, которая дотащит их до дома. Наталья ананасы обожает, и мне приходится покупать их каждые три дня по одной штуке. А они тяжелые.

— Вы так рано всегда выходите с собакой, — проговорил Костя почему-то нерешительно. — Почему? Вы же не работаете, вам не нужно к девяти утра бежать в присутствие. Вы жаворонок?

А бог его знает. Пока работала на «Скорой», просыпалась, когда надо, и ложилась, когда могла. Пока жила в Москве с Олегом, дрыхла до полудня и ложилась за полночь. А сейчас... Снова встаю, когда надо, и вопрос о получении удовольствия не стоит. Надо — значит, надо. И обсуждать тут нечего. А вообще-то, поспать я ох как люблю!

— Не знаю, — ответила я. — Просто встаю и иду с собакой. Мне так удобно.

— А ваш муж тоже встает рано?

Дался ему мой несуществующий муж! Сказать, что ли, правду? Вот взять и рассказать милому трогательному мальчику, что муж меня бросил, а сама я живу в прислугах, и на мне пять человек и трое животных. Интересно, как он отреагирует? Если он вздумал за мной ухаживать, то, наверное, обрадуется. Нет, не стану я его радовать, пусть лучше думает, что у меня есть муж и я вполне довольна и счастлива. Не может восемнадцатилетний мальчик влюбиться в тетку моего возраста, вокруг него уже достаточно много юных и вполне доступных прелестниц, близких ему по интересам и вкусам. Да не просто влюбиться, а еще и на расстоянии, из окошка глядючи. Семнадцатый век, честное слово! Нет, пожалуй, девятнадцатый. В семнадцатом-то веке женщина тридцати семи лет уже была старухой и нянчила внуков, если вообще доживала до этого возраста. А восемнадцатилетние юноши командовали войсками, вели сражения и правили государствами.

— Да, он встает рано, — коротко ответила я.

— Скажите, Вероника, а почему он сам не гуляет с собакой? Я ни разу не видел его с Аргоном, только вас.

— Мне так удобнее, — повторила я спасительную формулировку. — И потом, я люблю Аргона и люблю с ним гулять, мне это в радость.

— А ваш муж его что, не любит?

Да что он к мужу-то прицепился! Он за кем ухаживать собирается, за мной или за ним?

— Любит. Но он работает, а я — нет, поэтому мне с ним гулять удобнее.

Конечно, если бы я продолжала работать на «Скорой», мысли мои в этот момент не были бы такими благостными. Врач, имеющий на руках препараты, в том числе и сильнодействующие, и возможность расходовать их вне стен медучреждения, — желанный друг для многих, в том числе и для наркоманов, и для семей, где есть давно болеющие тяжелые лежачие больные, чью смерть втайне призывают, но не знают, что с этим делать. В Ташкенте я несколько раз нарывалась на таких вот «ухажеров» и все время была начеку. Но здесь, в Москве? Да кому я нужна! И якобы «муж» мой Павел Николаевич Сальников — не того полета птица, чтобы к нему так сложно подбираться. Начальник отдела в фирме, торгующей кондиционерами, кандидат технических наук, подрабатывает в каком-то вузе, лекции почитывает на платном отделении. О Наталье и речи нет, поскольку меня явно принимают за законную супругу Гомера. Так что корысти у мальчишки никакой быть не может. Но в романтические чувства тоже слабо верится. Нет, я не испытываю отвращения, когда смотрю на себя в зеркало, я очень даже ничего, особенно когда причесана, накрашена и одета соответствующим образом. На отсутствие успеха у мужчин жаловаться не приходилось, может, поэтому я так долго не выходила замуж: все выбирала, выбирала. Вот и выбрала. Самого лучшего. Ха-ха! Но одно дело успех у мужчин подходящего возраста, и совсем другое — мальчик, только-только достигший совершеннолетия. Сомневаюсь я, однако, господа... Неужели в наш цинично-порнографический век еще остались трогательные романтики? Впрочем, кто его знает, может, и остались.

Едва попав в магазин, я тут же забыла о намерении ограничиться чем-нибудь «полезным, но необременительным», нахватала по привычке четыре полные сумки, радостно сунула их в руки Косте и помчалась назад, чтобы не опоздать с кормлением Дениса. На очереди стоят завтраки Алены и Гомера, потом встанет Мадам... И далее по графику.

— Уже все? — Костя не то удивился, не то огорчился. — Ведь ваш Аргон — крупная собака, ему нужно гулять не меньше часа.

— Я знаю. Но сейчас у меня нет времени. Нужно кормить мужа завтраком. Я попозже еще раз выведу Аргона. До свидания, Костя. Спасибо, что помогли.

— А.: вечером вы выйдете?

— Конечно. Приходи. Погуляем, поболтаем, — пригласила я его.

Ну вот спрашивается, зачем я это сказала? Кто меня за язык тянул? На кой черт мне нужен этот мальчишка? Болтать с ним, гулять... Хотя, с другой стороны, чем плохо? Пусть приходит. Все-таки развлечение в моей муторной однообразной жизни, полностью посвященной «высокому служению Семье».

* * *

После ухода на работу Гомера я выкроила момент, когда Мадам принимала душ, и позвонила Никотину. Дома у него никто не ответил, а в ответ на набранный номер мобильника мне сообщили, что «аппарат абонента выключен или находится вне зоны действия сети». В метро едет, что ли? На всякий случай я позвонила по третьему из указанных на визитной карточке номеров.

— Назар Захарович на занятиях, у него первая пара, — сухо сообщил мне звонкий девичий голосок.

Я поняла, что попала на кафедру, где преподает Никотин.

— Не подскажете, когда мне лучше перезвонить?

— В десять сорок.

Но в десять сорок я уже сама оказалась «вне зоны действия сети». Главный Объект выразил желание выйти на улицу. Это случалось с ним нечасто, Николай Григорьевич у нас заядлый домосед, но уж если хочет подышать и походить, то я должна его сопровождать. Случается это не чаще чем раз в две недели. И надо же, чтобы именно сегодня!

Прогулки со Старым Хозяином — штука весьма своеобразная. Несмотря на давнюю болезнь, он находится в целом в очень приличной форме, любит ходить подолгу и далеко. Ходит он часа по три, правда, не быстро, но в ровном хорошем темпе. И маршрут выбирает каждый раз новый, то в сторону Садового кольца до Курского вокзала, то, наоборот, до Октябрьской площади, то в сторону Рязанского шоссе, то в сторону Велозаводской улицы. То какими-то закоулками крутится, через проходные дворы идет. Сначала я недоумевала, почему при такой любви к пешим прогулкам он редко выходит на улицу. Позже, кое-что поняв в истории Семьи, я пришла к выводу, что редкие прогулки находятся в одном ряду с нежеланием Николая Григорьевича сидеть вместе со всеми в гостиной: ему невыносимо видеть, какой стала жизнь. И жизнь вообще, и жизнь его семьи в частности. Жизнь без советской власти. Жизнь без Адочки. Все наперекосяк. Все продается и покупается. Все по-другому. Все иначе. Все не так.

Не принимает он эту новую, другую жизнь. Не хочет принимать. Он закрылся в своей комнате, как в раковине, и выходит только на кухню, чтобы поесть, и в бывший кабинет Адочки, чтобы поставить на место прочитанную книгу и взять новую. Ни разу за все время не видела я его не то чтобы в гостиной, а даже и в комнате кого-то из внуков. Внукам-то, как я понимаю, от этого только радость, не пристает к ним семидесятилетний дед — и слава богу, сами забегут на пять минут, о самочувствии справятся и считают свой родственный долг полностью выполненным. Наталья — та деда любит, как умеет, конечно. То есть я имею в виду, что она к нему хорошо относится, по-доброму, обязательно несколько раз в день зайдет к Николаю Григорьевичу, почирикает о чем-нибудь, за ручку подержит. Только она очень недомоганий и болезней всяких боится, поэтому, когда деду становится хуже, Мадам впадает в панику и вообще перестает к нему заходить. Чего уж там такого страшного — не знаю, может быть, детские страхи какие-то, может, кто-то из близких умер у нее на руках. Можно только догадываться, а сама она мне ничего не рассказывала. А вот Великий Слепец отца откровенно боится. Он, наверное, привык всю жизнь бояться родителей. Поэтому, когда после смерти матери отец перестал активно влезать в его жизнь, Гомер, уставший сорок лет бояться, вздохнул с облегчением и переложил все обязанности по общению со старшим поколением на жену. А та, спустя какое-то время, — на меня.

Сегодня Николай Григорьевич отправился в книжный магазин, чем немало меня удивил. При такой-то домашней библиотеке неужели ему почитать нечего?

— У вас есть «Кожа для барабана» Переса-Реверте? — спросил он продавщицу.

— Сейчас посмотрим. — Та повернулась к компьютеру и защелкала «мышкой».

Господи, это еще зачем? Полгода назад я видела эту книгу на столе у Главного Объекта, он ее читал, я это отчетливо помню. В черном супере с красными буквами, серия «Мировой бестселлер». Читал, потом приносил в мою комнату, ставил на полку. Она есть дома. Зачем же покупать еще одну? Хочет кому-нибудь подарить? Вполне может быть, ведь он завтра будет встречаться с коллегами по Совету ветеранов, со старыми друзьями.

Продавщица тем временем выяснила, что книга в продаже есть, и указала Николаю Григорьевичу отдел, куда он и направился бодрым шагом. Я решила не махать над Главным Объектом крыльями, словно квочка, с поиском и покупкой книги он вполне справится и без меня, и отошла к стеллажу, где стояла медицинская литература. Надо бы прикупить что-нибудь новенькое по ишемической болезни, по язве, да и более современное руководство для врачей «Скорой помощи» не помешает, ведь мои знания устарели на пять лет, а клиническая работа на месте не стоит. С другой стороны, денег жалко... А хозяйские тратить не хочу, мне почему-то это кажется неприличным, ведь мои медицинские знания входят в тот комплекс, который оплачивается зарплатой, стало быть, поддерживать их и пополнять я должна из своего кармана.

Со Старым Хозяином мы встретились у кассы, всетаки на одну книгу — монографию, в которой, судя по оглавлению, было много полезного, — я решила раскошелиться на триста (о ужас!) рублей. Он держал в руках «Кожу для барабана», но в другом оформлении, вероятно, выпущенную уже другим издательством.

— Если я не ошибаюсь, у вас уже есть эта книга, — заметила я, когда мы вышли из магазина.

— Была, — кивнул он. — Вы не ошибаетесь.

— Была? — удивилась я. — И куда она делась?

— Денис давал кому-то почитать, и ему не вернули, а он не может вспомнить, кому отдал. Мне хочется, чтобы книга у меня была, я частенько ее перечитываю.

— Почему?

Мне стало интересно. Сама я Переса-Реверте не читала, хотя, конечно, слышала о том, что он пишет изысканные интеллектуальные детективы. Что же такое есть в его книге, что заставляет старого чекиста возвращаться к ней снова и снова? Шпионские страсти? Тайны работы контрразведки?

— Почему? — повторил вслед за мной Николай Григорьевич. — А вы сами не читали?

— Нет.

— Тогда послушайте. «Баррикады опустели, герои, некогда связанные солидарностью, превратились в одиночек, хватающихся за все, что попадается под руку, лишь бы уцелеть. Вы никогда не чувствовали себя пешкой, забытой на шахматной доске, в каком-нибудь углу? Она слышит за спиной затихающий шум сражения, старается высоко держать голову, а сама задает себе вопрос: остался ли еще король, которому она могла бы продолжать служить?»

У меня перехватило горло, на глазах выступили слезы и тихонько покатились по щекам. Хорошо, что Николай Григорьевич продолжал идти вперед и на меня не смотрел. Сколько боли и горечи было в его голосе! И сколько этой самой боли и горечи было в словах, которые он цитировал на память! Пешка, забытая в углу шахматной доски, — потрясающий образ. Она старается высоко держать голову, не показывать, как ей страшно, как она растеряна в своем непонимании, но у нее есть чувство долга и обязанности солдата, и она готова выполнять их до конца, даже ценой жертвы, ценой собственной жизни. И она не подозревает, что ни ее жертва, ни ее жизнь уже никому не нужны, потому что короли договорились, все поделили и давно попивают терпкое вино, закусывая фруктами и ведя дружескую деловую беседу. Битва окончена, но короли об этом знают, а пешки — нет, пешки продолжают сражаться, истекая кровью, потому что о них все забыли.

Чем ярче прорисовывалась в моем воображении картинка, обрастая деталями, тем сильнее текли слезы, тем больше сжималось сердце и тем хуже я видела тротуар у себя под ногами. Инстинктивно я ухватила Николая Григорьевича под руку, чтобы не споткнуться.

— Вы все поняли, — негромко проговорил он, по-прежнему не поворачиваясь ко мне. — Поэтому вы и плачете. Теперь вы понимаете, почему я люблю этого писателя и перечитываю его книги?

— Понимаю, — выговорила я, стараясь, чтобы голос не дрожал.

— Перес-Реверте, видно, очень много думал о судьбах людей, по тем или иным причинам выкинутых из жизни, — продолжал Старый Хозяин. — По старости ли, или в связи со сменой власти, или идеологии, или моды, но они оказываются выкинутыми, исключенными, забытыми. Ненужными. Вот послушайте еще, Ника. Это уже из другой книги, из «Учителя фехтования»: «Самое прекрасное таится именно в том, что остальные считают устаревшим... Не кажется ли вам, что сохранить верность свергнутому монарху достойнее, чем присягнуть взошедшему на трон?» Перес-Реверте пишет об Испании, но на самом деле оказывается, что он пишет о нас. О нашем поколении в эпоху перемен. Ну, вы уже не плачете?

— Нет. Все в порядке.

Я осторожно выдернула руку из-под его локтя. В моем понимании Главного Объекта произошли уточняющие перемены. Дело не только в том, что он не принял новую жизнь со всеми ее проявлениями, но и в том, что эта жизнь не приняла его самого, отвергла, забыла, задвинула в дальний угол шахматной доски и бросила там на произвол судьбы. Он-то готов был жизнь положить на алтарь служения Родине, да только Родине его жизнь и не нужна вовсе, кому нужен старый хлам, далекий от современных требований мобильности и компьютерной грамотности, при этом еще и нагруженный устаревшей идеологией?

Я так погрузилась в мысли о Николае Григорьевиче как олицетворении всех пешек, забытых на шахматных досках, что даже некоторое время не думала о шантажисте и о звонке Никотину. К счастью, сегодня Старый Хозяин не собирался гулять, как обычно, три часа, он ограничился всего лишь походом в книжный магазин. Вернувшись домой, он попросил сделать ему чай и гренки с сыром, потом Мадам затеялась наводить красоту и велела мне приготовить ей для компресса отвар ромашки и череды, потом Кассандру вырвало прямо на бежевый ковер, и пришлось замывать и зачищать рыжевато-коричневое пятно. Наконец все разошлись: Николай Григорьевич — в свою комнату с книгой, Наталья — в спальню с компрессами. Можно было позвонить.

— Есть новости, — спокойно, даже как-то равнодушно сообщил Назар Захарович.

— Хорошие? — спросила я с замиранием сердца.

— Неплохие. Очень даже неплохие. Не хочешь сегодня полечиться, капельницу поставить?

— Хочу. Когда и где?

— Боюсь показаться банальным, но пока еще довольно холодно, чтобы гулять с женщиной по улицам, а тем более с такой красавицей, как ты, — задребезжал он своим неповторимым смешком. — Ты не возражаешь пообедать со мной? Я приглашаю, — тут же добавил он, вспомнив, очевидно, мои финансовые резоны для отказа.

— Хорошо. Только где-нибудь, где попроще, ладно? — попросила я.

— Бережешь мой карман? — усмехнулся Никотин.

— Нет, боюсь, что не смогу соответствовать в смысле внешнего вида, — отпарировала я. — Одета я бедновато.

Он велел мне через час приехать на «Красные Ворота». Наталья, выслушав сквозь три слоя марлевых салфеток, смоченных в горячем отваре, мою просьбу отпустить меня для прохождения медицинских процедур, вяло махнула рукой, что означало милостивое согласие. На всякий случай я сделала полную перестановку в холодильнике, составив все диетпитание на одну полку и снабдив каждую емкость приклеивающейся бумажкой с четкой надписью: что это такое, из чего приготовлено и кому предназначено. И пусть только попробуют перепутать, уроды!

Трясясь в вагоне метро, я глянула на себя в темное

стекло и внезапно подумала: «Кадырова, тебе не кажется, что ты едешь на свидание?» Мысль показалась мне дурацкой, и, как всякая дурацкая мысль, она потянула за собой следующую, еще более нелепую. А что, если очаровать старого Никотина, женить его на себе, получить московскую прописку, крышу над головой, сменить паспорт и уйти работать врачом? И покончить со всеми этими пьяными Гомерами, изменяющими мужу Натальями, высокомерными Аленами, бестактными Денисами и требующими постоянного присмотра Главными Объектами? Покончить со всей этой тягомотиной, с ролью жалкой бесправной приживалки, с подъемами в половине шестого утра независимо от дня недели, потому что Николай Григорьевич в любой день встает в шесть, и к этому времени я должна быть умыта, одета и готова принести ему утренний чай с булочками. Покончить с экономией на всем, вплоть до колготок, которые я, как в старые добрые времена, снова ношу зашитыми, а не выбрасываю. Конечно, я не буду при Никотине купаться в роскоши, об этом и речи нет, но мне не нужны его деньги, мне нужен официальный статус и нормальные документы, с которыми можно жить и работать в Москве. А на еду и шпильки я себе как-нибудь заработаю. И плюнуть на шантажиста, пусть себе достает Наталью, пусть присылает свои фотографии Гомеру, Денису, Алене или даже Николаю Григорьевичу, пусть будет скандал, пусть Николай Григорьевич... ну и пусть, мне больше не нужна будет эта работа. А на накопленные и сохраненные деньги я лучше сделаю что-нибудь полезное для себя и Никотина, например, ремонт в его квартире. Впрочем, с чего я взяла, что его квартира нуждается в ремонте? Я ведь ее даже не видела. Ну, не ремонт, так машину ему купим, пусть поездит на старости лет.

Мысль и впрямь оказалась настолько отвратительной и нелепой, что мне стало не по себе. Но нелепые, а особенно дурацкие мысли имеют одну особенность: они приходят в голову ни с того ни с сего и покидать ее не хотят — хоть ты тресни. То ли дело мысль умная или даже гениальная! Она-то приходит только после долгих раздумий и расчетов, после мучительных бессонных ночей и множества отработанных и отброшенных менее гениальных мыслей. И что самое обидное, если эту умную мысль вовремя не заметить и не поймать, она тут же убежит, скроется и спрячется так, что замаешься искать. А вот нелепые мысли приходят сами, устраиваются в голове надолго, основательно и даже начинают плодиться-размножаться.

Выйти замуж по расчету за человека на двадцать лет старше — гадко. Это даже не обсуждается. Но что же делать, если другого выхода нет? Врешь ты все, Кадырова, нет безвыходных ситуаций, есть неприятные решения, ты отлично это знаешь.

Дядя Назар на этот раз припоздал минут на семь, но я не обиделась. Наоборот, я даже обрадовалась, выйдя из метро и увидев, что его еще нет. Мне нужно было время, чтобы успеть прогнать мерзкие мысли. А они никак не прогонялись, сидели в голове уютненько и пускали корни.

Мы пошли по Садовому кольцу, и Никотин привел меня в маленький итальянский ресторанчик вполне демократического вида, однако при взгляде на указанные в меню цены я поняла, что демократизм здесь распространяется только на интерьер. Ну дает Назар Захарович! Прямо-таки сорит деньгами. Впрочем, я, наверное, напрасно удивляюсь, если во всех вузах преподаватели берут деньги за хорошие оценки, то почему в милицейском вузе этого не может быть? Наверняка есть.

А Никотин, ехидина, томил меня, ничего не рассказывал, отговаривался тем, что голоден и вообще серьезные разговоры на ходу не ведет. Но глаза его сверкали, и я подумала, что сегодня он взял с собой взгляд не Рутгера Хауэра, а Филипа Нуаре. О моем деле он заговорил только после того, как выпил бокал пива и закусил чесночным хлебом.

— Я думаю, Ника, что тебе завтра никто звонить не будет, — начал он неторопливо.

— Они его нашли?

— Почти. Все оказалось так, как я и предполагал. И на самом деле даже проще.

— В каком смысле проще? — не поняла я.

— В том смысле, что схема оказалась именно той, какую я и подозревал, но факты удалось установить быстрее, следовательно, денег от тебя потребуется меньше.

Дело, видишь ли, в том, дорогая моя Ника, что любовник твоей хозяйки — не кто иной, как муж ее предпоследней клиентки. Клиентка, собственно, никакого шантажа в виду не имела, она просто наняла человечка последить за мужем, когда заподозрила неладное. Человечек принес ей фотографии, из которых мадам клиентка узнала, что дорогой супруг изменяет ей с мадам дизайнером, в течение семи месяцев руководившей ремонтом ее квартиры. Вот тут-то у клиентки и появилась нехорошая мысль на-пакостить сопернице и заодно вернуть свои деньги. А поскольку она уже успела порекомендовать дизайнера своей приятельнице, а та даже успела заказать проект и оплатить его, то наша дамочка была абсолютно в курсе денежных дел твоей хозяйки. Видишь, как все просто оказалось.

— А приятельница-то знает об этом? — ошарашенно спросила я.

— А то. Денежки они собирались, по всей видимости, поделить, каждой — свое.

— И что будет дальше?

— Посмотрим, — неопределенно ответил Никотин. — Сейчас такая фаза наступила, когда информация поступает каждые полчаса. Пока мы с тобой обедаем и развлекаемся разговорами, может, что-нибудь и произойдет.

— А поконкретнее нельзя? — взмолилась я, понимая, что еще пять минут такой пытки — и я просто умру от любопытства. — Все-таки я плачу деньги, значит, имею право знать.

— Имеешь, имеешь, — он усмехнулся и отечески потрепал меня по руке. — За половину вторника и среду установили имена и адреса двух последних клиентов твоей хозяйки, мальчик Алеша вооружился легендой, поехал по адресам и страшно удивился, когда в одной из двух квартир ему открыл дверь мужчина, запечатленный на фотографиях, которые прислал шантажист. Не надо быть семи пядей во лбу, чтобы доперерь, откуда ноги растут. В среду в первой половине дня обе клиентки встретились в фитнес-клубе, кое-что из их беседы удалось даже послушать. Ну а дальше — дело техники. В итоге личность фотографа, нанятого следить за неверным мужем, тоже установили. Есть подозрение, что именно он тебе и звонил. Но вот эта деталь сейчас как раз и выясняется. Если он, то все совсем просто. Если же нет, то наружка еще походит-поездит за обеими дамочками, посмотрит, с кем они сегодня встретятся.

— А вдруг они с шантажистом вообще до завтрашнего звонка встречаться не будут?

— Будут, куда они денутся, — успокоил меня дядя Назар. — Я эту породу людей знаю.

— Какую породу?

— Это люди, которые уверены, что они самые умные.

— А они в этом уверены?

— Ну а как же, Ника, дорогая! Ты посмотри, что они творят: шантажируют человека, которого знают лично, имея при этом, помимо чисто корыстного, личный же мотив. Верх глупости! Их вычислить — раз плюнуть, это тебе любой опытный сыщик подтвердит. Но они уверены, что никто ни о чем не догадается. Потому что все кругом полные идиоты, они одни умные. Да стоило бы только твоей Наталье рассказать любовнику о звонке шантажиста и о фотографиях, тот моментом сообразил бы, что в дело может быть замешана его благоверная. Уж он-то ее характер наверняка знает, и повадки, и стиль мышления. И фраза о двух последних заказах от него не ускользнула бы. Подумала об этом дамочка? Не подумала. А зачем ей думать, если она и так самая умная и все знает. Поэтому она обязательно встретится с тем, кто будет тебе звонить.

— Не поняла, — призналась я. — Почему — поэтому?

— Да потому, деточка, что звонящего нужно инструктировать, его нужно тренировать, натаскивать. Понимаешь? Он же глупый, он ничего не понимает и обязательно сделает что-нибудь не так, а они — умницы, они точно знают, как нужно вести разговор и как реагировать на те или иные твои слова. Они дело на самотек не пустят. Они полагают, что окружающих их глупцов нужно постоянно контролировать. Ведь дамочка — зачинщица шантажа с чего начала? С того, что решила проконтролировать своего мужа. Вот тебе и характер, и стиль мышления. Встретятся они, даже не сомневайся, обязательно встретятся.

Я слушала, затаив дыхание.

— И потом что будет?

— Потом им объяснят, что так поступать некрасиво, и если они не одумаются и не возьмут себя в руки, то в правоохранительные органы будут представлены доказательства того, что они занимаются вымогательством. А это дело подсудное и крайне неприятное. Вряд ли им известна такая тонкость, как необходимость заявления со стороны потерпевшего. Тебе действительно повезло, что эти бабы оказались такими дурами. — Он весело задребезжал и посмотрел на меня глазами Евгения Леонова в роли Короля из фильма «Обыкновенное чудо».

— Почему?

— Потому что они не прячутся и доказательства своей преступной деятельности нам на блюдечке подносят. Знаешь, есть такое выражение, неприличное, но очень меткое: на всякую хитрую задницу найдется клизма винтом.

Я прыснула. Именно это выражение любил повторять мой любимый водитель Сергеев. Впрочем, про Сергеева я, кажется, еще не рассказывала. У нас на подстанции было несколько водителей, но ездить с Сергеевым я любила больше всего, несмотря на то, что он регулярно напивался на работе и вел машину в состоянии не просто нетрезвом, а близком к бессознательному. Частенько случалось, что я с помощью фельдшера перетаскивала его с водительского места в салон, укладывала на носилки и вела машину сама, хотя прав у меня нет и никогда не было. Пришлось научиться, ведь человеку, нуждающемуся в срочной помощи, не объяснишь, что водитель пьян и «Скорая» приехать не может. Но зато Сергеев, маленький, страшненький, косоглазенький и пьющий, был неистощимым кладезем остроумных выражений, столь же точных, сколь и зачастую совершенно непристойных. Народная мудрость про хитрую задницу в оригинале звучала абсолютно нецензурно, но стараниями Сергеева, работавшего хоть и водителем, но в медицинской структуре, была приближена, путем упоминания клизмы, к профессиональной тематике. При этом «хитрую задницу» он переименовал в «кривой анус» и страшно гордился своими медико-лингвистическими достижениями.

— Так вот, нашим дамочкам даже в голову не приходит, что на этом свете существуют люди не глупее их, — продолжал между тем Никотин. — И это сильно облегчает работу людям, которым ты платишь. И, стало быть, экономит твои деньги.

— То есть в две с половиной тысячи долларов я уложусь? — уточнила я.

— Наверняка. Даже, я думаю, поменьше выйдет, если ничего непредвиденного не случится.

— А что может случиться?

— Да все, что угодно. Например, сегодня выяснится, что фотограф и шантажист — это разные люди, и выяснится это только ближе к ночи, то есть ребята будут пасти обеих дамочек весь день, а это деньги. Или, к примеру, окажется, что шантажист — фигура непростая, и одними легкими словесными угрозами с ним не справиться. Есть вещи, которые сделать просто, а есть вещи, которые сделать невозможно. Как говорил старик Бабель, в ухо себя не поцелуешь. И с этим приходится считаться.

— И тогда что?

— Ну-у-у... — Никотин загадочно помахал в воздухе пальцами с зажатой в них «беломориной», — тогда будем посмотреть. Может быть, придется перейти от словесных угроз к более ощутимым.

— Но я же просила — без физического насилия, — тревожно напомнила я.

— Тогда выйдет дороже, я предупреждал.

Евгений Леонов куда-то исчез, и за столом напротив меня снова сидел Рутгер Хауэр. Свои украденные глаза Никотин менял с быстротой фокусника. Интересно, он этому долго учился или такая способность у него от природы?

Принесли горячее, и некоторое время мы молча ели. Еда была вкусной, порция — огромной, и мне казалось, что я доем только к завтрашнему утру, ну в крайнем случае — сегодня к вечеру. Дядя Назар ел быстро и аккуратно, я даже залюбовалась его ловкими движениями. Знаете, бывают такие люди, у которых тарелка в процессе истребления блюда продолжает оставаться нарядной. Одним принесут красиво сервированную еду, они пару раз ткнут ножом и вилкой в тарелку — и красоты как не бывало, на тарелке уже не блюдо, а непривлекательные ошметки чего-то непонятного. А есть другие, такие, как Никотин, у которых до самого последнего крохотного кусочка на тарелке порядок и гастрономический дизайн. В голове снова ожили и зашевелились дурацкие мысли. Я задала себе вопрос, ест ли Назар Захарович так аккуратно только в ресторанах или дома тоже. И представила себе на мгновение, как я готовлю плов на его кухне, подаю ему, а он ест. Нет, нет, прочь, поганая мысль, нельзя тебя думать, ведь если я что-нибудь ярко представляю, то оно обязательно сбывается.

Но видение не уходило, напротив, проявляло завидную настойчивость, становилось все ярче и красочнее. Неужели я подсознательно все-таки хочу округлить старика, выйти за него замуж и решить свои проблемы? Стыдись, Кадырова, откуда в тебе эта мерзкая меркантильность? Немедленно туши свет, опускай занавес и не смей больше смотреть это неправильное кино про твое счастливое замужнее будущее.

— Ты чего? — неожиданно послышался голос Никотина.

— А что? — очнулась я.

— У тебя лицо такое...

— Какое?

— Словно ты жабу увидела.

— Нет, — улыбнулась я, — не жабу. Я себя увидела в очень некрасивой ситуации.

— Да? — удивился он, отправляя в рот последний кусочек котлеты «по-милански». — И в какой же, позволь полюбопытствовать?

— Дядя Назар, вы могли бы на мне жениться? — выпалила я.

— Легко, — тут же ответил он. — А зачем?

— Я же вам нравлюсь, и вообще, вы любите блондинок. И голос у меня приятный, и лицо красивое, и фигура отличная. Вы сами это говорили.

— Говорил, — кивнул он, отодвигая пустую, идеально чистую тарелку. — И еще я говорил, помнится, что тебе не следует на меня обижаться, потому что я могу захотеть на тебе жениться. Но я пока еще не захотел.

— А в принципе это возможно? Может так произойти, что вы захотите на мне жениться? — не отставала я.

— Легко, — снова повторил он. — Но может и не произойти. Ты к чему спрашиваешь-то?

— Да так просто, чтобы быть готовой к любому повороту в наших с вами отношениях.

— Не ври, детка, — строго проговорил Рутгер Хауэр с лицом Назара Захаровича Бычкова. — Будешь мне врать — не женюсь.

— Не буду врать, — пообещала я.

— А я все равно не женюсь. — Хауэр исчез и снова появился Леонов-Король. Черт возьми, никак я не услежу за его метаморфозами. И как у него это выходит?

— Почему? — глупо спросила я.

Фу-ты, идиотизм какой получается! Будто я уговариваю его жениться на мне, а он сопротивляется. Я ведь затеяла этот разговор совсем с другой целью, а оно вон как повернулось... Или не само повернулось, а хитрый Никотин его так повернул? Ну мастер!

— Почему не женюсь-то? — Никотин затянулся «Беломором», выпустил дым куда-то вбок. — Да потому, деточка, что ты сама за меня замуж не пойдешь. Верю — хочешь. Надоело тебе в людях горбатиться, по чужим углам мыкаться, за чужими котами какашки выносить. Ох как надоело! Ты молодая, симпатичная, а для меня так даже и красивая, и образование у тебя высшее, и голова на месте. Твое ли это дело — в прислугах на жизнь зарабатывать? Не твое, — сам себе ответил он. — Тебе нужен фиктивный брак, честный, чтобы никого не обманывать, чтобы твой муж с самого начала знал, что он тебе — прописку и российский паспорт, а ты ему — что? Что ты можешь предложить ему взамен?

— Ничего, — подумав секунду, ответила я. — Только немножко денег, которые останутся после оплаты услуг вашего Севочки.

— Вот именно что немножко. За такие гроши ты себе фиктивный брак не купишь, ну разве что с алкашом, вконец опустившимся, но с ним дело иметь нельзя, алкаши — народ ненадежный, потом проблем не оберешься. Значит, тебе нужен брак не фиктивный. То есть с твоей стороны это будет чистой воды обман и корысть, а муж твой глупый будет думать, что все всерьез и по-настоящему. На это ты, Ника, никогда не пойдешь.

— Откуда вы знаете?

— Да что ж я, не вижу, что ли, какая ты? Я был бы плохим опером, если бы совсем не разбирался в людях. А я был хорошим опером, можешь мне поверить.

И я верила. Я верила этому беспрестанно курящему, плохо одетому мужичку предпенсионного возраста, с обильной плешью и глубокими морщинами. Я верила этому невероятному, ни на кого не похожему человеку с глазами победителя, постигшего всю мудрость и одновременно глупость нашей жизни и уверенного, что нет на свете ничего такого, чего он не может сделать. Я верила и знала, что мужчин в этом мире великое множество, но Назар Захарович Бычков — один. Он уникален.

— А если я в вас влюблюсь, дядя Назар, тогда что?

— Вот когда влюбишься, тогда и поговорим, — усмехнулся он. — И для полноты картины не мешало бы и мне в тебя влюбиться, чтобы был, так сказать, предмет для разговора. А пока что предмета нет. И ты...

Он не договорил, потому что у него в кармане мобильник заиграл что-то смутно напоминающее рэгтайм. Никотин ответил на звонок, некоторое время слушал, замерев лицом и полуприкрыв глаза, потом спокойным, ничего не выражающим голосом произнес:

— Умница. Я доволен тобой. Да... Хорошо, так и сделаем.

Он спрятал телефон в карман и потянулся за очередной сигаретой. Или «Беломор» — это папиросы? Я никогда не курила и не очень отчетливо понимаю разницу, знаю только, что то, что с фильтром, — это наверняка сигареты, а в остальных тонкостях начинаю путаться и уж тем более не ведаю, чем отличаются сигариллы от сигар.

— Тысяча семьсот, — сказал Никотин без каких-либо предисловий. — И завтра тебе звонить не будут.

— Тысяча семьсот долларов? — переспросила я, не веря своему счастью.

О женщина, как мало тебе надо для того, чтобы почувствовать себя счастливой! Всего лишь узнать, что у тебя отнимают не все, а только часть...

— Тысяча семьсот долларов, — подтвердил дядя Назар. — Я так понимаю, с собой у тебя их нет?

— Конечно, нет. Они дома.

— Значит, поедем к Севе завтра. Они как раз и отчет подготовят, письменный, с фотографиями, чтобы ты знала, за что деньги отдаешь.

— Да не надо отчета, дядя Назар, — замахала я руками, — я верю вашему Севе. Зачем мне отчет? Мне результат важен, а не бумажки с фотографиями.

— Глупости, — сурово оборвал мои восторженные причитания Никотин, — во всем должен быть порядок. Ты платишь не только за результат, но и за информацию, вот информацию ты и должна получить. Она еще может тебе пригодиться. Мало ли как жизнь повернется. В котором часу ты завтра сможешь поехать со мной к Севе?

Я стала прикидывать. На собрание ветеранов Старый Хозяин обычно отбывает между половиной одиннадцатого и одиннадцатью часами, его повезет Наталья, Денис будет в институте, Алена в школе. Это означает, что уйти из дома я не смогу, животных нельзя оставлять одних, это уже проверено, и это было одним из условий моего найма еще в те времена, когда в Семье были только жующий все кожаное и меховое Аргон и в целом беспроблемная, но обдирающая обои Кассандра. А теперь, когда в наличии имеется хулиганистый и мстительный Патрик, ситуация обострилась донельзя.

— Мне нужно спросить у хозяйки.

— Спроси, — кивнул Никотин, протягивая мне телефон.

Набирая номер, я на ходу придумывала очередное вранье про свое лошадиное здоровье и спросила у Мадам, в котором часу я смогу завтра отлучиться к врачу для последней оздоровительной процедуры. Наталья, томно позевывая (похоже, она дремала), сообщила мне, что отвезет Николая Григорьевича на собрание и поедет по делам, когда вернется — не знает.

— Значит, я не могу планировать на завтра поездку в поликлинику? — упавшим голосом проговорила я.

— Попросите Алену посидеть с животными, — посоветовала Мадам.

Дельный совет, ничего не скажешь. Отчего бы тебе самой не велеть дочери посидеть дома, ведь ты мать, а я никто. И потом, у твоей Алены завтра танцы, но ты, как обычно, этого не помнишь.

— У Алены завтра степ, она придет из школы и уйдет на занятия, — напомнила я.

— Ну тогда я не знаю, — Наталья снова сладко зевнула. — А вам что, так обязательно завтра ехать к врачу? Вы же уже хорошо себя чувствуете.

— Лечение должно быть закончено, Наталья Сергеевна, иначе все без толку. Но если не получается...

Никотин, вероятно, догадавшийся о сути переговоров, постучал пальцем по столу, привлекая мое внимание, и шепотом произнес: «Сегодня».

— Если вы не можете отпустить меня завтра, то можно я еще раз съезжу в поликлинику сегодня? Я сейчас вернусь, а через час снова уеду. Так можно?

— Сегодня — пожалуйста. — Она сама доброта, черт бы ее взял, а я не ценю. — Только я не понимаю, зачем вам приезжать домой, чтобы через час снова уезжать?

— Мой доктор освободится только в пять часов, — бодро врала я, удивляясь самой себе и своей находчивости. — Раньше пяти он мной заниматься не будет.

— Ну так погуляйте, в кино сходите, по магазинам. Чего вам мотаться туда-сюда?

По магазинам. Отлично. И в кино — тоже неплохо. Наталья, похоже, думает, что я живу на всю зарплату, которую она мне платит. Неужели по моему внешнему виду не заметно, что я живу максимум на десять процентов этой зарплаты, да и то считаю себя мотовкой и радуюсь, когда расходы не превышают семи-восьми процентов? Но в общем-то она, конечно же, права, возвращаться домой у меня причин нет. А надо. Надо взять деньги, чтобы расплатиться с Севой Огородниковым. Если не сегодня и не завтра, то когда? Впереди выходные, Севина контора не работает, а в понедельник еще неизвестно, как все сложится и будет ли дома сама Наталья.

— Спасибо, Наталья Сергеевна, но я все-таки заскочу домой, я хотела заехать на базар, взять баклажанов и зелени, а после поликлиники будет уже поздно, базар закроется...

Молодец, Кадырова, знаешь, чем напугать хозяйку. Спихнув ведение дома на меня, Наталья радостно самоустранилась от всего, что связано с готовкой и уборкой, ни во что не вникает и оценивает только результат. Она не хочет слышать ни про какие базары (прошу прощения, рынки), которые открываются и закрываются, ни про какие овощи-фрукты, которые можно купить только там, ни про какие магазины, где мясо всегда перемороженное или, наоборот, парное. И она никогда не возьмет на себя смелость заявить: «Да что вы, Ника, не нужно сегодня это покупать». Потому что уже больше года она и знать не знает, что есть у нее в холодильнике, а чего нет, и не морочит себе голову вопросами о том, что приготовить завтра на обед или сегодня на ужин, какие продукты для этого есть, а какие нужно еще пойти купить. Ее дело — заказать и быть твердо уверенной в том, что заказ будет исполнен.

— Ну, тогда конечно, — расплывчато согласилась она с моими доводами и, кажется, снова задремала.

Я представила себе, как она лежит в гостиной на мягком диване, вся такая тонкая и воздушная, в нежно-зеленом пеньюаре, укрытая пушистым пледом леопардовой расцветки «на три тона темнее ковра», лежит и подремывает, сладко мечтая о встрече с любовником (ведь наверняка же завтра она именно с ним и будет встречаться, делая вид, что у нее неотложные профессиональные дела), и не подозревает, что в это самое время несколько человек из кожи вон лезут, чтобы отвести от нее угрозу и не допустить разрушения ее семейного благополучия. А один из этих нескольких (сиречь домработница Ника Кадырова) платит за ее защиту собственные деньги. Храни тебя господь, Наталья Сергеевна Сальникова, живи долго и счастливо, не зная забот и тревог, только, пожалуйста, веди себя прилично и больше не давай повода...

С Никотином мы расстались у метро, договорившись встретиться в половине пятого на «Новокузнецкой». Я помчалась на базар (извините, на рынок), накупила овощей, зелени и мяса, притаранила все это домой и застала умильную идиллическую картинку. Оставленная мною в стерильной чистоте кухня вызывала ассоциации с холостяцкой пирушкой, после которой забыли навести порядок. Как можно ухитриться развести столько грязи и беспорядка, накормив уже готовыми обедами всего трех человек — Алену, Старого Хозяина и саму Мадам? Ведь и стряпать ничего не нужно, только разогреть.

В центре стола, уставленного грязными тарелками (похоже, о том, что существует раковина, куда можно сложить посуду, в этом доме никто не догадывается), возвышается широкая стеклянная ваза с конфетами. Рядом, тоже в центре, располагался Патрик, который зубами доставал шоколадные конфетки и лапочкой, аккуратненько, не сдвинув ни одного предмета и не издавая ни единого звука, подгонял ее к краю стола и сбрасывал на пол. А на полу, ровно в том месте, куда падали конфеты, устроился Аргон. Конфеты он съедал, а бумажки выплевывал. И что самое удивительное, тут же находилась и Каська, взирающая на это безобразие с полным кошачьим равнодушием. Конфеты она не любила. И если бы в деле участвовал только один Патрик, она бы, вероятнее всего, наябедничала на него Наталье, но, поскольку подельником был еще и Аргон, она молчала. Доносить на Аргона ей было не с руки, потому как на нем еще кататься и кататься...

Ну вот, оставила хозяйство на Наталью, понадеялась. И не в том дело, что мне или кому-то из хозяев конфет жалко, а в том, что у Аргона аллергия на шоколад. Он шоколад любит, а ему злые люди не дают. Зато вот добренький Патрик, дружок закадычный, не пожалел добра, от души отсыпал. Через два часа Аргон покроется волдырями и начнет чесаться, скулить и всячески страдать.

А Наталья-то где? Ну так и есть, спит в гостиной, укрывшись леопардовым пледом «на три тона темнее ковра», да крепко-то как! Алена, судя по всему, пообедала и ушла с подружками, как обычно. Уроки она делает вечером, когда родители дома и есть перед кем выглядеть пай-девочкой. С Главного Объекта спроса нет, потому как он в своей комнате живет и вообще слабенький и больной. Хорошо, что я не послушалась ее и вернулась, хотя бы убраться на кухне успею. И хорошо, что я застукала Аргона за непотребным занятием, сейчас вкачу ему укол антигистаминного препарата, и, может быть, все обойдется. Если бы я не вернулась, никто вовремя не спохватился бы, и пришлось бы потом лечить пса от полноценной аллергии.

Приговаривая маленьким язычком все, что думаю о матери и дочери Сальниковых, я быстро навела порядок, разложила в холодильнике купленные продукты, отсчитала в своей комнатушке тысячу семьсот долларов, сунула их в сумку и помчалась на «Новокузнецкую».

Всеволод Огородников встретил нас с Никотином смущенной улыбкой, признавшись, что отчет не готов, потому что дядя Назар сказал, что мы приедем только завтра.

— Это ничего, — великодушно простила я его, — мне главное расплатиться с вами, вот сегодня мне удалось уйти из дома, а потом неизвестно как будет. А я не люблю быть должна и не платить вовремя.

Мне показалось, что Сева даже несколько обиделся.

— А как же отчет?

— Отчет я сам заберу, — вмешался Никотин, — и Нике передам при случае. Давай зови своего бухгалтера, пусть приходный ордер выписывает, и считай деньги.

— Мы вот как сделаем. — Сева покрутил в пальцах шариковую ручку и решительно бросил ее на стол. — Вся сумма складывается из затрат на наружку и затрат на работу с фигурантами. Наружка свое дело сделала, ребятам надо заплатить, и эти деньги я сейчас приму у вас по ордеру. А платить за работу с фигурантами вы пока погодите, мы должны убедиться, что все сделано эффективно и грамотно и что фигуранты нас правильно поняли. Давайте подождем недельку. Если в течение недели шантажист вам больше не позвонит, у нас будут основания считать, что работа выполнена качественно, тогда и оплатите.

— А если позвонит? — холодея, спросила я.

Господи, я-то думала, что все решено окончательно и бесповоротно, а оказывается, еще ничего не известно...

— Если позвонит, вы с ним договаривайтесь о встрече, принимайте любые его условия и немедленно сообщайте нам. Дальше уже наша работа.

— И что вы будете делать?

— Вероника, ну какая вам разница? — рассмеялся Сева. — Это наши маленькие профессиональные тайны. Но могу вам гарантировать, что после второго нашего вмешательства вас уже никто никогда не побеспокоит.

— А разве нельзя было сразу сделать так, чтобы никогда не беспокоили? — настырно допытывалась я.

— Ну, Вероника, — Сева развел руками, — вы же сами просили, чтобы подешевле и чтобы без насилия.

— А это... второе вмешательство... оно сколько будет стоить?

— Да нисколько не будет стоить, — Сева начал сердиться. — Бесплатно сделаем, поскольку считается, что исправляем брак в работе. Ну, не совсем, конечно, бесплатно, каких-то денег это будет стоить, но очень небольших, я надеюсь. Однако я уверен, что до этого не дойдет, мне кажется, ребята поработали на совесть, а фигуранты в этом деле хлипкие.

Он пересчитал протянутые мной купюры и разложил их на две кучки. Мне показалось, что они были примерно одинаковыми, но спросить я отчего-то стеснялась. Потом зашел бухгалтер — молодая красоточка в хорошем дорогом костюме, и по взгляду, который кинул на нее Сева, я поняла, что он с ней спит. Бухгалтер выписала ордер, приняла деньги и вышла, сексуально качнув бедрами. Вторая кучка моих трудовым потом заработанных долларов сиротливо валялась посреди Севиного стола, будто бы и не нужная никому.

— А с этими деньгами что? — робко спросила я.

— Забирайте их, — Сева протянул мне купюры. — Принесете, когда будем считать контракт выполненным.

— Сева, ты не понял, — вмешался наконец Никотин, до того момента хранивший какое-то странное молчание. — Вероника не может приезжать к тебе, когда тебе это удобно. У нее такой режим работы.

— Да об чем речь, дядя Назар, пусть приезжает, когда ей удобно!

— Сева, ты снова не понял, — заговорил Никотин уже строже. — Вероника вообще не распоряжается своим временем, она никогда не может заранее сказать, в какой день и в котором часу ей разрешат уйти из дома. Ты ставишь ее в весьма затруднительное положение.

Сева немножко подумал, потом кивнул:

— Хорошо, дядя Назар, я все понял, только злиться не надо. Вы хотите оставить деньги здесь, у меня?

— Да, если можно, — попросила я.

— Можно, отчего же нет, — вздохнул Сева Огородников. — В сейф положу, и пусть себе лежат. Только как я их потом приму? Самому себе, что ли, приходник выписывать? И ваша подпись, Вероника, нужна будет, что вы согласны оплатить работу и она вас удовлетворяет. Как же быть?

— Вероника тебе все подпишет сейчас, что ты дурака-то валяешь, ей-богу?

— Да, подпишу, — пискнула я из глубины продавленного кресла.

— Она все подпишет, — на соседнем кресле сидел Руггер Хауэр и царственно отдавал приказания, — ты все примешь по ордеру, никаких поддельных подписей и прочих глупостей. А если результат окажется не таким, каким мы хотим его видеть, ты все исправишь быстро, эффективно и бесплатно. То есть заплатишь из собственного кармана. Ты понял, Севочка?

— Да понял я, понял, дядя Назар, чего вы, в самом деле...

И снова пришла красавица-бухгалтер, и снова Севочка метнул в нее плотоядный и недвусмысленно-интимный взгляд, мне выдали еще один приходный ордер и подсунули на подпись еще две бумажки, которые Сева распечатал на своем компьютере.

И тут я вспомнила, что сам Сева и его сотрудник по имени Алеша работали на меня бесплатно. Мне стало неловко.

— Сева, я хотела бы отблагодарить вас хоть как-то, — сказала я, — ведь вы и Алеша не взяли с меня денег за работу. Я вам очень благодарна. Но я даже не представляю, что я могла бы для вас сделать.

— Плов, — быстро встрял Никотин. — Севка, попроси Веронику сделать нам с тобой настоящий узбекский плов. Я черт знает сколько лет не ел хорошего плова. И манты пусть сделает. В Москве никто не умеет толком манты готовить.

— А что? — оживился Сева. — Хорошая мысль. Соберемся у меня...

— Лучше у меня, — перебил его Никотин. — Твоя жена меня не жалует, а если еще и Вероника придет, она вообще черт знает что может подумать.

— Тоже верно, — согласился Огородников. — Значит, у вас, дядя Назар. Алешку пригласим как главного исполнителя.

— Ага, и бухгалтершу свою не забудь, — ехидно поддакнул Назар Захарович. — Только о сроках пока договариваться не будем, я тебе уже объяснял, что Вероника своим временем не распоряжается. Но как только у нее будет ясность, я тебе дам знать.

— Лады.

Мы распрощались и вышли из Кощеева гнезда таким же сложным путем, каким пришли, мимо бдительных охранников и через двери с кодовыми замками.

— Ты уборку-то сделала сегодня? — огорошил меня вопросом Никотин, когда мы шли по Садовнической в сторону метро.

— Уборку? — Я даже не сразу поняла, о чем он спрашивает. — Нет, сегодня я только кухню мыла, но зато два раза. А в чем дело?

— Так сегодня же Чистый четверг, а в воскресенье Пасха. Забыла, православная?

Забыла. Правда, в семье Сальниковых верующих не было, никто не ходил в церковь и не помнил о религиозных праздниках, поэтому и разговоров о генеральной уборке в Чистый четверг, о куличах, крашеных яйцах и Пасхе не велось. А я со всеми этими тревогами вообще обо всем забыла. Я сокрушенно покачала головой.

— Все с тобой понятно, — усмехнулся Назар Захарович. — На крестный ход пойдешь?

— Нет. Мне в половине шестого вставать каждый день. Я и так не высыпаюсь. А вы пойдете?

— Не знаю еще. Подумаю. Наверное, пойду. Но если пойду, так уж всю службу полностью отстою. Раз в году надо душой очиститься.

— Вы веруете? — удивилась я, так не похож был хороший опер Бычков по прозвищу Никотин на истинно воцерковленного человека.

— Не в том дело, верую я или нет, а в том, что в храме на меня благодать нисходит. Она, благодать-то эта, не спрашивает, веруешь ты или так зашел, из любопытства, она нисходит — и все. И за это я ей всей душой благодарен. Жизнь у меня суетная, хлопотная, с интригами, конфликтами, так что хотя бы раз в год дать душе отдых надо обязательно. А где еще душе отдыхать, как не на пасхальной службе?

— На рождественской, — предположила я. — Рождество ведь тоже великий праздник.

— Ничего-то ты не понимаешь, Ника, — вздохнул дядя Назар. — Радоваться рождению легко, это все умеют, и никакой особой душевной работы тут не требуется. А вот попробуй-ка порадоваться воскрешению из мертвых. Ведь для этого в воскрешение надо поверить, а это не так просто. Ты за последние дни напереживалась, натревожилась, издергалась. Плакала небось каждые два часа. Было?

— Было, — призналась я. — Ну и что? Ведь все закончилось благополучно.

— В общем, да, — согласился он, — если не считать денег, которые ты все равно что потеряла. А деньги-то большие, это шесть моих зарплат вместе с пенсионными и доплатой за выслугу лет. За такие деньги мне надо полгода работать и при этом не есть, не пить, не курить, за квартиру не платить и на метро не ездить. У меня бы сердце кровью облилось, если бы пришлось их отдать за просто так, за чужую глупость, жадность и любовные шашни. Представляю, сколько душевных сил ты израсходовала за эти дни. Да и раньше еще, когда муж тебя бросил и когда ты потом к новому своему положению приживалки привыкала. Так что мой тебе совет: сходи если не на службу, то хотя бы на крестный ход, дай душе благодатью напитаться. Душевные силы, Ника, надо восстанавливать, иначе превратишься в злую мегеру, которая никого не любит и всех ненавидит.

— И вы на мне из-за этого не женитесь, — рассмеялась я.

Мне вдруг стало легко и радостно. И денег было совершенно не жалко. Даже удивительно. Сколько слез я над ними пролила! И когда мысленно уже платила их, мне казалось, что я отрываю от себя кусок мяса с кровью. А теперь вот заплатила, и не мысленно, а в реальной жизни, и ничего. Никакого мяса с кровью, никаких слез, и ни грамма сожалений. Как будто так и надо, так и должно быть, так и правильно.

— Я на тебе в любом случае не женюсь, — строго проговорил он, но глаза его глядели на меня весело и хитро.

— Почему это? — я решила изобразить обиду. — Чем

это я вам, дядя Назар, не хороша? И красавица, и умница, и образование есть, и профессия, сами же говорили. Ну вот разве что бедная. Не хотите жениться на бесприданнице?

— Экая ты шустрая, — он шутливо ткнул меня локтем в бок. — Тебе, детка, не такой нужен, как я.

— Откуда вы знаете? Может, мне именно такой, как вы, и нужен.

— Согласен, — задумчиво проговорил он. — Такой шустрой стерве, как ты, нужен именно такой мужик, как я. С другим тебе скучно будет, а от скуки ты разбалуешься и совсем от рук отобьешься.

— Ну вот видите! — торжествующе воскликнула я, не обращая внимания на «шуструю стерву».

— Вижу. Тебе и вправду нужен именно такой, как я. Только лучше.

В ДОМЕ НАПРОТИВ

— Сегодня у Светки Мойченко день рождения, она приглашала, — глядя перед собой на забитое машинами Садовое кольцо, сказала Мила. — Пойдем?

Костя помолчал немного. Он очень хотел пойти. Это ведь нормальная студенческая жизнь — встречаться с девушкой, которая нравится, ходить на вечеринки к сокурсникам, пить пиво в недорогих уютных барах, ходить в кино на новые голливудские блокбастеры, не довольствуясь домашним просмотром видеокассеты и предпочитая широкий экран и звук «долби сэрраунд», танцевать в ночных клубах. А он? Привязан к дому, к отцу, к своим таким непонятным и в последнее время кажущимся сомнительными обязанностям.

— Не смогу, наверное, — со вздохом ответил он. — Хотя и очень хочется.

— Так почему же не сможешь, если хочется? — удивилась Мила. — К брату твоему мы уже съездили, так в чем проблема?

Проблема была в том, что теперь по вечерам он должен изображать влюбленного идиота перед этой немолодой теткой с собакой — женой Врага. И отец, разумеется, ни за что не позволит Косте пропустить свидание, во время которого придется вести идиотские разговоры, вытаскивая из Вероники по крупицам сведения о ее супруге. А вдруг отец смилостивится и разрешит пойти на день рождения? Вдруг за сегодняшний день уже произошло что-нибудь такое, после чего эти странные мучительные прогулки станут больше не нужны?

— Надо попробовать, — нерешительно произнес Костя. — Дашь мобильник? Я домой позвоню.

Мила молча протянула ему телефон, и Костя снова остро почувствовал свою ущербную непохожесть на сокурсников: у всех есть мобильники, и никто из них не должен отпрашиваться у родителей, чтобы провести вечер вне дома. И у него тоже был бы телефон, если бы они продолжали жить в своей квартире, а не тратили зарабатываемые матерью деньги на аренду грязного запущенного логова. Их временное жилье слова доброго не стоит, но ведь в центре, рядом с Садовым кольцом, и поэтому ежемесячная плата отнюдь не маленькая. Если бы они снимали квартиру на длительный срок, да еще платили бы за год вперед, цена была бы куда ниже, а так... Мама как-то, в самом начале еще, заикнулась было о том, что, пока они живут в съемной квартире, их собственную тоже можно было бы сдать, и на довольно выгодных условиях, учитывая месторасположение, размеры и недавно сделанный ремонт, но отец встал на дыбы и орал, что не позволит чужим людям ходить по его комнатам, трогать руками его вещи и мыться в его ванной. И про пользование унитазом тоже прокричал что-то грубое. Теперь их квартира пустовала, но даже в «интимных» целях Костя не мог ею пользоваться: во-первых, он же наврал Миле, что квартира сдается и тем самым решаются финансовые проблемы, а во-вторых, туда почти ежедневно заходила мама — полить цветы, переодеться, да просто передохнуть между переговорами и занятиями с очередным учеником. Когда она набирала уроки, то ориентировалась как раз на то, чтобы ученики жили поближе к их дому, она ведь не знала, что какое-то время придется пожить совсем в другом месте. Так и вышло, что на мамины заработки и одну Костину стипендию нужно не только оплачивать жилье, но и кормить троих взрослых, и постоянно покупать книги и «вкусненькое» для Вадика, и «совать» персоналу клиники. Какой уж тут мобильный телефон!

Отца дома не оказалось, видно, он, как обычно, следит за Врагом, время вечернее, Враг заканчивает трудовую деятельность и либо возвращается домой, либо встречается с кем-нибудь... Есть дни, когда распорядок его неизменен, и отец в эти дни по вечерам не встречает Врага с работы. Но в другие дни приходится потрудиться. У отца тоже нет мобильника, и связаться с ним невозможно. Как и невозможно для Кости сейчас не явиться домой, не получив разрешения.

— Да перестань ты мучиться, — весело посоветовала Мила, — поехали к Светке. Ну что в этом плохого? Не понимаю!

— Я не могу, — упрямо сжал губы Костя.

— Но почему? Вот ты мне можешь объяснить, почему ты не можешь провести вечер вне дома? Ты что, девица пятнадцати лет и сомнительных склонностей? Папочка с мамочкой боятся, что ты лишишься невинности? Мы с тобой за все время не провели вместе ни одного вечера! Это что, нормально, по-твоему?

Мила говорила по-прежнему весело, но Костя видел, что она начинает заводиться. Он не мог на нее сердиться, потому что понимал: она права. Что это за отношения между людьми, когда оба свободны (в том смысле, что неженаты и ничего скрывать не нужно), но в постель ложатся только днем на чужих хатах, а вечера проводят врозь? Бред какой-то!

— Мила, солнышко, я согласен, что это ненормально, но у меня такие предки... Не могу я с ними ссориться, понимаешь? Они так перестрадали из-за Вадьки, отец поседел совсем, мать тоже сильно сдала... Я тебя очень люблю, честное слово. Но их-то мне куда девать? Я у них теперь один свет в окошке, они Вадьку чуть не потеряли, еще немножко — и он концы бы отдал. Теперь они за меня трясутся.

— Ну и что, они теперь всю жизнь собираются за тебя трястись, что ли? До конца института? Или когда ты работать начнешь, тоже будешь им каждую минуту докладываться, что у тебя животик не болит и тебя начальник не обидел? А если жениться соберешься, начнешь разрешения спрашивать невесту поцеловать?

Девушка говорила зло, в ней кипела настоящая ярость, Костя еще ни разу не видел Милу такой... Ему стало горько. А он-то, дурак, надеялся, что Мила не такая, как все, что она будет с радостью придерживаться того распорядка, который установил его отец: после института — к брату, после больницы — домой. Косте казалось, что Милу все устраивает, она никогда не дулась и не ворчала, принимала Костино расписание как норму и добродушно следовала ей. И ему казалось, что так будет всегда. Оказалось, что нет. Терпение у Милы закончилось, ей хочется обычных студенческих радостей, ей хочется жить так, как живут все их ровесники.

Что же делать? Рассказать ей все? Нет, невозможно. Хотя, собственно, почему невозможно? Разве то, что они с отцом и мамой делают, стыдно? Грязно? Неприлично? Разве это недостойно, разве порочит его, Костю?

Стоп, одернул он себя. То, что они делают, пока еще в рамках закона. Но то, что отец собирается сделать, когда они найдут наконец Главного Врага, вполне вероятно, за оные рамки выйдет. И получится, что Мила — соучастница. Потому что знала, но никому не сообщила, не донесла. И их не попыталась удержать, не отговорила. Разве он имеет право втягивать девушку в такие неприятности? И потом, Мила, конечно, замечательная, самая лучшая, вопросов нет, но она — женщина и может проболтаться.

Он почувствовал, что начинает ненавидеть отца. Зачем он все это затеял? Разве Вадьке от этого легче? Не легче. Наоборот, ему плохо оттого, что отец не приходит и не говорит сыну, как любит его и что совсем на него не сердится. Разве маме лучше? Нет, не лучше, потому что приходится работать еще больше, чтобы оплачивать эту ненавистную грязную квартиру и Вадькино пребывание в клинике. А ему, Косте, каково? Конечно, сначала, когда отец только-только все это придумал и затеял, Косте было отлично, он чувствовал себя героем боевика, мстителем, ему казалось, что он плечом к плечу с отцом встал на защиту семьи. Ему было интересно и немного жутковато, как в детстве, когда он смотрел страшное шпионское кино. Но время шло, ничего не происходило, кроме нудного наблюдения, которое отец вел из машины или вместе с сыном из окна, и острота предощущения необычного, героического, суперменского — эта острота стала понемногу проходить. А теперь вот отцовская затея встала поперек Костиной жизни, поперек его любви. И выходит, что от всей отцовской затеи, с энтузиазмом когда-то поддержанной и мамой, и самим Костей, хорошо нынче только ему одному. А всем остальным членам его семьи — плохо.

Но ведь отец не отступится, не оставит задуманное. Он упрямый. И ему очень хочется снова стать главой семьи. Ему комфортно в той ситуации, которая сложилась сейчас; он раздает указания, его слушаются, ему подчиняются. Он — главный. И место это, вновь завоеванное, он не отдаст ни за что, Костя это прекрасно понимал. И что самое печальное, понимала это и мама, которая каждый раз, когда Костя пытался обсудить с ней поведение отца, пожаловаться на него, попросить заступиться и выговорить определенные поблажки, только вздыхала и говорила:

— Не спорь с папой, Костик, он лучше знает, как правильно.

И лицо у нее при этом бывало таким, что Костя отчетливо видел: она готова согласиться на все, что угодно, и терпеть до конца, только бы спасти почти развалившийся брак. Идея отца заставила их сплотиться, думать об одном и том же и действовать сообща, появилась тема для разговоров, в которых могли участвовать все трое — отец, мама и Костя. Появилась семья. Вернее, как сейчас уже говорил сам себе Костя, видимость семьи. Иллюзия. Это не настоящая семья, потому что разве может быть настоящей семья, в которой плохо всем, кроме одного?

— Милка, в твоей семье всем хорошо? — неожиданно спросил он, резко меняя тему обсуждения.

Мила вела машину, надувшись и сделав обиженное лицо. Вопрос застал ее врасплох, она ожидала, что если Костя заговорит, то это будут оправдания и просьбы потерпеть еще немного, пока брат поправится. Что-то вроде этого, но никак не вопрос о ее собственной семье. Выражение обиды сменилось на ее круглом хорошеньком личике недоумением.

— Почему ты спрашиваешь?

— Это важно, — настаивал Костя. — Мне нужно кое-что понять. И я хотел бы с тобой это обсудить.

— В моей семье всем классно, — ответила она, пожав плечами. — А что?

— А почему всем классно? — не отставал он.

— Потому что каждый при своем интересе. Папаня работает, деньги делает, девок заваливает, с партнерами время проводит. Мать к нему не лезет, он и доволен.

— А мама твоя? Разве ей это нравится?

— А чему тут не нравиться? Деньги он дает? Дает. Отчет у нее спрашивает? Нет. Она не работает, целыми днями делает что хочет, и за пропитание у нее голова не болит. Чем плохо-то? Он сам по себе, она сама по себе, для выхода в свет или поездки в отпуск они — образцовая семейка, а так живут каждый своей жизнью.

— А бабушка?

— Бабка-то? Да ей вообще лучше всех.

— Почему?

— Потому что сынок, в смысле — папаня мой, под пятой у жены не оказался, маму слушает, уважает. Это у них игрища такие, вроде как папаня к бабке с полным уважением и низкими реверансами, как домой явится, так первым делом не к жене и дочери обращается, а к маменьке. Бабка из себя главу рода изображает, во все суется, от всех отчета требует, и от меня тоже. Ну я тебе рассказывала, она боится, что на меня нищие мальчики покушаться будут со страшной силой. Вернее, на деньги моего папани. Но на самом деле, когда ей рассказываешь, она не слушает и не вникает, поэтому и советов не дает. Ей ведь что важно? Осознание того, что она спросила — и ей ответили, попробовали бы не ответить! То есть уважают, считаются. Фильмов насмотрелась, ходит по дому в прическе, в длинной юбке, кружевной кофточке, вся цацками обвешанная, канает за светскую старуху. Генеральша Епанчина, ни больше ни меньше. Вопрос задает, а мозгов, чтобы вникнуть в ответ, не хватает.

Костю покоробило то высокомерное пренебрежение, с которым Мила рассказывает о своей бабушке. Оказывается, девушка может быть не только ласковой и мягкой. Впрочем, он не знал, как складывались бы его отношения с бабушкой, ежели б таковая у него была. Обе бабушки и оба дедушки умерли, кто до Костиного рождения, кто когда он был совсем маленьким, так уж получилось. Так что осуждать Милу он поостерегся, неизвестно еще, как бы он сам вел себя в такой же ситуации. Но все равно ему было отчего-то неприятно.

— А тебе самой хорошо в такой семье? — спросил он.

— Отлично, — фыркнула Мила. — Я не понимаю, чего ты хочешь-то? Что ты собираешься от меня услышать? Что я страдаю без родительского внимания? Так ни капельки! Чем меньше они ко мне лезут, тем мне лучше. Или ты думаешь, что я прямо извелась вся от горя, потому что папаня трахает молоденьких красоточек, а маман устраивает свою личную жизнь доступными ей средствами? Не извелась, как видишь.

— И не боишься, что они разведутся? — не поверил Костя.

— Да как тебе сказать... Пожалуй, что и не боюсь. Для меня-то что изменится? Папаня без средств не оставит, он во мне души не чает, так что после развода вообще купюрами по горло засыплет. Под это дело я еще и свободу себе выторговать попробую, чтобы с маман не оставаться, пусть квартиру мне купит. Буду сама себе хозяйкой, тогда и бабка мне указывать не сможет, с кем встречаться, а кого отваживать.

— Тебя послушать, так выходит, что ты предков своих и не любишь совсем, — заметил он.

Мила мгновенно погрустнела и так резко повернула направо, в переулок, что чуть не подрезала идущий по соседней полосе «Фольксваген».

— Я бы очень хотела их любить, — негромко произнесла она, — но у меня как-то не получается. Понимаешь, принято считать, что любимое чадо — это чадо, у которого все есть. То есть для него родители стараются, в лепешку разбиваются, чтобы у ребенка было все, что нужно. Когда денег в семье мало, тогда ребенку стараются внимания побольше уделить, тепла, заботы. А когда денег навалом, так проще дорогие игрушки покупать и модные тряпки. Дитя довольно? Довольно. Что и требовалось доказать. Дитя-то глупое, оно же не понимает, что радость от игрушки или от модных штанов — не то же самое, что радость от совместно проведенного дня с походом в парк культуры или в театр. Радость — она и есть радость, и многие родители на это покупаются. Когда я совсем маленькой была, еще при советской власти, денег было немного, как у всех, и у меня не было каких-то невероятных зашибенных кукол или игрушек, зато я хорошо помню, как мы с родителями и с бабушкой, все вместе, ходили в Театр Образцова и в цирк. А летом на целый день в Парк Горького заваливались, аттракционы всякие, мороженое, газировка, обеды на свежем воздухе. Все вместе, понимаешь, Костик? И как потом я это месяцами вспоминала, картинки рисовала, в детском садике подружкам рассказывала. А когда я пошла в школу, уже начались деньги. Мама перестала работать, бабка светской львицей заделалась, все просто обалдели от этих денег. Про папаню и речи нет, он зарабатывал, ему не до меня было. И как-то так получилось, что любить меня стало означать заваливать меня подарками и всем тем, что можно купить. Я как дура радовалась, что лучше всех в классе одета, что у меня самые клевые кассеты и самый крутой видик, что у меня всегда есть карманные деньги и я могу девчонок чем угодно угостить, даже дорогими сигаретами. А теперь понимаю, что не надо было на этот крючок попадаться, надо мне было на все эти подарки кислую мину корчить, а радоваться только тогда, когда мы вместе куда-то ходили или что-то делали, да хоть бы просто книжку вслух читали, но задним-то умом, сам знаешь, мы все крепки. Откупаться всегда легче, чем душу вкладывать.

Костя слушал ее и вспоминал собственное детство, свое и Вадькино. Да, в нем было все то, чего так недоставало Миле и о чем она сейчас горюет. Отец и мама не жалели для сыновей ни времени, ни душевных сил, и были не только совместно проведенные выходные с театрами и аттракционами, но и долгие, полные приключений походы с рюкзаками и палатками, рыбалкой и ухой из котелка, и поездки в другие города, экскурсии, и многое, многое другое, что так объединяет родителей и детей. Все это было, пока отец не остался без работы. Тогда из веселого, сильного и уверенного в себе человека, боготворимого сыновьями и обожаемого женой, он постепенно превратился в вечно всем недовольного брюзгу, брызжущего ненавистью ко всем, чей достаток превышал его собственный. И семья стала разваливаться. Потому что на место любви и взаимной поддержки пришли неприязнь и необходимость «считаться и терпеть». И вот теперь появилось что-то похожее на ту, прежнюю семью... Можно ли пренебречь этим, разрушить непослушанием и явным протестом? Наверное, можно. Но мама, она ведь так радуется, что отец воспрял духом... Пусть отец сто, тысячу, миллион раз не прав, но ради мамы Костя готов потерпеть еще.

— Прости, Милка, я, наверное, все-таки не смогу пойти с тобой на день рождения.

— Почему? — холодно спросила она, так холодно, словно не она только что, минуту назад с горечью говорила о своей семье.

— Потому что у меня семья не такая, как у тебя.

— Какая это не такая?

— Понимаешь... У нас несчастье, у нас Вадька очень сильно болеет, и мы вокруг этого несчастья как бы сплотились, что ли... Я не знаю, как это объяснить... Мы должны друг друга поддерживать, быть вместе каждую минуту, свободную от работы или учебы, понимаешь? Если я пойду веселиться и праздновать, а родители останутся дома одни со своим горем, это получится как будто предательство. Понимаешь?

— Понимаю, — ответила она уже не так холодно. — Но это ведь не может длиться вечно. Люди не могут и не должны отказывать себе в радости, если кто-то один в семье болеет, это тоже неправильно. Когда случается беда — это шок, и тогда действительно все вместе, плечо к плечу. Но беда является бедой только в первое время, потом она превращается в элемент жизни, в ее неотъемлемую часть, к которой привыкают и не позволяют ей лишать себя нормальных радостей. Сколько времени болеет твой брат?

— С октября.

— А сейчас апрель заканчивается. Семь месяцев, — констатировала Мила. — За семь месяцев можно привыкнуть к любой беде настолько, чтобы не нуждаться в постоянной ежедневной поддержке. Ты не согласен?

В глубине души Костя был, разумеется, согласен. Но вслух сказать этого не мог, потому что придуманная им версия была единственным оправданием невозможности проводить с Милой не только дни, но и вечера. Или рассказать ей всю правду, или настаивать на своем.

— Это тебе только так кажется, — сурово произнес он. — В твоей семье, может, и за месяц привыкли бы, а в моей все по-другому. Мы все очень любим друг друга. Тебе этого не понять.

Он бил по больному месту, но для него важнее всего было сейчас оправдаться, любым способом, любыми средствами, но оправдаться.

— Ты прав, — ледяным голосом сказала Мила, — мне этого действительно не понять, это ты верно подметил.

Она остановила машину перед его домом и привычно подставила губы для поцелуя. Костя поцеловал ее, но ответа не почувствовал. Словно девушка хотела сказать ему, что внешне все останется как прежде, но на самом деле он обидел ее глубоко и несправедливо.

— До завтра, — он неуверенно улыбнулся ей.

— До завтра, — ответила она без улыбки и уехала.

Поднимаясь по ненавистной лестнице в ненавистную квартиру, Костя подумал, что к длинному перечню ненавистных объектов отныне прибавился еще один — он сам. Он слабак и дурак, он не должен был поддаваться желаниям и эмоциям и заводить отношения с девушкой, с которой не может быть до конца откровенным. Это только вначале кажется, что можно безнаказанно врать и сохранять нежность и теплоту, а потом-то все равно становится понятно, что «так» не выходит. Нужно или взять на себя ответственность и все рассказать Миле, чтобы она поняла, откуда взялось такое странное его расписание, и не сердилась, или поговорить с отцом, объяснить ему про Милу, попросить совета... или разрешения... и быть готовым выслушать от отца резкости и грубости, обвинения в том, что он не любит брата и готов предать его интересы ради первой попавшейся юбки. И будет ссора, перерастающая в затяжной конфликт, и все снова разрушится, даже иллюзия пропадет, иллюзия единства семьи во главе с сильным, все знающим и все умеющим отцом.

Эта иллюзия нужна маме. Вполне возможно, она нужна и Вадьке. И она, безусловно, нужна Косте. И в том, что эта иллюзия вошла в конфликт с Костиной личной жизнью, только его вина, Костина. Он сам виноват, кругом виноват, и в том, что случилось с Вадиком, и в том, что только что произошло между ним и Милой. И он ненавидел себя за это, за свою глупость и слабость, за свое неумение жертвовать собственными интересами во имя семьи.

Отца все еще не было дома, но зато была мама.

— Ученик заболел, — пояснила она, видя удивление вошедшего в прихожую сына. — Так что сегодня я пораньше освободилась. Как Вадик?

— Нормально. Ждет тебя в субботу. Очень горюет, что папа не приезжает. Мам, ты бы поговорила с отцом, а?

— О чем, сыночек?

— Ну, чтобы он к Вадьке ездил хоть иногда. А то Вадька думает, что отец его презирает за слабость, за то, что он сделал.

— Сынок, папа знает, что ему делать, — тихо ответила Анна Михайловна ставшей уже привычной фразой. — Я не могу ему указывать. Папа у нас в семье главный.

— И ты в это веришь? — с неожиданной злобой воскликнул он. — Ты сама-то веришь в то, что он главный?

— Ты что говоришь, Костя? — Голос матери стал строгим, в ней проснулся педагог-воспитатель. — Ты сам себя слышишь? Как ты смеешь так отзываться об отце?

— Смею. — Он почти захлебывался словами, перед глазами все стояли глаза Милы, когда он произнес эти страшные, чудовищные по своей жестокости слова: «Тебе этого не понять». Это были глаза раненого животного, которое подползло к человеческому жилью в надежде на помощь, а получило пинок кованым сапогом в живот. Какой же он подлец, как он мог так с ней разговаривать! — Смею, потому что это все обман, самообман, понимаешь, мам? Никому не нужно то, что мы тут делаем, ни Вадьке, ни мне, ни тебе. Для всех было бы гораздо лучше, если бы отец устроился хоть на какую-нибудь работу, и мы жили бы у себя дома, и папа ездил бы к Вадьке хотя бы два раза в неделю, и ты не бегала бы по урокам, а вместо этого ездила бы к Вадьке или занималась домом.

Вот тогда это была бы нормальная семья. А сейчас мы только делаем вид, что мы — семья и делаем одно общее дело. Да, мы делаем общее дело, но только знаешь какое? Не за Вадьку мстим, нет, мы отцом занимаемся, мы помогаем ему почувствовать себя хозяином, главным. Что, не так?

Анна Михайловна не отвечала, она молча смотрела на сына, и из ее широко распахнутых глаз катились слезы.

— Не плачь, мам, — попросил он упавшим голосом. Весь пыл его разом улетучился, он снова начал чувствовать себя негодяем, обидевшим человека. На этот раз маму. — Это я так, сгоряча. Я отца люблю, но я же не слепой, я все понимаю...

— Раз ты не слепой и все понимаешь, — тихо сказала мать, — то должен понимать все до конца. Вадику уже не поможешь, все, что могло с ним случиться, уже случилось, а папе еще можно помочь выбраться из той ямы, в которую он попал. И кто, как не мы с тобой, его самые близкие люди, должны оказать ему эту помощь.

— Но не такой же ценой!

Костя снова начал заводиться, не обращая внимания на то, что они с матерью так и стоят в полутемной прихожей.

— Какой ценой? Костик, о какой цене ты говоришь?

И в самом деле, о чем это он? О том, что он поссорился с Милой? Так не навсегда же, они уже почти и помирились, даже поцеловались на прощание, и она сказала, как обычно: «До завтра». О том, что он живет какой-то странной, несвойственной восемнадцатилетним парням жизнью? О том, что у него нет мобильника, что он не может пригласить в гости приятелей или девушку, что не может пойти на день рождения к сокурснице или всю ночь протанцевать в клубе? Тоже мне цена! Даже говорить об этом стыдно.

— Я говорю о том, что ты работаешь как вол, чтобы мы имели возможность снимать эту квартиру, — ответил он, краснея от мысли о том, что в первую очередь под «ценой» подразумевал собственные неудобства, а о матери подумал только потом.

— Это ерунда, папино самочувствие важнее.

— И для этого самочувствия он заставляет меня ухаживать за какой-то старухой! — почти выкрикнул Костя. — Мам, у меня есть девушка, я ее люблю, и я не хочу ни за кем больше ухаживать, втираться в доверие, придумывать всякие фокусы... А отец сказал, что, если мне не удастся ее разговорить, мне придется ее... с ней... в общем, ты сама понимаешь, о чем речь. Ты считаешь, что это все — маленькая цена?

— Пойдем ужинать, сынок, — вздохнула Анна Михайловна. — Ты устал, ты сердишься, никакого толкового разговора у нас не выйдет. Вот вернется папа...

Ну конечно, вернется папа, и все встанет на свои места. Жена пришла домой раньше и ждет заработавшегося мужа со службы, как и положено в образцовых патриархальных семьях. Костя окончательно понял, что для мамы самое главное — сохранить семью, вернуть тот распорядок, ту расстановку сил, которая была много лет и при которой все друг друга любили. При которой отец был главой семьи. Для мамы главное — психологический комфорт отца. Она — любящая и преданная жена, готовая ради мужа на любые жертвы. И можно ли ее за это осуждать?

Костя вяло сжевал приготовленный матерью ужин, стараясь не смотреть по сторонам, чтобы не видеть стены с ободранными обоями, покрытую неоттираемой ржавчиной кухонную раковину, прожженный незатушенными окурками линолеум на полу и вообще все, что он ненавидел в этой квартире. После ужина он послушно, выполняя указания отца, данные еще утром, сел у окна и уставился невидящим взглядом на подъезд дома напротив. Он даже не сразу заметил, как пришла Вероника в сопровождении какого-то дедка, они поговорили еще минут двадцать, прогуливаясь вдоль дома, потом Вероника вошла в подъезд, а дедок уковылял в сторону метро. Вот какие ей нужны поклонники, а вовсе не Костя.

Отец пришел поздно, почти в одиннадцать, голодный и злой.

— Ничего не могу понять, — раздраженно говорил он Косте и Анне Михайловне, — этот тип как сквозь землю провалился. Уж который день я его караулю возле дома, куда он пришел после встречи с доцентом, — и ничего. Там он не появляется, местные алкаши и бабки ничего про него не знают, и доцент с ним больше не встречается. Придется снова сесть на хвост доценту и ждать, пока они встретятся еще раз, другого выхода пока нет.

Ждать! Сколько же можно ждать? Еще месяц? Два? Полгода? Сколько же им еще прозябать в этой дыре, пропитанной духом убожества и неряшливости? Сколько еще Косте придется уворачиваться от объяснений с Милой и с приятелями, нарываясь на издевки, подначки и откровенные обиды? Сколько еще ему смотреть в печальные глаза брата Вадика и придумывать бодрые слова насчет того, что отец его любит больше жизни?

— Костя, от тебя теперь многое зависит, — строго сказал отец. — С этим якобы проректором мы пока зависли, так что действуй активнее, раскручивай свою Веронику, выжимай из нее сведения.

— У меня не получается, — пробормотал Костя. — Она ничего про мужа не рассказывает.

— Значит, плохо спрашиваешь, неизобретательно, скучно ведешь беседу. Работа разведчика — творческая, требует немалого интеллекта, а ты относишься к порученному делу как к повинности, которую надо поскорее отбыть и улечься спать, — непререкаемым тоном заявил отец.

— Я не знаю, как вести с ней беседу, чтобы ей было не скучно, — огрызнулся Костя. — Она меня вон на сколько старше. Ты бы сам попробовал, тогда бы и судил.

— А ты с мамой посоветуйся, она тебе подскажет, как и что нужно говорить, чтобы заинтересовать женщину.

С мамой... Косте вдруг пришло в голову, что Вероника, за которой ему велено ухаживать, всего на несколько лет моложе его матери, они же почти ровесницы. И то, что отец заставляет его сделать, стало казаться ему уже совершенно отвратительным. Он поймал взгляд матери, в котором надеялся прочитать те же мысли, которые вертелись сейчас у него в голове, но глаза Анны Михайловны выражали лишь настороженное внимание к мужу: все ли с ним в порядке, не подвергается ли сомнению его главенство, не собирается ли ненадежный помощник Костя устроить бунт на корабле и поколебать такой страшной ценой восстановленное самоуважение отца. С неожиданной болью Костя осознал, что мать ему сейчас не защитник, мать целиком на стороне отца, подыгрывает ему, делает из себя ту самую свиту, которая играет короля. Что же получается? Отец им помыкает, мать не защищает, Вадька болеет, и остался Костя совсем один. В такой большой семье — и один. Неужели так бывает?

А отец, как обычно, ничего не замечает, ни Костиных взглядов на мать, ни выражения ее лица. За все прожитые здесь месяцы у него выработалась привычка сидеть у окна и смотреть за домом напротив. Даже разговаривая, он не отрывает взгляда от окна и не поворачивается к собеседникам. И еду мама ему приносит в комнату, и курит он здесь же, хотя дома, на ТОЙ квартире, мама никогда не разрешала ему курить в том же помещении, где они спят. Теперь разрешает, потому что комнат всего две, в одной живет Костя, в другой — родители, а кухонное окно выходит на другую сторону, во двор, и из него не виден дом, где живет Враг-доцент. Поэтому наблюдение отец ведет из той же комнаты, где они с мамой спят, и много курит, и там постоянно открыта форточка, поэтому в комнате всегда стоит ужасный холод. Но отец и этого, кажется, не замечает, не кутается в теплые свитера, не зябнет и не жалуется.

— Иди, Костя, — жестко произнес отец. — Она вышла с собакой. Одевайся — и вперед.

НИКА

— Не забудь про плов, — напомнил мне на прощание Назар Захарович, — мы с Севой будем ждать.

— Не забуду, — искренне пообещала я. — Только я и вправду представления не имею, когда мы сможем это организовать. И так я всю неделю отпрашивалась под предлогом болезни, а если этим злоупотреблять, то ведь и уволить могут. Зачем им больная домработница? Они себе лучше здоровую найдут.

— Ладно, — вполне, как мне показалось, добродушно ответил Никотин.

Но его добродушие меня обмануло, вернее, оно таковым и не было, я обозналась. И поняла это уже через секунду, когда рядом со мной зашагал не добрый дядя Назар, а вкрадчивый и хитрый Аль Пачино из «Адвоката дьявола».

— Ну что ж, все волнения у тебя позади, и теперь скажи-ка мне, детка, начистоту: зачем тебе все это нужно было?

— Что — все? — недоуменно откликнулась я.

— Вся эта канитель с поисками шантажиста и уплатой собственных денег. Ведь они у тебя не найденные и не в наследство полученные. Это когда ты сам денег не заработал, с ними расставаться не жалко. А ты вот мне порассказала, как они тебе даются, деньги эти, и я точно знаю, что не просто так, не за красивые глаза своей Натальи ты их отдала.

— Так я ведь вам объясняла, дядя Назар: мне нужна эта работа, мне жить негде, и ни на какую другую работу меня не берут, потому что у меня нет прописки и вообще паспорт не российский. Вы что, забыли?

— Да нет, Ника, помню, с памятью у меня, слава богу, пока все хорошо. Только не убедила ты меня. Не верю я тебе. Ты что, очень его любишь?

— Кого? — оторопела я.

— Да хозяина твоего, Павла Николаевича. Ты ради него все это делала, да? Чтобы его спокойствие сохранить? Или на отца его нацелилась, бережешь его здоровье, потому что хочешь за него замуж выскочить?

Я расхохоталась. Ай да Бычков, ай да Никотин! А еще хвастался, что в людях разбирается, что был хорошим опером! Ну это ж надо такое придумать: я влюблена в Гомера! Или еще того покруче: нацелилась на вдовца с язвой, ишемической болезнью и сердечной недостаточностью. Мол, старик все равно долго не протянет, и останусь я при гражданстве, паспорте, прописке и жилплощади. Неужели я в глазах Никотина выгляжу такой дрянью? И не поэтому ли он сказал, что не женится на мне, да еще «шустрой стервой» назвал?

— Да ну вас, дядя Назар, — сказала я, отсмеявшись и вытирая выступившие слезы. — Вам надо романы про Анжелику сочинять. С чего это вам такие бредни в голову пришли?

— Да с того, детка, что то, что ты сделала, называется самопожертвованием, а с какого переляку тебе жертвовать собой ради совершенно чужих людей? И объяснения твои никуда не годятся, потому как могла ты спокойненько взять свои кровно заработанные денежки и уволиться из этой семейки к чертовой матери. Четыре с половиной тысячи зеленых долларов — сумма вполне достаточная, чтобы перекантоваться несколько месяцев, а то и год-полтора, снять жилье подешевле, в дальнем Подмосковье, и не спеша искать другую работу, где к тебе и отношение будет более человеческое, и условия не такие драконовские. Не приходило тебе в голову такое решение?

— Приходило, — согласилась я. — Только оно мне не понравилось.

— Почему?

— Оно сильно напоминает бегство с тонущего корабля. Наталья не справилась бы с ситуацией, и за здоровье и жизнь Николая Григорьевича я бы не смогла поручиться.

— А что тебе-то с его жизни и здоровья? Или ты все-таки на него нацелилась?

Голос у Никотина был веселым, но прохладным. Даже холодным. Холоднее, чем этот отнюдь не теплый апрельский вечер. А на пасхальную ночь синоптики вообще заморозки до минус трех обещали...

— Я врач, дядя Назар, — просто ответила я. — Не могу я бросить больного, которого мне доверили. Это во-первых.

— А во-вторых?

— Во-вторых, никакое это не самопожертвование. Это, если хотите знать, чистой воды эгоизм. Я не ради Сальниковых шантажиста искала, а исключительно ради себя. И больного я бросить не могу не потому, что мне его жалко, а потому, что я себя потом уважать не буду. Больной-то не пропадет, ему другую сиделку наймут. А вот что я с собой делать буду, со своей совестью? А? Мне обязательно нужно себя уважать, иначе я пропаду совсем.

— Да уж и пропадешь, — недоверчиво крякнул Никотин. — Тебя другие уважать станут, этого вполне достаточно, самой не так уж и обязательно.

— Вот и нет, — возразила я запальчиво. — И другие тоже не будут. Понимаете, дядя Назар, мир, в котором мы живем, — это огромное информационное поле. Все, что мы не только делаем, но и чувствуем, в этом поле остается и существует долгие годы, даже века. И мы эту информацию считываем и действуем в соответствии с ней. Вот человек любит себя и распространяет вокруг себя информацию: я чудесный, я замечательный, я достоин любви. Мы считываем, верим и действуем соответственно. Человек сам себя не уважает — мы принимаем информацию и тоже не уважаем его. Вы же сыщик, хоть и в прошлом, вы же наверняка слышали про экстрасенсов, которые помогают раскрывать преступления, а может, и сами пользовались их помощью.

— Случалось, — усмехнулся Никотин. — Только начальство об этом распространяться не велело, чтобы на смех не подняли.

— Вот видите. Экстрасенс — это человек, у которого способность считывать такую информацию обострена до предела, а у нас у всех эта способность тоже есть, только мало развита. Но вполне достаточно, чтобы не любить тех, кто сам себя не любит, и не уважать тех, кто себя не уважает. Так вот насчет самопожертвования я хотела сказать: когда человек всего себя вкладывает в интересы других, в чужую жизнь, забывая о себе и своих интересах и потребностях, он будто бы дает во внешний мир информацию, что-то вроде послания, дескать, мне ничего не нужно, мне не нужны забота, внимание, любовь, мне не нужно, чтобы со мной считались, у меня нет собственных потребностей. В одной книжке я прочитала замечательную метафору: мир — это огромный ксерокс, он просто копирует все то, что ты думаешь и чувствуешь. И если ты думаешь, что тебе ничего не нужно, то ты ничего и не получишь. Если ты скажешь: «Я хочу», то жизнь оставит тебя в этом состоянии надолго, если не навсегда. Ты так и будешь хотеть, но желаемого не получишь.

— А как же? — удивился Никотин. — Что ж, по этой твоей завиральной теории, и хотеть ничего нельзя? Ты же вот хочешь, чтобы у тебя был свой дом и все остальное прочее.

— Так я не просто хочу, я делаю все, что нужно, чтобы у меня это было. Понимаете разницу? Я отдаю свои деньги так, словно у меня их куры не клюют и от меня не убудет, и мир эту информацию считывает. Если я считаю, что у меня достаточно денег, то их и будет достаточно. А если я буду жадничать и думать, что у меня их и без того мало, так у меня их всегда будет недостаточно. В общем, хотите — верьте, хотите — нет, но жизнью эта моя теория много раз проверена. Только следовать ей очень трудно, поэтому я и плакала ночами. Вообще делать правильно обычно бывает трудно. Легко только мастерам, а я не мастер.

— Мастерам? Это кто ж такие?

— Это те, у кого степень духовной зрелости высокая. А я этим пока похвастаться не могу. Я самая обыкновенная. И я ничем ни для кого не жертвую, потому как занятие это пустое. Я делаю то, что нужно для достижения моей цели, и мир эту информацию считает и обязательно мне поможет. Вообще-то, я понимаю, все это кажется вам чистой воды бреднями, но я не настаиваю на том, чтобы верили в мои теории, тем более они и не мои вовсе, я про них в некоторых книгах читала, и они мне понравились, показались правдоподобными. Вы просто примите во внимание, что я сама в них верю и действую исходя из них. А вовсе не из корыстных соображений женить на себе Николая Григорьевича и не из страстной тайной и неразделенной любви к мужу Натальи.

— Я не говорил, что она у тебя неразделенная, — ехидно заметил Никотин. — Страстная и тайная — вполне может быть, но одновременно она может быть и разделенной.

Ну Никотин! Ну точно — яд. Я даже возмутилась такой наглостью.

— Вы что же, полагаете, будто я могу тайком спать с хозяином? Жить в доме, где меня приютили, есть их пищу и гадить хозяйке? Хорошего же вы обо мне мнения, дядя Назар!

— Э-э-э, деточка, потише на поворотах, — осадил меня Назар Захарович. — Перво-наперво, не надо овцой прикидываться, тебя не приютили, а наняли домработницей с проживанием и столом, это все учтено в твоей зарплате, так что никто тебе никаких одолжений не делал. Или ты мне наврала, и все было не так?

— Нет, было так. Но все равно...

— А во-вторых, — перебил меня он, — сегодня у нас

четверг, познакомились мы с тобой в понедельник вечером, то есть сейчас вот только ровно трое суток миновало. Ты вдумайся, Ника, трое суток всего, а если посчитать часы, которые мы с тобой провели вместе, так вообще смешная цифра окажется. И ты уже обижаешься, что я о тебе какого-то не такого мнения. А какое у меня мнение-то может быть, если мы с тобой, считай, и незнакомы совсем? Что я о тебе знаю? Только то, что ты сама мне рассказала. А ну как ты врала?

Он был прав, совершенно прав, этот морщинистый плешивый Никотин с глазами уверенного в себе победителя, и мне вдруг стало так весело, как не было уже давно. Господи, мы знакомы трое суток, а на самом деле — и того меньше, и я уже сегодня ухитрилась настырно, пусть и с оговорками, пусть и осаживая себя, но думать о том, чтобы выйти за него замуж! Я что, с ума сошла? Где моя голова? Где здравый смысл?

Он — потрясающий. Он действительно уникален. И наверное, он не преувеличивал, когда говорил, что был хорошим опером. Потому что за три встречи и несколько часов общения он сумел создать в моих глазах такой образ, который невозможно ни разрушить, ни затмить. Может, это все ложь, и на самом деле он совсем не такой, это все игра, спектакль, театр одного актера, но за несколько часов слепить из себя человека, которого, кажется, знаешь сто лет и готов еще сто лет любить, — это тоже надо суметь. Для этого нужен талант. И убедил он меня до такой степени, что я ухитрилась возмутиться его «каким-то не таким» мнением о себе. Это ж надо! То есть мое ощущение давнего знакомства было действительно сильным, если я поверила в то, что за время этого знакомства Никотину следовало бы меня узнать получше и не строить в мой адрес всяческих чудовищных предположений.

Давясь хохотом, я пересказала ему на словах свои быстро мелькнувшие мысли, и теперь мы с ним смеялись уже вдвоем.

А потом мы распрощались. Я пообещала позванивать и не забыть про плов, дядя Назар ничего не обещал, только по руке меня похлопал. И сказал напоследок:

— Удачи тебе, детка. Если будет нужна помощь — ты знаешь, кого просить.

Дома все было спокойно, за время моего отсутствия катастрофических разрушений не произошло. Даже Аргон, обожравшийся днем конфет, мирно спал на своей подстилке под воздействием антигистаминного препарата, и никаких волдырей ни на его морде, ни на боках я не обнаружила. И Николай Григорьевич чувствовал себя удовлетворительно, сегодня его кормили правильно и кастрюльки не перепутали. И даже паскудник Патрик ухитрился воздержаться от сведения счетов с предательницей Аленой.

Всех укормив и все перемыв, я принялась будить Аргона для вечернего «собакинга». Жаль, конечно, пусть бы пес поспал, но ведь писать-то он рано или поздно захочет, и если сейчас проявить жалость и либерализм, то придется выводить его среди ночи. А я, между прочим, тоже человек, и не хуже прочих-некоторых, я по ночам все-таки спать предпочитаю.

Растолкав собаку, я повела его на улицу. Аргон был, естественно, вялым, бегать и интересоваться окружающим миром не хотел совершенно, быстро справил свои неотложные нужды и весьма недвусмысленно давал понять, что пора бы и возвращаться к подстилочке и сладкому сну. Я, в принципе, не возражала, мне тоже хотелось лечь и расслабиться. Но тут на горизонте показался юный Вертер по имени Костя. Унылый, такой же вялый, как мой Аргон, и чем-то ужасно раздраженный. Наверное, его конфликт с родителями принял затяжной характер.

— Что с вами, Костя, вы не больны? — вежливо спросила я.

— Наверное, болен, — не то согласился, не то предположил мальчик. — Голова тяжелая, и настроение паршивое.

— Температуры нет? Не измерял?

— Вроде нет.

— Не знобит? Ноги не ломит?

— Да нет, кажется.

— Значит, переутомился, перезанимался, — успокоила я его. — У студентов это часто бывает, вы же не умеете планировать и распределять нагрузку, неделями дурака валяете, потом кидаетесь наверстывать перед рубежным контролем, ночами не спите, поесть забываете, память напрягаете. Типичная картина. Шли бы вы спать, Костя. Дело-то к полуночи, а вам вставать рано. И не вздумайте завтра утром гулять со мной, выспитесь как следует.

Может, я ничего и не понимаю в людях, я, конечно, не Назар Захарович Бычков и хорошим опером никогда не была, но голову могу дать на отсечение — Косте явно нравилось то, что я говорила. Нравилось, что можно, не теряя лица, развернуться и возвращаться домой. И нравилось, что можно завтра не вскакивать ни свет ни заря, чтобы погулять со мной и с собакой. То есть мальчик поддался порыву, вполне вероятно — под влиянием ссоры с родителями, когда захотелось уйти из дома, но непонятно — куда, познакомился со мной, признался в своих симпатиях (не стану употреблять в данном контексте выражение «признался в своих чувствах», ибо оно звучит сомнительно и не совсем уместно), попросил разрешения гулять со мной по утрам и вечерам, а теперь не знает, что с этим делать. Вроде бы какие-то обещания дал, вроде бы взрослый мужчина со взрослой влюбленностью, и как-то ему теперь неудобно... Вот бедняга! Мужики постарше и поопытнее смотрят на такие вещи просто: мало ли что они вчера говорили в порыве страсти, сегодня-то порыва нет, стало быть, и слова совсем другие. А этот «последний романтик», наверное, полагает, что раз заикнулся, то отныне должен соответствовать. Господи, какой же он еще маленький и глупенький! Детский сад, ясельная группа.

— А вы не обидитесь, если я вернусь домой? Я правда что-то плохо себя чувствую.

Ну точно, так и есть. Он думает, что если не будет со мной гулять, то я обижусь. Как будто он мне что-то должен!

— Не обижусь, — улыбнулась я. — Между прочим, по образованию и по профессии я врач, и здоровье человека для меня всегда на первом месте.

Если бы у меня было две головы, то я и вторую дала бы на отсечение, что при этих моих словах Костя испытал облегчение. Наивный маленький дурачок.

Он еще пару минут помялся, интересной темы для разговора не нашел и покинул меня. А я, идя на поводу у скучающего и демонстративно зевающего Аргона, вернулась домой.

Вот и все, думала я, расстилая постель и укладывая голову на подушку под Патриковым брюшком, все и закончилось. Закончился этот невероятно длинный день, начавшийся в понедельник, закончилась эпопея с шантажистом. Ну, почти закончилась. Мне предстоит еще пережить первую половину завтрашнего дня, и если звонка с требованием денег не будет, я вздохну спокойно. А если будет? Я немедленно обращусь к Севе Огородникову, и он все уладит. Самое главное — обеспечить отсутствие хозяев дома на момент звонка. На двенадцать часов дня я вроде бы застрахована, но ведь кто сказал, что шантажисты — люди пунктуальные? Никто этого не говорил. Этот гаденыш может позвонить и не в полдень, как мы уговаривались, а куда позже или вообще вечером, и к телефону подойдет сама Наталья, и кто знает, что тогда случится... Нет, если у него есть хоть чуть-чуть мозгов, он не станет звонить в другое время, ведь я, выступая в роли Натальи, предупредила, когда назначала время звонка, что буду в это время одна и смогу свободно разговаривать.

Утро сложилось по графику и без неожиданностей. Костя мирно спал (я так думаю) и на свидание не явился. Старый Хозяин, Денис, Алена, Гомер и Наталья встали, позавтракали (каждый в свое время и по отдельному меню) и разошлись, кто по месту работы или учебы, кто по комнатам. Мадам, дважды предупрежденная накануне о необходимости везти деда на собрание, не забыла о своем обещании и в начале одиннадцатого погрузила свекра в автомобиль. Я осталась одна в компании животных.

Такие спокойные минуты выпадали мне за время работы в Семье нечасто, только когда Николай Григорьевич уезжал, а случалось это, как я уже рассказывала, примерно раз в два месяца. В остальное время я никогда не оставалась совсем одна в квартире. Надо бы заняться уборкой... Нет, лучше сходить на базар и в магазин, до двенадцати времени достаточно. Уборку можно делать, когда Главный Объект дома, а вот за продуктами мне приходится, как правило, бегать бегом, чтобы успеть вклиниться в промежуток времени, пока кто-то из Сальниковых находится рядом с дедом, и никого не задержать и не подвести. А базар, как известно, спешки не любит. Это в супермаркете можно схватить любую, скажем, буханку хлеба из двадцати других, того же сорта, лежащих рядом, потому что все они одинаковые, с одного хлебозавода и из одной партии муки. И если нужно купить масло определенной марки, то просто отыскиваешь на полке знакомую упаковку и, не глядя, бросаешь в тележку. На базаре не то. Прежде чем что-то купить, надо обойти все ряды, все просмотреть, поинтересоваться ценой, пощупать, понюхать, попробовать, поговорить с продавцами, чтобы определить, действительно ли овощ или фрукт выращен в Подмосковье или привезен из южных республик. И только после этого составлять план, у кого, что и сколько покупать. А если в твоем распоряжении пятнадцать-двадцать минут на все про все, то покупки получаются далеко не самые удачные, и берешь вовсе не то, чего на самом деле хочешь, а то, что успеваешь и что подворачивается под руку.

Или бог с ним, с базаром? Животных оставлять одних опасно, вчерашний день — яркий тому пример, а ведь дома была Наталья, и то Патрик умудрился накормить Аргона запрещенными конфетами. Конечно, можно запереть котов в санузле, где стоят их лоточки, пусть покукуют в обществе друг друга, а Аргона изолировать в прихожей, закрыв двери во все помещения и убрав из зоны видимости и «доставаемости» все кожаное и меховое, дабы уберечь пса от соблазна погрызть и пожевать. Хозяева так поступать не разрешают, я неоднократно предлагала этот вариант, и каждый раз он встречался в штыки, как негуманный по отношению к животным, но ведь никого дома нет и в ближайшие два часа не предвидится, никто не узнает. Нет, не по мне это, нельзя — значит, нельзя. Я, конечно, хитрая, изворотливая, даже где-то находчивая, но не подлая, в том смысле, что не делаю того, что не разрешено, исподтишка. Нельзя — значит, нельзя, соблюдение хозяйских указаний оплачивается моей зарплатой. Тогда, стало быть, уборка. Или ну ее?

Может, просто посидеть тихонечко с книжкой, заварить себе свежего зеленого чаю и понаслаждаться одиночеством? Имею я, в конце концов, право на отдых или как?

Чай я заварила и даже выпила две пиалушки, но потом меня загрызла совесть. Обернуться с базаром я уже не успевала до двенадцати, поэтому достала тряпки, чистящие средства и пылесос и занялась делом.

Лучше бы я пошла на базар, честное слово! Потому что в половине двенадцатого тренькнул звонок, и, когда я открыла, на пороге тамбурной двери стоял собственной персоной Евгений Николаевич Сальников, младший сын Николая Григорьевича и Аделаиды Тимофеевны и, соответственно, младший брат Великого Слепца. Тот самый «брат Евгений», который злоупотреблял алкоголем и заставлял Старого Хозяина столь трепетно относиться к «нарушениям режима» со стороны старшего сына.

С Евгением Николаевичем я уже была знакома, за время моей работы он приходил несколько раз. Каждый его визит был как две капли воды похож на предыдущий, вплоть до времени суток. Всегда в первой половине дня. Всегда с похмелья. Всегда в приличном костюме, выбритый и с вымытыми волосами. Всегда с бодрой улыбкой и жадно блестящими глазами. Но это — на поверхности. На самом же деле, то есть в глубине, картина получалась примерно такая: длительная и обильная пьянка, потом два-три дня «добавления» в меру финансовых возможностей, потом визит в семью брата, потому что деньги закончились, а здесь можно перехватить и денег, и выпивки. Нальют обязательно, отказать не посмеют, все же вокруг интеллигентные люди, и ни у кого язык не повернется вслух произнести: ты алкоголик, я не дам тебе денег и не налью водки. Все же делают хорошую мину и строят образцовую семью обеспеченных «новых русских». И главное — никто не пойдет на открытый скандал, иначе папа разволнуется, а ему нервничать нельзя. Значит, будут улыбаться, сцепив зубы, наливать, подавать закуску, потихоньку подкидывать деньжат «на поправку здоровья». Можно было бы, конечно, просто попросить денег и быстренько ретироваться, но не таков у нас Евгений Николаевич. Он хоть и бывший, но интеллигент, он любит, чтобы все было красиво, и стол чистый, и тарелки белоснежные, и еда вкусная, и водка из холодильника, и стопочка до прозрачности отмытая. И чтобы не пить в одиночку. Ибо питие без компании — вернейший признак алкоголизма. Разумеется, при уходах в глубокие многодневные запои Евгений Николаевич и в одиночку не гнушается водочку выкушивать, поскольку до алкоголизма он все-таки допился. Но при менее тяжелых ситуациях он все еще надеется обмануть окружающих и самого себя и строит эдакого вполне благополучного, но временно неудачливого в делах и в личной жизни богемного интеллигента, решившего в свободное время навестить родственников.

Насчет неудачливости в делах — тут все правда. Образование у братьев Сальниковых совершенно одинаковое, потому как покойная Адочка обоих сыновей в свой институт учиться устроила. Но если спокойный, флегматичный и, смею надеяться, рассудительный Гомер сумел без излишней суеты, шума и пыли найти себе вполне прибыльное дело, без гигантского размаха, скромненькое, но зато стабильное, и при этом, уйдя с преподавательской работы, остаться в том же институте не то почасовиком, не то на полставки, чтобы не терять на всякий случай педстаж, то его младший братец, обуреваемый идеями немедленного обогащения и порочным (правда, непонятно откуда взявшимся) представлением о собственной исключительности, принялся с приходом новой экономической ситуации метаться в разные концы, наделал глупостей, подорвал свою репутацию и растерял всех друзей. Через некоторое время приобрел новых, но уже не тех, с которыми можно было вести дела, а исключительно таких, с которыми хорошо было «расслабляться» в алкогольно-закусочном антураже, мня себя непризнанным гением и понося общую несправедливость мироустройства.

На данный исторический момент Евгений Николаевич нигде не работал уже года три и жил, равно как и пил, на деньги друзей, собутыльников, но в основном — женщин. Природа наделила его внешностью не только очень привлекательной, но и устойчивой к разрушительному воздействию алкоголя. Честно говоря, он был куда красивее Гомера. И находятся, находятся пока еще женщины с деньгами и подходящим характером и менталитетом, которые «покупаются» на яркую Женечкину внешность и имидж печального гения. Правда, быстро прозревают и бросают его, но на их место тут же приходят другие, так что до подзаборного подыхания безденежному Евгению Николаевичу пока далеко. Если с ним что и случится, так только от пьянства, но отнюдь не от голода и нищеты. Перехватывать же деньжат у семьи брата он является, насколько я понимаю, именно в те моменты, которые случаются между женщинами — предыдущей, уже бросившей его, и следующей, еще не вступившей на стезю подруги гения.

Евгений Николаевич был расчетлив и никогда не приходил вечером. Картина «Семья в сборе» его совершенно не устраивала. Еще с тех времен, когда я здесь не работала, он взял за правило приходить в первой половине дня, когда дома с Николаем Григорьевичем сидели либо Наталья, либо Алена, либо Денис, либо кто-то из «приглашенных» — временные сиделки или знакомые. Встречаться с братом он избегал. Гомер, несмотря на слепоту и нежелание ни во что вмешиваться, с братом обращался без снисхождения, и хотя и давал деньги (родной ведь брат-то, как откажешь), но при этом устраивал жестокие разборки и выбором выражений себя не затруднял. Для Алены и Дениса он был старшим, дядюшкой, и они прекословить не смели. Наталья же вообще дамочка бесхарактерная, ссориться не любит, зато стремится выглядеть любезной и светской и до скандала не опускается. Что же до Николая Григорьевича, то Евгению было отлично известно, что отец без особой нужды из своей комнаты не выходит и о приходе сына, если вести себя правильно, не узнает. Под правильным поведением в данном случае понимается пребывание на кухне и разговор вполголоса. У Натальи он просил деньги впрямую, открытым текстом, всем же остальным, то есть детям, посторонним, а впоследствии и мне, деловым тоном сообщалось, что он, Евгений Николаевич, заскочил за деньгами, потому что Павел попросил его купить одну штуку (какую именно — никогда не уточнялось, но никто и не спрашивал), и Евгению прямо сейчас нужно за ней ехать. Искренне веря красивому мужчине с приятными манерами, дети или «временно сидящие» посторонние звонили Павлу Николаевичу и получали сухое указание, где взять деньги и сколько дать. Я точно знала, что ни Алену, ни Дениса эти увертки не обманывали, они прекрасно понимали, что такое их дядя Женя и зачем ему деньги, но все играли в одну общую игру под названием «Семья Сальниковых — семья без недостатков и уродов».

И вот это счастье под названием Евгений Николаевич как раз и привалило мне в разгар уборки и за полчаса до возможного звонка шантажиста.

— Здравствуйте, Ника, — светским тоном поприветствовал он меня. — Паша дома?

— Нет, Евгений Николаевич, он на работе, — таким же светским тоном ничего не ведающей прислуги ответила я. — Он вам срочно нужен?

— Вообще-то да. Я достал ему один каталог, о котором он давно меня просил, нужно до двух часов его выкупить, а у меня денег не хватает, поиздержался в последнее время.

Дальше все шло по давно написанному сценарию. Евгений позвонил брату и строгим голосом произнес:

— Паша, мне нужны деньги.

Потом передал мне трубку, и я получила указание дать Евгению три тысячи рублей из тех, что были выданы мне сегодня утром «на хозяйство». О том, что после такой выдачи мне будет не с чем идти за продуктами, Гомер, как водится, не подумал. Но я, извините, тоже не овца, которая покорно идет на заклание. Если Великий Слепец готов остаться без ужина — это его личное дело, но оставить Старого Хозяина без диетпитания я не имею права. И, кстати, сегодня последний срок оплаты счета за междугородные переговоры, если не заплатить — моментом телефон отключат, на Замоскворецком телефонном узле нравы строгие.

— Евгений Николаевич, к сожалению, дома денег нет, Павел Николаевич велел мне дать вам три тысячи, но тогда мне не на что будет покупать продукты. Две тысячи вас устроят?

— Да, вполне, — быстро ответил он, протягивая руку, боясь, наверное, что я сейчас вспомню еще про какие-нибудь неотложные траты и сокращу «выдачу» до микроскопических размеров.

Я дала ему деньги и, как полагается в приличных домах, предложила выпить чаю.

— Я сегодня не успел позавтракать, — с видом замотанного проблемами бизнесмена сказал Евгений. — Так что чайку выпью с удовольствием.

По правилам игры в этот момент мне полагалось всполошиться, заохать и немедленно кинуться кормить несчастного. Правила я знала, так что, опустив оханье и хлопанье крыльями, пригласила гостя к столу. Евгений хорошо знал, где хранится спиртное, и наливал себе сам, не спрашивая разрешения и не ожидая милостей от природы.

Он ел и пил, точнее — выпивал и закусывал, настойчиво предлагая мне присоединиться к нему (ключевая фраза этой роли: «Я же не алкоголик какой-нибудь, чтобы пить в одиночку), я же мило улыбалась и энергично отказывалась, ссылаясь на только что пройденный курс лечения «от головы» и высокую вероятность рецидива (ключевая фраза: «Конечно, ты не алкоголик, никто и не сомневается, и вообще принятие спиртного в дообеденное время абсолютно нормально, как питье чая или кофе, и я с удовольствием присоединилась бы к тебе в этом нормальном поступке, но вот голова...»).

А время шло. Мне очень хотелось, чтобы оптимизм Севочки Огородникова оказался оправданным и никто бы не позвонил. Но вдруг? И разговаривать с шантажистом в присутствии Евгения Николаевича мне, как вы сами понимаете, вовсе не хотелось.

А Гомеров братец, утолив первую жажду, почувствовал себя явно лучше и выказал готовность побеседовать.

— Как папа? Он дома?

Я, соблюдая вежливую меру в изложении подробностей, отчиталась о состоянии здоровья Николая Григорьевича и о том, что он уехал на собрание ветеранов.

— А Наталья как?

Последовал краткий рапорт о делах Мадам, о том, как хорошо она подстриглась в последний раз, и о том, что недавно она закончила работу с очередным клиентом и теперь отдыхает, пока нет новых заказов. Далее пришлось повествовать о Денисе и Алене, и напоследок — о животных. Про животных Евгений любил слушать больше всего, особенно про котов — Каську и Патрика. Впрочем, подобная сентиментальность для алкоголиков не редкость. Я понимала, что вопросы свои он задает не потому, что ему действительно интересно, а единственно потому, что нужно же чем-то оправдать свое сидение за столом на кухне. Еду вроде съел, деньги получил, надо бы встать и уйти, но как уйдешь, когда еще полбутылки осталось, а за разговором можно понемногу подливать себе, вроде как внимательно слушая.

В пять минут первого зазвонил телефон. Я вздрогнула, на мгновение у меня потемнело в глазах.

Но это была всего лишь Наталья.

— С Николаем Григорьевичем все в порядке, я его отвезла. Вы ходили в магазин?

Мне показалось, что голос у нее расстроенный и какой-то потерянный.

— Пока нет, я уборку затеяла, а тут Евгений Николаевич зашел...

— Женя? Он уже ушел?

— Нет еще.

— Скоро уйдет?

— Кажется, да. Но я не уверена.

— А пришел давно?

— Минут тридцать назад.

— Значит, скоро, — заключила Наталья. — Мне никто не звонил?

— Нет, Наталья Сергеевна, никто не звонил.

Вот оно что, а я-то недоумевала, откуда этот странный вопрос про магазин. Ей хотелось узнать, не звонили ли ей и была ли я все время дома или отлучалась. И голос расстроенный. Кажется, я догадываюсь, в чем дело. Любовник. Она собиралась с ним встретиться, а он не позвонил и, видимо, сам на звонки не отвечает. Похоже, его супруга жестко взяла его в оборот в ответ на не менее жесткие меры со стороны людей Огородникова.

— Хорошо. — Но голос у Натальи сделался совсем упавшим, и стало понятно, что ничего хорошего тут нет и быть не может. — Если мне будут звонить, пусть перезванивают на мобильный.

— Вы приедете обедать?

— Нет.

Еще через полчаса мне удалось наконец выпроводить Евгения Николаевича и вернуться к прерванной уборке. А шантажист не позвонил.

В три часа явилась Алена. Съела свой обед и полезла в холодильник.

— Что ты ищешь? — спросила я.

— Йогурт с черной смородиной.

— Ты же никогда не ешь йогурты днем, — удивилась я. — Ты их утром съедаешь.

— А я хочу днем, — сердито возразила Алена. — Вы что, в магазин сегодня не ходили?

— Пока нет.

— Но ведь деда нет дома, он же на собрании. Могли бы и сходить.

— А животные? Их нельзя оставлять без присмотра.

Алена как-то странно взглянула на меня и неожиданно улыбнулась.

— Ника, если вам нужно в магазин, вы идите, я никуда не ухожу, так что зверей покараулю.

— А танцы? — снова удивилась я. — У тебя же сегодня степ.

— Не пойду, у меня нога болит.

— Хочешь, чтобы я посмотрела твою ногу? — предложила я вполне нейтрально.

— Да нет, не нужно. У меня это бывает. Через два дня пройдет.

Я пожала плечами. Не хочет — не надо, леди с фаэтону — пони легче. Однако что это с нашей девочкой? Поведение совершенно необычное, сначала йогурт средь бела дня, потом готовность отпустить меня в магазин. Что-то происходит... Может, она влюбилась и, подобно всем влюбленным, совершает странные поступки и хочет, чтобы все были счастливы?

Но так или иначе, в магазин я пошла. И на базар.

А вечером, в восьмом часу, обнаружилось, что у Аргона все-таки аллергия. И какая! Десны стали ярко-красными, все тело покрылось волдырями. Многие собаки ощущают это как недомогание, но Аргон вдобавок ко всему еще и чесался. И ужасно страдал. Наверное, это индивидуальная его особенность.

К этому времени дома были все, кроме Великого Слепца, и болезнь собаки вызвала настоящий переполох, хотя на самом деле ничего страшного не произошло. Да, пес страдал, но заболевание-то не смертельное. Я сунула ему в пасть полтаблетки супрастина и держала за морду, пока он не проглотил горькое лекарство. Вообще-то, это было странно, потому что конфеты он ел вчера, и вчера же я делала ему укол. Почему аллергическая реакция наступила через сутки, прорвавшись сквозь введенный вовремя препарат? Может, лекарство оказалось просроченным, или некачественным, или вообще поддельным, и это аллергия не на конфеты, а на сам препарат? К сожалению, вчерашняя ампула была последней, я и коробку выбросила, и сегодня проверить свои подозрения уже не могла.

Первой, как обычно, выступила Алена.

— Куда вы смотрели, Ника? Собака съела что-то, а вы проморгали. Мы вам за что деньги платим?

— Меня не было дома, — отбивалась я.

— Неправда, вы видели, как Аргон ел конфеты, вы сами вчера говорили. Это при вас было.

— Когда я пришла, он их уже целую кучу слопал. Я немедленно дала ему лекарство.

Мне было противно, что я вынуждена оправдываться перед девчонкой. Наталья только ахала и за меня не заступалась, хотя, строго говоря, проморгала Аргона с Патриком и конфетами именно она.

— Значит, вы какое-то не такое лекарство дали, — распалялась Алена. — Вы же видите, что с собакой творится! Сделайте же что-нибудь, что вы стоите, вам за что деньги платят?

— Я уже сделала все, что нужно. Через два часа все пройдет.

— А если не пройдет? У него никогда не было такой аллергии!

— Если не пройдет, вызовем врача, — я изо всех сил старалась быть спокойной и не повышать голос, но видит бог, чего мне это стоило.

— А если врача не будет? Если он уехал, его в Москве нет?

— Тогда отвезем в лечебницу. Успокойся, пожалуйста.

— Да как я могу успокоиться, когда вы собаку упустили! Вы ее загубили! Вас вечно нет дома, и за животными смотреть некому.

Ах вот, значит, как! Ты, маленькая «очень новая русская», отлично помнишь, что, когда Аргон лопал конфеты, меня дома не было. И все равно орешь на меня.

— Алена, зачем ты так? Ника была у врача, — вяло встряла Наталья, до которой наконец дошло, как погано ведет себя ее дочь. — Я сама ее отпустила.

— Вот и не надо было отпускать.

Наталья махнула рукой и умолкла. Через некоторое время я спросила у Алены, можно ли делать уборку в ее комнате. Как я уже говорила, в отсутствие девочки мне не то что убирать там, а даже просто заходить не разрешалось. Алена молча встала в проеме двери и наблюдала за моими действиями. Я вытерла пыль и включила пылесос. И тут...

Алена этого не ожидала. Не то забыла, не то не рассчитала чего-то. Из-под дивана я выгребла кучку конфетных оберток. Немаленькую такую кучку. И все встало на свои места: и ее любезное предложение отпустить меня в магазин, и йогурт, который ей непременно захотелось съесть, и странная аллергическая реакция, наступившая через сутки после поедания конфет. Да не через сутки, какие уж там сутки! Реакция наступила, как ей и положено, в интервале от тридцати минут до двух часов. Ах, мерзавка! Ты накормила доверчивого пса конфетами, накормила потихоньку, чтобы никто не видел, и фантики спрятала у себя в комнате, под диван засунула. Думала, наверное, завтра унести и выбросить, а когда я спросила про уборку, ты вовремя не сообразила, что я их найду, и разрешила мне убирать.

Мы молча смотрели на красноречивое свидетельство ее преступления. Я — с вопросом: мол, зачем? Для чего ты это сделала? Чтобы меня подставить? Но для чего? Чем я тебе мешаю? В чем я тебе соперница? Алена смотрела с вызовом и одновременно со страхом. Она замерла у двери в ожидании неминуемой расправы, но старалась выглядеть независимой и спокойной. И, конечно же, невинной, аки ангел. Дескать, ну фантики, ну от конфет, а что такого? Что я, не имею права в собственном доме держать фантики под собственным диваном? О том, что эти конфеты она съела сама, и речи быть не могло, уж очень эта девочка заботилась о своей стройности. Одну конфетку она могла себе позволить, да и то раз в неделю, но количество оберток превышало два десятка. Обертки были одинаковыми, и это изначально похоронило мысль о том, что они скапливались в течение, скажем, года. Если бы эти конфеты были съедены за год, фантики были бы разными, и потом, я уже давно нашла бы их (по одному) во время уборки. Но фантики были одинаковыми, и что самое противное, это были не те конфеты, что лежали в вазе на кухне. За все время работы в Семье я таких и не покупала ни разу. Значит, их купила Алена. Купила специально, чтобы мне напакостить. Наверное, её коварный план созрел еще вчера, когда я рассказала о том, как Патрик воровал сладости для своего друга, и просила не давать Аргону ничего опасного хотя бы в течение недели. Надо же, паршивка какая, даже пса не пожалела, до того ей хотелось меня уесть и устроить истерику на тему: «Мама, зачем ты разрешаешь ей уходить из дому!» Прислуга должна быть при кухне, и нечего ей разгуливать по своим личным делам.

Я, все так же молча, собрала фантики и продолжила уборку. Наталье я ничего не сказала. Да и зачем? Что это изменит? Алена не станет относиться ко мне лучше, Мадам не станет относиться к дочери хуже, да мне этого и не нужно. А для чего производить действия, не имеющие практического смысла?

В последующие несколько дней шантажист так и не позвонил. Через неделю я совершенно успокоилась и сказала себе, что через это испытание я прошла с наименьшими потерями.

Глава 8

НА СОСЕДНЕЙ УЛИЦЕ

Всё шло не так, как он задумал. И Игорь никак не мог понять почему. Почему эта старуха, учительница Ольга Петровна, вдруг оказалась такой строптивой, будто первая красавица, делающая одолжение захудалому поклоннику. Да она прыгать от счастья должна, радоваться, что молодой мужик польстился на ее сомнительные увядшие прелести, а она морду воротит! Что не так? Где он просчитался?

У Игоря был план, согласно которому Ольга должна полностью попасть к нему в зависимость, и в психологическую, и в сексуальную, и когда он ее поработит, вот тогда и вышвырнет вон, предварительно напомнив о собственном позоре, виновницей которого считал, конечно же, только ее. Его расчетливый ум рисовал картины одна другой слаще, но действительность отчего-то шла по совершенно иному пути, не только не приближаясь к заветному, нарисованному воображением спектаклю, а, напротив, отдаляясь от него.

Ольга Петровна вопреки ожиданиям избегала Игоря. С того самого первого раза, когда он ловко уложил ее в постель и потом так гордился своими достижениями, она больше ни разу не позволила ему приблизиться к себе. В самом буквальном смысле. Ее домашний телефон вел себя так, словно был отключен. Правда, один раз она все-таки сняла трубку и поговорила с ним.

— Игорек, не нужно мне звонить. И встречать меня у метро больше не нужно.

— Почему? — легким тоном спросил он, еще не подозревая ни о чем. — Ты боишься, что твои родные узнают обо мне и станут тебя осуждать?

Собственно, этого-то он хотел больше всего. В его планы входило не только тотальное порабощение немолодой любовницы, но и максимально широкая огласка их отношений в кругу ее близких и знакомых. Пусть все знают, и родственники, и сослуживцы, и друзья, и даже соседи по дому. Пусть знают, пусть судачат, показывают на нее пальцем, сперва неодобрительно, а потом, когда он ее бросит... Вот тогда ей жизнь медом-то не покажется! Игорь уже составил программу действий, позволяющих добиться максимального результата, представлял себе, как будет знакомиться с дочерью и зятем Ольги, с ее приятельницами, с соседками. Он все продумал.

— Почему ты не хочешь, чтобы я звонил? Ты ведь не замужем, живешь одна, кого тебе бояться?

— Я просто не хочу, чтобы ты звонил.

— Хорошо, я буду приходить к тебе без звонка, — он был ласков и покладист, как и положено влюбленному.

— Ты не будешь ко мне приходить.

Ага, она все-таки боится соседей. Тем лучше.

— Значит, ты ко мне?

— Я к тебе тоже не приду.

— Где же мы будем встречаться?

— Нигде.

— Я что-то не понял...

— Игорь, мы не будем больше встречаться. Ты что, плохо понимаешь русский язык? Я не хочу, чтобы ты звонил, и не хочу, чтобы ты приходил, ни ко мне домой, ни к метро, ни к школе, где я работаю.

— Ты не хочешь меня видеть? — До него наконец стало доходить.

— Не хочу.

— Но почему? Я чем-то обидел тебя?

— Нет, Игорек. Чем ты мог меня обидеть?

— Тогда в чем дело? Что ты выдумываешь, Ольга?

— Я не могу спать с мужчиной, которого не люблю. Это тебе понятно?

Это было понятно в теории. Но не применительно к сложившейся ситуации. Конечно, не нужно спать с мужчиной, которого не любишь, с этим никто и не спорит. Но ведь она же его любит! Она же столько времени принимала его ухаживания, ходила с ним по театрам и выставкам, позволяла провожать себя и даже допускала некоторые интимные ласки при прощании в подъезде или в прихожей ее квартиры. И если наконец соизволила лечь с ним в постель, то только лишь потому, что любит. А как иначе-то?

При всем своем цинизме и полном моральном соответствии современности Игорь Савенков был убежден, что все женщины, с которыми он был близок, любили его. Может, с какими-то другими мужчинами они и шли на близость из любопытства, из мести, от скуки или по пьяному делу, но только не с ним. Его — любили. И Ольга любит. Чего она там городит? Глупость какая-то. Она просто нервничает из-за нестандартности ситуации. Нужно дать ей время успокоиться. Ничего, он позвонит ей завтра.

Но назавтра дозвониться до Ольги Петровны Игорю не удалось. Домашний телефон не отвечал, служебного он не знал. Ольга уже давно работала в другой школе, не в той, в которой он учился, и даже как-то говорила ему номер этой школы, но он забыл... Вот дурак-то! Надо было внимательно слушать, запоминать, заранее узнать адрес, а заодно и телефон учительской, но ему тогда казалось, что все идет по графику, и когда нужно будет — она сама даст номер, по которому ее можно разыскать в рабочее время. И адрес школы даст, и он станет встречать ее после работы, целовать и обнимать на глазах у коллег-учителей, а желательно и на глазах учеников, чтобы все всё знали, судачили, показывали пальцем, качали головами, сально шутили и мерзко хихикали за ее спиной. А когда он ее бросит — делали бы то же самое, но уже в глаза. Кто ж мог предположить, что она взбрыкнет?

Ладно, школу он найдет, невелика сложность. Пойдет

в свою старую школу и спросит, как найти любимую учительницу литературы, ему там все скажут, и в какой школе она теперь работает, и как туда позвонить. Пока суетиться не будем, дадим несчастной старушке еще пару дней, чтобы она поняла, какого счастья лишается из-за своих глупых выходок. Не может же она вечно не снимать трубку, когда-нибудь да ответит.

Но Ольга трубку не снимала. Прошла неделя, и Игорь всерьез забеспокоился. Он не понимал, что происходит, и отправился к метро, чтобы встретить ее, когда она будет возвращаться с работы. У него и на этот случай был составлен план. Он — с огромным букетом цветов, с большой коробкой конфет и дорогим вином. Она — напряженная и смущенная. Он провожает ее до дома, поднимается вместе с ней в квартиру, а там... Нежность, ласка, умеренный натиск и соответствующие слова. После этого Ольга уже никуда не денется.

Но опять все пошло не так. Увидев его возле метро, Ольга помрачнела и сказала довольно резко:

— Я же просила не встречать меня. Мои слова для тебя ничего не значат?

Конечно, они ничего для Игоря не значили. Ровным счетом ничего. Значение имели только его желания и планы. Он смотрел на нее и не мог придумать, что ответить. Видно, Ольга до того, как вошла в метро, попала под дождь, юбка и блузка намокли и теперь, после давки в час пик, выглядели мятыми и неопрятными. И краска на глазах немного потекла. Немолодая, помятая жизнью и транспортом, усталая женщина. А он, молодой и сильный мужик, мнется тут перед ней, как нашкодивший пацан, и подыскивает слова, которые могли бы привести к нужному результату.

— Я соскучился, — виновато пробормотал он. — Почему ты меня гонишь? Ты мне не рада?

— А я не соскучилась. И я тебя гоню, потому что я тебе действительно не рада.

Эта ее дурацкая манера учителя отвечать обязательно на все вопросы! И этот ее тон, словно Игорь в чем-то провинился. С ума она сошла, что ли? Что она себе позволяет, эта пенсионерка? Думает, что если в молодости была красивой, так до глубокой старости сможет помыкать мужиками? Как бы не так!

— Ольга, нам нужно поговорить, — решительно произнес Игорь и взял ее под руку.

Она выдернула руку, но не пошла по направлению к дому, как он ожидал, а сделала несколько шагов в сторону и остановилась.

— Хорошо, давай поговорим. О чем?

— О нас с тобой.

— Это не тема для разговора. Здесь просто нечего обсуждать. Неужели ты не понимаешь?

Он не понимал. Он и в самом деле не понимал. И все искал, мучительно искал слова, подходящие к случаю, слова, которые сломили бы ее сопротивление, заставили бы растаять. Но найти такие слова не мог, потому что не понимал, отчего она сопротивляется и почему не хочет с ним разговаривать.

— Нет, я не пониманию, — пришлось признаться ему. — Я не понимаю, что происходит, Ольга. Неделю назад все было так замечательно, и что теперь?

— Теперь мне стыдно. Я отвратительна сама себе. Мне неприятно вспоминать о том, что произошло. Соответственно, мне неприятно вспоминать о тебе, и уж тем более видеть тебя и говорить с тобой. Что еще тебе непонятно?

— Почему тебе стыдно?

Вопрос был глупым, Игорь и сам это понимал, но ничего другого произнести не сумел — растерялся. К таким словам он готов не был.

— Потому что я сделала недопустимую вещь. Я позволила себе пойти на близость с мужчиной, с которым у меня нет ни духовной, ни интеллектуальной общности.

Боже мой, какие красивые слова она произносит! Духовная и интеллектуальная общность, вы только подумайте! Да кто она такая? Старуха! Стоит себе в мятой юбке и мятой блузке, с потекшей косметикой, с морщинами и сединой и строит из себя высоколобую девственницу. Неделя всего прошла с того момента, когда она чуть ли не мурлыкала в его объятиях, и что же?

— Ты хочешь сказать, что тебе со мной скучно? — нахмурился Игорь.

Никак иначе он «духовную и интеллектуальную общность» истолковать не мог.

— Нет, Игорь, мне не скучно с тобой, — Ольга слегка улыбнулась, и он чуть-чуть воспрял духом. — Так же, как мне не скучно с моей внучкой. Или с моими учениками. Ты понимаешь разницу?

О да, вот теперь он отчетливо понял все, что она пыталась ему объяснить. Ведь он уже был ее учеником. Когда-то давно. Ей не было скучно с ним, как не скучно бывает с собакой, с которой гуляешь, играешь, наблюдаешь за ее повадками и умиляешься, какая же она умненькая, как хорошо все понимает, ну прямо как человек. Но никому ведь в голову не придет заниматься с ней любовью. Так, что ли? Он для нее щенок-молокосос, с которым все забавно, но несерьезно? Зачем же тогда она...

— Зачем же ты...

Он хотел сказать грубость, назвать вещи своими именами, но удержался. Может быть, не все еще потеряно, может быть, ему удастся осуществить задуманное до конца, и не следует ее отпугивать откровенным хамством. Фраза так и повисла, оставшись неоконченной.

— Зачем же я легла с тобой в постель? — жестко договорила Ольга Петровна. — Ты ведь это хотел спросить?

— Да. Так зачем же, если у тебя нет со мной этой самой общности?

— Не знаю. Я сделала глупость, в которой теперь раскаиваюсь. Мне не нужен молодой любовник. И тем более мне не нужен любовник, в чувствах которого я сомневаюсь.

— Ты что, не веришь мне? — Он активно разыгрывал возмущение и казался сам себе очень убедительным.

— Не верю, — Ольга покачала головой. — Не верю, Игорь. У меня нет разумного объяснения твоему поведению.

Ох, как он помнил этот ее словесный оборот! Сколько раз он слышал его во время уроков литературы, когда учительница Ольга Петровна выговаривала кому-то из учеников, нарушающих дисциплину.

— Какие тебе нужны объяснения?

— Они мне не нужны, — снова неясная, смутная улыбка тронула ее губы и тут же погасла, — не нужны, потому что их нет и быть не может. Какие-то объяснения, конечно, есть, ведь без мотива нет поступка, во всяком случае у мыслящего существа, но эти объяснения нельзя отнести к разумным.

И это тоже он слышал неоднократно, еще в школе. Она совсем не изменилась, его первая страстная любовь Ольга Петровна, учительница литературы и русского. Она произносит те же самые слова, заученные многолетним повторением в классе, и с той же самой интонацией. Если бы она вдобавок ко всему еще и оставалась такой же молодой и красивой, как тогда, когда он любил ее без памяти!

Его охватила злость. Даже не злость — злоба, яростно кипящая в горле и готовая выплеснуться страшными словами, после которых уже никогда ничего нельзя будет поправить.

Но ему удалось и на этот раз сдержаться, и даже найти более или менее удачный ответ.

— Ты считаешь любовь недостаточно разумным основанием?

Ольга взглянула остро, но без интереса. Формулировка, которая, по его замыслу, должна была опрокинуть все ее резоны, кажется, не сработала.

— Уж не хочешь ли ты сказать, что любишь меня?

Опа! Такого поворота Игорь не ожидал. Никогда и ни одной своей женщине он не говорил, что любит ее. Это было принципиальным для него. Они — пусть говорят что хотят, это их дело. Но он никогда не скажет таких слов сам, он не даст загнать себя в угол и потом спекулировать неосторожным признанием. Знаем мы эти фокусы! «Ты же говорил, что любишь, а сам...» и так далее. Ничего он не говорил. И никто не сможет его ни в чем упрекнуть. И вообще, зачем врать-то? Раз не любит, так и не говорит, что любит, все по-честному. И когда он задавал свой вопрос, он, собственно, имел в виду любовь Ольги к нему как основание для физической близости. Но она все переиначила, поставила с ног на голову, и теперь ему нужно как-то отвечать. А как? Поступиться принципами и сказать, что он ее любит? Да у него язык не повернется. Он и самой красивой из своих подруг этого не сказал, а уж старухе-то...

Но что же делать? Надо ведь что-то ответить, и чем дольше он молчит, тем очевиднее ответ: нет, он ее не любит, и никаких разумных оснований для ухаживаний, а уж тем более для настойчивых преследований и выяснения отношений у него нет. Ну давай же, язык, проворачивайся, давай же, мозг, соображай и посылай команду языку!

— Хочу, — с трудом выдавил Игорь, прервав наконец затянувшуюся до неприличия паузу.

Ему удалось все-таки обойтись без опасного и многообязывающего слова, и казалось, что крутой вираж пройден. Но не тут-то было. Он постоянно помнил о том, как хороша была Ольга Петровна семнадцать лет назад и в какую средненькую бабенку она превратилась, он помнил о том, что она была его учительницей и выставила на всеобщее осмеяние, но он совершенно забыл о том, что она не только была школьным учителем, она и продолжала им оставаться все эти годы. Более того, она была из тех учителей-словесников, которые не терпят мямленья и невнятности речей. Уж об этом-то он должен был помнить! Но нет, забыл, в голову не брал, сосредоточился исключительно на том, что Ольга немолода, одинока, лишена сексуальных радостей и поэтому наверняка станет легкой добычей.

— Что — хочу? — строго спросила она, как будто сидела за учительским столом в классе, а он отвечал у доски про четвертый сон Веры Палны по Чернышевскому. — Чего ты хочешь? Выражайся яснее, будь добр.

Попался. Он попался как дурак. Сам же спровоцировал ее своим вопросом. Ну ничего, он вывернется, как всегда выворачивался.

— Я хочу, чтобы все, что произошло неделю назад, повторилось, и не один раз. Я хочу, чтобы ты приходила ко мне. И я хочу, чтобы ты не гнала меня и отвечала на мои звонки.

Вот как! И ни слова о любви. А попробуй-ка придерись!

— Список претензий понятен. — Ольга усмехнулась и поудобнее перехватила тяжелую сумку, которую держала в руке. — Сожалею, но соответствовать твоим претензиям не могу. Я не хочу никаких повторений. И не хочу никаких обсуждений вокруг этой темы. Ты ни в чем не виноват, Игорек, — она заговорила мягче, даже почти ласково, — ты не сделал, по сути, ничего плохого. Ты просто сделал то, что хотел. Ты не должен был думать о том, что впоследствии мне это будет неприятно. Об этом следовало бы подумать мне, но я позволила себе непростительно забыться.

— Значит, ты не сердишься? — обрадовался Игорь.

— Сержусь.

— Но почему? Ты же сама сказала, что я ничего плохого не делаю.

— Я сказала «не сделал», а не «не делаешь», — поправила она его учительским тоном. — Кажется, я в свое время перехвалила твоего учителя русского языка, ты не чувствуешь разницы между совершенными и несовершенными глаголами. В том, что ты сделал неделю назад, нет ничего плохого. А вот то, что ты делаешь сейчас, — плохо. Я по телефону сказала тебе, что мы больше не будем встречаться, что я не хочу тебя видеть, и просила не звонить, не подстерегать меня у метро и не приходить ко мне домой. Я тебя просила, понимаешь? И как ты отнесся к моей просьбе? Не могу сказать, что с уважением. Ты сделал и продолжаешь делать то, что мне неприятно и чего я хотела бы избежать. Разве это правильно?

— Значит, ты меня бросаешь только лишь потому, что я не выполнил твою просьбу? Ты меня бросаешь за то, что я хотел тебя увидеть, хотел быть с тобой, за то, что я скучал по тебе? — коварно спросил он, радуясь, что удалось зацепиться за формулировку и выставить Ольгу дурой. — Других провинностей за мной не числится?

Она смотрела на него пристально, но, как и прежде, без интереса. Мимо бестолково текла толпа выходящих из метро людей, их то и дело толкали, но Ольга Петровна стояла как вкопанная, не делая ни шагу в сторону. Стояла, смотрела на него и молчала.

Игорю стало неуютно. Он за последние годы привык быть лидером в любом общении, особенно с женщинами, и совершенно не умел держать паузу. Паузы пугали его, но он всегда находил, что сказать и чем ее заполнить.

— Не хочу оскорблять тебя недоверием, — произнесла Ольга, когда он уже совсем отчаялся, видя, как ситуация выходит из-под контроля, — поэтому не стану утверждать, что ты лжешь. Давай расстанемся на том, что мы не нужны друг другу.

— Но ты мне нужна!

— А ты мне — нет. Мне очень жаль, но это так. И я прошу тебя не провожать меня сейчас и не пытаться встретиться со мной в дальнейшем. И не звонить. Ты выполнишь мою просьбу?

Да черт с ней, не будет он ни на чем настаивать, сейчас он просто не готов разбивать ее оборонные сооружения. Он вернется домой, еще раз мысленно прогонит весь разговор, найдет ее уязвимые места и составит план следующего разговора. Он тщательно подготовится, и уж тогда ей не увернуться. А теперь пусть идет, пусть думает, что он послушный мальчик, с которым она справилась одной левой.

— Выполню, — кивнул он. — Ты можешь не беспокоиться, я не пойду за тобой.

— И все остальное выполнишь?

— Выполню, — повторил Игорь. — Я сделаю все, как ты хочешь. Но я хочу, чтобы ты знала: мне без тебя очень плохо.

Она снова молча смотрела на него несколько секунд, потом сказала:

— Ох, врешь.

Повернулась и пошла прочь. И непонятно, к чему относились ее последние слова, к обещанию ли выполнить ее просьбу или к тому, что Игорю плохо без нее. Собственно, ложью было и то, и другое, но Игорь Савенков полагал, что об этом знает только он один.

Однако он ошибался. Еще неделя понадобилась ему для того, чтобы приготовиться к решительной атаке, продумать каждую фразу, вплоть до интонации, разработать варианты течения разговора при том или ином повороте. Наконец он решил, что момент настал, и отправился к Ольге домой. Вечером, попозже, когда она наверняка дома.

На звонок в дверь ему не открыли. Он прислушался, но никаких звуков в квартире не уловил. Наверное, к дочке поехала или к подруге. Что ж, самое время начать приводить в действие план по преданию их отношений огласке. Игорь решительно позвонил в соседнюю дверь.

Ему открыла красивая девушка лет двадцати пяти.

— Простите, я ищу Ольгу Петровну, вы не знаете случайно... — начал он, и девушка тут же кивнула.

— Вы — Игорь? — полуутвердительно спросила она.

— Да, — растерянно подтвердил он.

— Ольга Петровна предупреждала, что вы можете ее искать. Она оставила вам письмо. Сейчас я принесу, подождите минутку.

Девушка скрылась в глубине квартиры, оставив его на пороге, недоуменно переминающегося с ноги на ногу.

— Вот, — она вернулась и протянула Игорю запечатанный конверт. — Ольга Петровна просила вам передать.

— Что значит — передать? А она сама где?

— Она уехала к подруге.

— Надолго?

— На несколько месяцев. У ее подруги кто-то тяжело заболел, надо помогать... В общем, я не поняла, но мне-то без разницы. Ольга Петровна предупредила, что ее не будет, оставила ключи, чтобы я цветы поливала, и письмо для вас.

— А адрес? Телефон? Как с ней связаться?

— Не знаю. Она ничего не оставила, ни адреса, ни телефона.

— А вдруг у нее квартиру зальет или авария какая-нибудь? — продолжал допытываться Игорь. — Должна же быть связь с хозяйкой квартиры.

— Но она же оставила ключи, — резонно возразила девушка. — И потом, она сама будет звонить раз в три дня, она обещала. И заезжать будет, у нее же вещи все остались, одежда и все такое... Короче, не знаю, это не мое дело. Берите письмо.

Она не выказывала ни малейшего желания продолжать разговор. Игорь вдруг обратил внимание на то, как красиво она одета, совсем не по-домашнему, несмотря на поздний вечер. И макияж наложен. И музыка доносится из комнаты. Все понятно, у нее гости, может быть, романтическое свидание, а он со своими вопросами... Пора уходить.

Стоя на хорошо освещенной лестничной площадке

перед квартирой Ольги, он внимательно рассмотрел конверт. Самый обычный, длинный, белый. С надписью четким учительским почерком: «Игорю Савенкову».

Он вскрыл письмо, с удивлением отметив, что руки дрожат.

«Ты вынуждаешь меня временно переехать. Если ты читаешь это письмо, значит, ты не выполнил мою просьбу и не сдержал свое обещание. Ты обманул меня. Впрочем, чего-то подобного я и ожидала. Помнишь, я сказала, что не верю тебе? Какое-то время я даже казнилась, упрекая себя в том, что, возможно, напрасно обидела тебя, заподозрив во лжи. Нет, выходит, не напрасно. Если ты читаешь эти строки, значит, я была права. Еще раз извини за то, что так получилось. История вышла некрасивая, мы оба оказались не на высоте, я — в большей степени, ты — в меньшей. И я полагаю, будет правильным, если мы не станем возвращаться к ней. Не имеет смысла ничего выяснять и определять, как мы друг к другу относимся. Мы просто не нужны друг другу, ни я тебе, ни ты мне.

Всего тебе самого доброго,

Ольга».

Никакой выспренности, никаких страстей и ни малейшего трагизма. Не прощальное письмо, а сухая деловая записка. Черт знает что за баба! Срывает все его планы. Получается, что он выпустил ее из рук, так и не сделав самого главного. Он не успел сказать ей... И она так ничего и не узнала. То есть он мучился, ухаживал за ней, изображал влюбленного, таскался с ней по театрам и всяким там богемным заведениям, даже сексуальный подвиг совершил, и во имя чего? Вожделенного удовольствия от развязки он не получил.

Упустил, кретин...

Ничего, начинается лето, в школе каникулы, учителя уходят в отпуск, и Ольга уедет куда-нибудь со своей драгоценной внучкой. А в сентябре она вернется, решит, что все утихло, что Игорь ее забыл, и станет жить, как прежде, у себя дома. Расслабится, потеряет нюх, утратит бдительность и спрячет поглубже свои колючки. Вот тут-то он ее и достанет. Да так, что она уже не вывернется. Он своего добьется. Всегда добивался, а чем этот раз хуже предыдущих? Ничем.

НИКА

Альбомов было много. Они стояли в ряд на книжной полке в бывшем кабинете Адочки, и иногда я подолгу рассматривала фотографии. Конечно, сначала эти снимки я смотрела вместе со Старым Хозяином, примерно раз в месяц на него находили ностальгические приступы, когда ему хотелось окунуться в прошлое, и не наедине с самим собой, а с кем-нибудь, кому можно было бы порассказать о том, что запечатлено на фотографии, и повспоминать вслух. Этим «кем-то» была, разумеется, я, поскольку всем остальным членам Семьи воспоминания были не нужны, им и сегодняшнего дня хватало.

После третьего или четвертого совместного просмотра картинок семейной истории я уже начала ориентироваться в них самостоятельно, благо память на лица у меня неплохая, и иногда, сидя в своей комнатке, доставала альбомы и разглядывала снимки, пытаясь увидеть в них не то, о чем говорил Николай Григорьевич, а нечто иное, оставшееся за кадром или за рамками повествования. Особенно интересны мне были групповые снимки, ведь так занятно, разглядывая, кто с кем стоит, кто как одет и кто на кого смотрит, додумывать, что же происходило с людьми в этот момент на самом деле. Я не пыталась проникнуть в семейные тайны, я всего лишь хотела окунуться в чужие отношения и тем самым восполнить недостаток общения с подругами. Ведь о чем обычно болтают между собой женщины? Ну конечно, о том, что она сказала, а он ответил, а она спросила, а он пообещал, а она... а он... Это не досужие сплетни, а привычный модус вивенди большинства моих сестер, укореняющийся с возрастом. Когда нас почему-либо лишают возможности обсудить чужие отношения друг с другом, мы начинаем смотреть безразмерные сериалы и обсуждать уже их.

После разрыва с Олегом я растеряла всех подруг. Я не могла больше ездить к ним в гости. Я не могла приглашать их к себе. Я не могла, как прежде, часами болтать с ними по телефону. Если дрова не подбрасывать, огонь в камине гаснет, это даже ребенку понятно. И потом, мои московские подруги все до одной были женами друзей или сослуживцев Олега, других подруг у меня и появиться не могло, я ведь не работала. После того как Олег меня бросил, эти милые дамы оказались в сложном положении, ведь их мужья продолжали дружить и общаться с ним. Мужья проявили мужскую солидарность, а вот женам-то что делать? Примкнуть к мужьям или образовать коалицию под лозунгом: «Ты дружишь с подонком, мы тебя не одобряем, а Нику любим и будем поддерживать»? Разумеется, они предпочли мужей, а не меня, и я их за это не осуждаю. Я все понимаю и не обижаюсь. Просто констатирую факт: в Москве у меня нет ни одного по-настоящему близкого человека. О своей жизни я и так все знаю, а о чужой поговорить не с кем.

Вот я и добираю, восполняя дефицит женского (ладно, если хотите — бабского) общения рассматриванием чужих семейных фото и додумыванием или откровенным «сочинительством» чужих историй.

Но сегодня мы смотрели альбомы вместе с Николаем Григорьевичем, которому в очередной раз захотелось тряхнуть стариной.

Фотографироваться Сальниковы любили, что да, то да! Каждую веху запечатлевали, не было только фотографий Дениса в возрасте до годика (ну, это и понятно), зато Аленино движение по возрастной лестнице отмечалось лет до шести чуть ли не помесячно. И надписи такие строгие: Алена, 3 месяца и 12 дней, или 1 год 7 месяцев и 4 дня, или 5 лет и 6 месяцев. Похоже на дневник наблюдений за развитием клетки.

Много было на этих снимках и Аделаиды Тимофеевны, и безумно интересно мне было отслеживать, как с годами красивое ее, беззаботное и радостное лицо приобретало черты властности, начальственной строгости, неприступности. Чуть позже стала появляться жесткость. Еще позже — негибкость, в народе называемая упертостью, а в психологии — ригидностью. Мне казалось, что с возрастом ее душа окостеневала вместе с позвоночником. Нет, она не становилась грубой или жестокой, она просто переставала поддаваться небольшим, мягким воздействиям, как перестает под влиянием остеохондроза слушаться позвоночник.

— Это мы с Адочкой на приеме в английском посольстве, — рассказывал Старый Хозяин, хотя я все это уже знала наизусть. — Адочке тогда присудили премию Вудсворта за одну научную разработку. А вот это Адочка с учениками, она тогда уже была доктором наук и профессором кафедры, это ее выпускники.

Слушать пояснения было скучно. Куда интереснее было узнавать то, что выходило за рамки сухой подписи к снимку.

— А почему Аделаида Тимофеевна так тепло одета, не по сезону? — спрашивала я. — Ведь выпуск всегда бывает летом, в конце июня, вот и дата здесь стоит: 28 июня 1969 года.

— Может быть, лето было холодным? — предположил Главный Объект.

— Да нет, вот смотрите, все выпускники в легких платьицах и в рубашках с короткими рукавами — ясно, что погода теплая. А Аделаида Тимофеевна в твидовом костюме и плаще.

— Да, действительно, — рассеянно согласился он. — Я как-то не замечал.

— Может быть, ее знобило, она болела, плохо себя чувствовала?

— Не помню...

— Может быть, она прилетела из командировки утром того же дня и приехала на выпуск прямо из аэропорта? — продолжала допытываться я. — Может, она летала куда-нибудь в Заполярье?

— Не помню... Хотя да, вы правы, Никочка, она действительно летала в Мурманск, да-да, теперь я вспоминаю, именно в Мурманск, там проходили испытания на полигоне, а Адочка была головным разработчиком нового сплава. Она еще тогда замерзла ужасно, простудилась... Да, конечно, именно так все и было. Я еще помню, — оживился Николай Григорьевич, — к концу церемонии выпуска она уже так плохо себя чувствовала, что не досидела до конца вручения дипломов, извинилась, вызвала служебную машину и уехала домой. Павлушеньке было десять лет, он тогда, помнится, страшно испугался, ему показалось, что мама умирает...

Вот ради таких деталей я и задавала свои вопросы. Слушая Старого Хозяина, я начинала лучше представлять себе и даже понимать не только его покойную жену, но и Павлушеньку, и подрастающего Женечку, и юную Наташеньку, ушедшую от мужа с годовалым сыном на руках.

— А вот это Женечка на субботнике, в десятом классе. Они убирали строительный мусор на спортплощадке.

Узнаю, узнаю, как же! Та самая спортплощадка, на которой я разминаюсь во время вечернего «собакинга». Когда младший сын Сальниковых заканчивал школу, Семья уже жила здесь, в этом доме, и школа находилась неподалеку. На фотографии Евгений стоял с граблями в руках в окружении двух одноклассниц, модненьких и хорошеньких. Судя по остальным фигурам, попавшим в кадр, а было их не менее пятнадцати, это были самые красивые и хорошо одетые девочки в классе. Да и Сальников-младший выделялся среди других высоким ростом, мощными плечами и уже сформировавшимися чертами красивого мужественного лица. И куда только все девается? Глядя на него, шестнадцатилетнего, не сомневающегося в том, что вся жизнь принадлежит исключительно ему и будущее его будет веселым, счастливым и богатым, трудно поверить, что этот красивый высоченный парень превратится в никчемного алкаша, спекулирующего внешней привлекательностью, чтобы доить очередную женщину, стреляющего у брата деньги на опохмел и бездарно растрачивающего свое здоровье и всю свою такую, в сущности, короткую жизнь.

— А кто эти девочки рядом с Женей? — спросила я как-то.

— Не знаю.

— А вот эта девочка? А этот мальчик?

Но Николай Григорьевич ничего не знал. Он не знал никого из одноклассников своих сыновей. Ни единого человека. В околоальбомных беседах выяснилось, что ни он сам, ни его сверхзанятая судьбами Отечества супруга ни разу не посетили ни одного родительского собрания и не были знакомы ни с одним учителем. Мальчики учились хорошо, дисциплину не нарушали, родителей в школу не вызывали, чего же еще? А одноклассники к ним в гости не ходили.

— Знаете, Никочка, это было не принято, — объяснял Старый Хозяин. — У нас жилищные условия были значительно лучше, чем у других детей, я бы сказал, это был принципиально другой уровень. Адочка занимала высокие должности, я служил сами знаете где. Огромная квартира, хорошие дорогие вещи, дефицитные продукты на столе — наша жизнь очень резко отличалась от той жизни, которой жили одноклассники мальчиков. Зачем вносить разлад в детские души, порождать зависть, недоброжелательство? Вот если бы Павлушенька и Женечка учились в какой-нибудь элитной школе, где много детей из семей высшего руководства, тогда другое дело.

— Почему же они не учились в элитной школе?

Моему любопытству не было пределов. Но Старого Хозяина это, кажется, не смущало, он был рад поговорить о былом, тем более если это кому-то интересно.

— Адочка хотела, чтобы дети учились поближе к дому. Она считала, что это дисциплинирует.

— В каком смысле?

— Видите ли, Никочка, когда школа далеко от дома, то всегда велик соблазн после уроков куда-нибудь пойти с друзьями, в кино или просто погулять, пошататься без дела. Тем более такие школы в Москве находились в основном в самом центре, а там красивая жизнь очень на виду. Вы понимаете, о чем я? А когда от школы до дома всего пять-десять минут ходьбы мимо обшарпанных домов без магазинов и кинотеатров, то соблазн не так силен.

Стало быть, Адочка в своих сыновьях не была уверена. Что-то подсказывало ей, что мальчики не так надежны, как можно было бы предполагать, исходя из хороших оценок и отсутствия записей в дневниках о нарушениях дисциплины. Ну что ж, не знаю, как насчет Гомера, а насчет младшенького она не ошибалась, и если бы драгоценный Женечка учился в элитной школе в центре Москвы, то спился бы, вероятно, куда раньше.

За Женечкиными метаморфозами, запечатленными на фотографиях, тоже любопытно было наблюдать. Если на ранних снимках его лицо и вся его фигура отражали уверенность в том, что он все сможет и всего добьется, то с годами эта формула сменилась уверенностью в том, что все сделается само. Потом уверенность сменилась надеждой на то, что «сами все дадут, еще и умолять будут, чтоб взял». Потом — разочарованием. Вероятно, оттого, что никто ничего не давал и уж тем более не умолял.

Однако сегодняшний просмотр семейного архива Николай Григорьевич посвятил полностью Алене. И я догадывалась почему.

С Аленой что-то творилось. На самом деле мне-то, старой опытной ящерице, было совершенно очевидно, что она в очередной раз влюбилась. Все симптомы были налицо: и загадочная томность в лице, и неземная печаль во взоре, и ленивые движения, и долгие разговоры по телефону, когда трубка уносится в комнату и плотно закрывается дверь, и кое-что другое, например, ежедневная смена всего облачения, включая белье. Но мои наблюдения могут показаться субъективными, и тогда на арену умозаключений выходят объективные факторы, с которыми не могут поспорить ни влюбленный во внучку дед, ни даже полностью ослепший (в целях самообороны) Гомер. Алена плохо сдала выпускные экзамены. Уже начало июля, а она до сих пор не только не подала документы на поступление в институт, но даже и с выбором вуза не определилась. Во всяком случае, на встревоженные вопросы родителей она отвечала, что никак не может окончательно решить, куда ей поступать, хотя в течение всего последнего школьного года никаких сомнений вроде бы не испытывала и институт давно уже выбрала.

— Что вы так переживаете? — недоуменно приподнимала Алена свои идеально откорректированные в косметическом салоне брови. — Мне же в армию не идти, так что поступать вообще не обязательно. Это можно и на следующий год успеть, и через два года. Куда торопиться?

— Через год ты не сдашь ни одного экзамена, — горячилась Мадам. — Ты забудешь всю школьную программу. Поступать нужно именно сейчас, пока ты еще что-то помнишь.

— Я ничего не забуду. И потом, у меня будет целый год, чтобы позаниматься и подготовиться к экзаменам. А сейчас я устала, мне нужно отдохнуть от учебы.

— Тогда чего ты сидишь в Москве? Поезжай отдыхать. Хочешь, мы купим тебе путевку куда-нибудь на Средиземное море? Или в Египет? Или тур по Европе? Договорись с кем-нибудь из подружек, и поезжайте вдвоем, чтобы не было скучно.

— У тебя устарелые представления, — загадочно произносила Алена и скрывалась в своей комнате. — Не волнуйся, мамусик, все будет в порядке. И не надо никаких путевок, мне и в Москве хорошо.

Она спала или просто валялась в постели до полудня, потом слонялась по квартире, раза два-три уединялась в своей комнате с телефонной трубкой, а часов в пять уходила. И приходила ближе к полуночи. От нее, как и прежде, не пахло ни сигаретами, ни спиртным, но глаза лучились такой сексуальной изможденностью и одновременно взбудораженностью, что я не сомневалась: ее новая пассия — человек осторожный, доводит девицу до полного умопомешательства, но последнюю границу не переходит. Алена приходила, отказывалась от еды, принимала душ и снова уносила телефонную трубку к себе минут на тридцать. При этом я совершенно точно знала, что дело не в Аленином страхе, она свою невинность потеряла еще до того, как я пришла в Семью, с мальчиком на два класса старше, и с тех пор понемногу, не активно, но и не упуская случая, набиралась опыта. Разумеется, ничего этого она мне не рассказывала, но ведь у меня есть уши, и, когда в моем присутствии она что-то обсуждает с подружками, информация откладывается. Однако же если Алена готова к контакту и хочет его, то почему ничего не происходит? А я была уверена, что пока не происходит, потому что всегда умела отличить женщину в состоянии «после того» от женщины «почти после того». «Почти» — слово маленькое, коротенькое, всего-то пять букв, но оно откладывает огромный отпечаток на лицо, глаза, голос, на походку, на все поведение.

Вывод из всех этих наблюдений напрашивался совершенно однозначный. Ее новая любовь — не ее ровесник, он постарше, и, скорее всего, значительно постарше, не меньше чем лет на десять. Только опытные мужчины умеют держать себя в руках и быть осторожными с девицами, которым еще нет восемнадцати и которые только вчера еще за партой сидели. В чем причина такой осторожности, можно только догадываться. Не в страхе же стать отцом, в самом-то деле! Противозачаточные технологии сегодня разработаны так, что о беременности можно вообще не думать. Значит, у этого поклонника есть какие-то далеко идущие планы.

И в голову совсем некстати лезут мысли, которые так и не покинули меня с того момента, как за мной начал так вяло и неумело ухаживать мальчик из дома напротив. Ухаживания свои он продолжает до сих пор, правда, не очень интенсивно, поскольку в июне была сессия и ему нужно было готовиться к экзаменам. Но ведь продолжает! Ходит рядом со мной мрачной тенью, пытается завести разговор, но чаще молчит. И поневоле закрадываются мысли о том, что один из членов Семьи вызывает у кого-то повышенный интерес, и к нему пытаются подобраться то через меня, то через глупую маленькую Аленку. Кто же из Сальниковых их интересует? Коммерсант средней руки Гомер? Наталья, по роду своей работы бывающая в богатых домах и вступающая в длительные отношения с денежными мешками? А может быть, старый чекист, наблюдательный, умный, памятливый, много чего знающий и умело делающий вид, что ничего не помнит?

В этом нужно было разобраться, но опять же так, чтобы не разволновать Старого Хозяина.

Обо всем этом я и думала, пока Николай Григорьевич задумчиво перелистывал толстые страницы альбомов и комментировал изображения любимой внученьки.

— Смотрите, Ника, какая Аленушка была чудесная в восемь лет, видите, вот на этой карточке?

Действительно, чудесная, глаза распахнутые, рот полуоткрыт, словно чудо узрела. А интересно, почему у нее такое выражение? Что она на самом деле увидела? Уж это-то обожающий ее дед должен помнить.

— Это Женечка привез ей компьютер и разные игры и показывал, как играть. Представляете, Никочка? Девяносто третий год, персональные компьютеры только-только получили распространение, Адочка тогда себе купила и так радовалась, что теперь не нужно на машинке статьи по десять раз перепечатывать из-за одного слова. Игры в то время были еще простенькие, не то что сейчас, но Денис все время просил у бабушки разрешения поиграть. Аленушка тоже хотела играть, а Денис ее не пускал. Она так плакала! Ей так хотелось кубики складывать или что там еще было, змеи какие-то, в общем, ерунда всякая, но раньше-то и этого не было. А Денис — ну, вы же понимаете, Ника, он мальчик, и он был немножко постарше Аленушки — он оккупировал машину, если Адочка ему разрешала, и сестру не подпускал. И вот Женечка купил компьютер специально для нее. И еще диски с играми где-то достал, в то время это был большой дефицит. Принес и сказал: «Аленушка, это тебе, в полное твое распоряжение. Пользуйся, играй, а Дениса не пускай, пусть он на бабушкиной машине развлекается». Женечка всегда очень любил Аленушку. У него своих детей нет, знаете ли, не сложилось, и он к Аленушке как к родной дочери относится.

Да уж, конечно, не сложилось у него. Зато с водкой все срослось, как с любимой и единственной женщиной. В девяносто третьем году подержанный компьютер можно было купить долларов за восемьсот, какой-нибудь попроще, вроде IBM-286, — стало быть, в те времена у Евгения еще были деньги, и он мог делать дорогие подарки родственникам, не то что сейчас, когда он и рублевому эквиваленту ста долларов рад до смерти и одалживает он эти деньги у тех же самых родственников. Даже и не одалживает, а просто берет, потому как отдавать ему не с чего, да и никто от него этого и не ждет. Но постановка вопроса меня насмешила. Надо же, купить компьютер племяннице и наказать ей, чтобы с братом не делилась. Во педагогика, а?

Ну разве можно угадать такую историю, ориентируясь на скупой текст подписи: «Алена, 8 лет ровно, день рождения»? В крайнем случае можно догадаться, что коль уж день рождения, то, вероятно, девочка с изумлением и восторгом смотрит на какой-то подарок. Но на какой? И какова его предыстория?

— Знаете, Ника, меня беспокоит Алена, — произнес Старый Хозяин как бы между прочим, переворачивая очередную страницу альбома. — А вот здесь ей четырнадцать, она на даче у подружки. Смотрите, какая красавица! Лучше всех других девочек на этом снимке.

Положим, я так не считала, на фотографии были пять девочек, все в джинсах, футболках, кроссовках и бейсболках, словно сговорились одеться одинаково. Все пятеро — холеные, физические развитые, с круглыми попками и изящными гибкими девическими спинами, стоят спиной к объективу, обнявшись и повернув головы, словно оглядываясь. И мордашки у всех симпатичные и озорные. Нет, Алена определенно не лучше всех, они все хороши, а одна из них, та, что с краю, длинноволосая брюнетка, — просто супер. Ей самое место в модельном бизнесе. Но, впрочем, любящий дед видит все по-иному. Недаром же говорится, что красота — в глазах смотрящего. Для него Аленушка всегда лучше всех.

— Очень красивая, — подтвердила я. — А почему она вас беспокоит? По-моему, с ней все в порядке.

Ну вот, уже и дед заметил, не хватало только, чтобы он начал волноваться и переживать. Нам этого нельзя. Сейчас начну вдохновенно врать и разубеждать его. О ее поздних возвращениях он вряд ли знает, в двенадцать ночи он уже спит, стало быть, и о ночных телефонных переговорах тоже знать не должен. О том, что она ежедневно меняет белье, причем за последние три недели Алена как минимум дважды брала у матери деньги и делала покупки в «Дикой Орхидее» — престижном и дорогом магазине женского белья, — он тоже знать не может. То, что она там покупала, было верхом одновременно дороговизны и эротизма. В этом белье она расхаживала по квартире, когда отца и брата не было дома (дед не в счет, он все равно не выходит), а я регулярно во время уборки извлекала из ее комнаты отрезанные и небрежно брошенные на пол бирки и ценники. В лучшие времена я и сама покупала белье в «Дикой Орхидее», потому хорошо представляю себе, что почем.

Так, что еще мог заметить неугомонный чекист? Что внучка встает поздно? Вполне объяснимо: школу закончила, никуда спешить не надо, можно и отоспаться. Что не готовится к поступлению в институт? Устала, сомневается в правильности выбора, хочет годик поработать и потом уже поступать. Ничего страшного. Здесь тоже можно отбиться. Что еще? Долгие разговоры по телефону? С подружками. Почему уходит к себе, ведь раньше она никогда не пряталась, разговаривала из гостиной, из прихожей или из кухни, где стоят аппараты? Так ведь выросла девочка, школу окончила, почувствовала себя взрослой. Годы-то идут...

— Ника, мне кажется, у Аленушки появился молодой человек, который плохо на нее влияет.

Вот так, приплыли! Я-то готовлю защитительные речи, пытаясь выгородить девчонку, только чтобы дед не волновался, а он, оказывается, обо всем догадался. Да уж, в КГБ—ФСБ не пацаны работали, это точно. Беззаконий они, само собой, натворили выше крыши, но ведь профессионалы, черт возьми! Это ж надо, сидя в своей комнате и покидая ее считаные разы за сутки, общаясь с сыном, невесткой и внуками по пять минут в день, — и так владеть ситуацией! А может, он подслушивает? Снимает трубку в своей комнате, когда Алена воркует со своим любезным, и слушает? Да нет, не может быть. Это же... и вообще, это непорядочно. И потом, Алена обязательно услышала бы, если бы кто-то снимал параллельную трубку, это всегда слышно.

Или не всегда? Судя по тому, что нам показывают в кино, далеко не редки ситуации, когда кто-то подслушивает по параллельному телефону, а говорящие ни сном ни духом...

И конечно же, я не придумала ничего умнее, как задать самый банальный из всех банальных вопросов, которые задают всегда именно для того, чтобы потянуть время и посмотреть, можно ли вывернуться из опасной ситуации:

— С чего вы взяли, Николай Григорьевич?

На вопрос он не ответил, только усмехнулся:

— Ника, я не привык обсуждать путь, которым я прихожу к своим выводам. И сами выводы я тоже не обсуждаю. Обсуждению подлежат только дальнейшие действия, обусловленные сделанными выводами.

Вот тебе, Кадырова, за твое молодое зазнайство. Ах, семьдесят лет, ах, старик, ах, больной и немощный! Да он таких, как ты, которым и сорока еще нет, пачками за пояс затыкать будет и не устанет. А уж таких, как его внученька ненаглядная, вообще ногтем раздавит и не заметит. Кто сказал, что мир принадлежит молодым? Враки! Мир принадлежит тем, кому за пятьдесят пять. Это они принимают решения о том, как нам жить, а мы, молодняк, просто пляшем под их дудку, самоуверенно полагая, что это мы сами такие резвые и бравые. Фигушки. Мы резвые и бравые ровно настолько, насколько мудрые старики нам позволяют, чтобы мы не чувствовали себя совсем уж пешками в чужих играх. Они щадят наше дурацкое самолюбие, диктуют нам условия игры и насмешливо наблюдают над нашими потугами быть или хотя бы выглядеть крутыми. Ах, как им, наверное, смешно!

— Хорошо, я не буду подвергать сомнению ваши выводы, хотя я с ними и не согласна. А в чем вы видите дурное влияние этого мифического молодого человека? Я, например, ничего плохого в Аленином поведении не замечала.

Я все еще хваталась за соломинку, но, кажется, не очень удачно.

— Аленушка всегда была очень целеустремленной девочкой, она вся в Адочку. Собранная, деловитая, хорошо училась и твердо знала, чего хочет. А сейчас она отказывается поступать в институт, хотя еще месяц назад была настроена сдавать экзамены и точно знала, в какой именно вуз. Что произошло? Кто ее так расхолаживает? Если она не поступит в этом году, то что будет делать до следующего лета?

— Как что? Работать.

— Где? Кем? Ника, вы хотя бы приблизительно представляете себе рынок рабочей силы?

О да, уж что-что, а эту проблему я представляла себе очень хорошо, сама не могла на работу устроиться. Правда, у меня проблема с документами... Но за время поисков работы, а я готова была работать кем угодно, не обязательно по специальности, мне кое-что стало понятным. Например, то, что брать на хорошо оплачиваемую работу вчерашнюю школьницу без специальных достоинств, к каковым относятся либо владение несколькими иностранными языками, либо феерические способности в области программирования, либо технические навыки, никто не будет. Да еще такую школьницу, которой лишь бы годик пересидеть, а потом в институт поступать. Стало быть, рассчитывать наша девочка может только на малоквалифицированный и столь же малооплачиваемый труд, который ей вряд ли подойдет.

— Николай Григорьевич, ваша семья не бедствует, и ничего страшного не случится, если Алена этот год просто просидит дома. Ну не будет она работать, что в этом такого? Зато к экзаменам как следует подготовится.

— Не будет работать? — Старый Хозяин гневно посмотрел на меня и захлопнул альбом. — Этого еще не хватало! В нашей семье никогда такого не было, чтобы кто-то тунеядствовал. Девочка должна учиться, получить образование, профессию, а потом достойную работу. Отлеживаться на диване, проедать родительские деньги и бегать на свидания вместо учебы я ей не позволю.

Интересно, как? Как вы сможете ей это не позволить, если почти не выходите из комнаты? Драться с ней будете? Впрочем, стоп, Кадырова, тебя только что уже щелкнули по носу за недооценку тех, кто старше тебя. Хочешь еще? Мало получила?

— Меня беспокоит не сам факт того, что у Аленушки появился мужчина, в ее возрасте влюбляться — это нормально, меня беспокоит то, что он забрал над ней слишком большую власть. Девочка всегда была очень независимой, не позволяла никому влиять на себя, никого не слушалась, ни родителей, ни нас с бабушкой. И уж если она принимала решение или чего-то хотела, то сбить ее не мог никто. И вот пожалуйста, появился какой-то мужчина, и она уже не хочет учиться, не хочет поступать... Меня это беспокоит, Ника. Скажу больше: мне это не нравится.

Он дважды именно так и сказал: мужчина. Не парень, не юноша, не молодой человек, не ухажер, не поклонник, не мальчик... Из всего набора слов, которыми в подобных случаях пользуются взрослые по отношению к своим детям и внукам, он выбрал самое неходовое: мужчина. Случайно или нет?

— Почему непременно мужчина, Николай Григорьевич? Может, это мальчик, ее ровесник... Ну, влюбилась без памяти, с кем не бывает?

Старый Хозяин поморщился, недовольный, видимо, моей тупостью.

— Ни один мальчик, даже самый умненький, не сможет так влиять на нее. Это, несомненно, человек намного старше. Думаю, ему за тридцать. И это очень плохо.

— Да почему же? Что в этом плохого?

Я и сама знаю, что в этом плохого, но не поддакивать же Старому Хозяину, не подкреплять согласием его беспокойство. Мне дорога его нервная система, и ради ее благополучия я готова даже выглядеть круглой идиоткой.

— Ника, вы могли бы страстно полюбить семнадцатилетнего мальчика?

— Нет, — я улыбнулась, вспомнив своего странного ухажера Костю из дома напротив.

— Почему?

— Мне с ним было бы скучно. О чем с ним разговаривать? Жизненного опыта на копейку, а гонора на сто рублей. Молодежные вкусы, молодежный жаргон, жизненные ценности соответствуют мизерному опыту. Мы никогда не найдем с ним общего языка. Остается только секс. Некоторых женщин такое положение устраивает, но меня — нет.

— Вот именно. Об этом я и говорю. И когда мне рассказывают о страстной любви зрелых мужчин к школьницам, у меня это вызывает ассоциации только с Лолитой. Это омерзительно. Это ничего общего не имеет с любовью. Козлиная похоть. А девочка может себе всю жизнь из-за этого поломать.

Смотрите-ка, мы и Набокова читали... Стыдись, Кадырова, Николай Григорьевич прожил почти в два раза дольше тебя, стало быть, и книжек за свою жизнь прочел в два раза больше. Это еще как минимум. Заканчивай со своим возрастным высокомерием, сама же только что поняла, что не твое поколение главное в этой жизни.

Он все-таки разволновался. В ход пошли кислородные подушки и уколы. И я с тоской подумала о том, что не успела еще перевести дух после разбирательства с шантажистом, и вот вам, пожалуйста, новая проблема. Как защитить Николая Григорьевича? Как сделать так, чтобы он не переживал и не нервничал? Как сохранить его здоровье в семье, где каждый думает только о себе, о своих удовольствиях и собственных желаниях? Перевоспитать их всех мне не под силу. Так что же остается — кидаться грудью, изображая из себя непробиваемый щит, каждый раз, когда кто-то из троих Сальниковых или Денис Писаренко своим поведением начнет создавать угрозу спокойствию деда? Ну и надолго ли меня хватит?

На следующий день вечером я получила ответ на некоторые свои вопросы. Гомер в очередной раз нарушил режим, я встречала его до половины двенадцатого, прогуливаясь у подъезда и лишая Аргона его законной радости побегать по скверу вокруг спортплощадки. Рядом молчаливо мялся Костя. Вдруг я сообразила, что в любую минуту может появиться пьяный в сосиску Гомер, которого Костя принимает за моего мужа. И мне почему-то стало неприятно. А какой женщине приятно признаваться в том, что ее муж — пьяница? Даже если на самом деле это вовсе и не ее муж...

— Спокойной ночи, Костя. Я иду домой, — сказала я.

— А в сквер вы сегодня не пойдете?

— Нет, я устала, неважно себя чувствую. Пойду спать. И ты иди.

Я отвела собаку домой, снова вышла и простояла в подъезде еще минут пять, ожидая, пока Костя скроется в доме напротив и поднимется в свою квартиру. У него была странная привычка не уходить сразу, а стоять некоторое время, словно в надежде на то, что я снова появлюсь. Потом осторожно вышла, памятуя о том, что он говорил, будто бы наблюдал за мной из окна. Я не уточняла, виден ли из его окна наш подъезд, но на всякий случай решила подстраховаться. Поэтому вышла и тут же скрылась за чьим-то гаражом-«ракушкой», заняв позицию, при которой обязательно увижу, если подойдет или подъедет Гомер, и сумею его вовремя перехватить.

Гомера пока не было. Зато появилась Алена с мужчиной. Вероятно, с тем самым. И черт их догадал затеять прощальные эротические игрища, прислонясь к стенке того самого гаража, за которым пряталась я. Нас разделяло расстояние меньше метра и угол «ракушки». Уйти со своего поста я не могла без риска потерять из виду подходы к дому. Пришлось стоять и слушать вздохи, охи и недвусмысленные стоны. А также отдельные реплики, из которых стало понятным, что я не ошибалась. Алена страстно хотела завершения игрищ в его, так сказать, классическом выражении, а ее партнер имел какие-то известные ей резоны, по которым делать этого было нельзя. Впрочем, я не смогла точно уловить, насколько категоричен был запрет: строго «нельзя» или просто «не стоило». Но так или иначе, резоны были, и поскольку сами они в данный момент не оглашались, то ясно, что Алена про них уже много раз слышала, знала, в чем там дело, но не хотела смириться и продолжала настаивать. Даже и не настаивать, а жалобно просить, что было совсем на нее не похоже. Не в ее стиле просить, она ведь всегда именно настаивает. Об этом или почти об этом и говорил вчера ее дед.

Так продолжалось довольно долго, минут тридцать, наверное. Я порядком соскучилась в таком эротическом соседстве, но мной овладела идея подловить момент и рассмотреть Алениного дружка получше. Наконец мне это удалось. Он пошел провожать девушку до лифта, и я каким-то немыслимым образом сумела так рассчитать секунды, что вошла в подъезд, когда лифт с Аленой отправился наверх, а мужчина оказался под хорошим освещением.

Да он почти мой ровесник! Ну, может быть, на пару лет моложе. Невысокий, но с отлично развитой мускулатурой. Одет просто — джинсы, рубашка с короткими рукавами, — но дорого. Джинсы от Кензо, рубашка английская, такая в бутике стоит долларов двести. На ногах туфли из кожи ящерицы, такие за три рубля не купишь. Хорошая стрижка, в меру короткая, не «а-ля бандитто». Хорошее лицо, нос длинноват, подбородок узковат, но в целом он вовсе не уродлив, даже привлекателен.

А вот глаза и выражение лица... Они меня озадачили. Я слишком хорошо видела, какой возвращается домой Алена. И теперь уже достаточно хорошо представляю, чем и как они занимаются в последние минуты перед прощанием. Не такие должны были бы быть у него глаза-то, ох, не такие! В них не было тумана, головокружения, неудовлетворенного вожделения, короче, в них не было ничего, что обычно бывает после того, как полчаса изучаешь качество белья и строение тела юной, красивой, влюбленной девушки.

А что же было в его глазах и в выражении лица? Деловитость и отстраненность, как после хорошо выполненной работы, когда ты еще сосредоточен на деле, но уже понимаешь, что ты его сделал и можешь идти отдыхать.

Он слегка посторонился, давая мне пройти. Я сделала вид, что жду лифт, нажала кнопку вызова, а Аленин возлюбленный вышел на улицу. Через какое-то время вышла и я, нужно было караулить Великого Слепца, что-то он сегодня задерживается сверх меры, уже первый час ночи, я спать хочу, а завтра вставать в половине шестого. Ну почему в этой Семье ко мне все относятся как к собаке, а? Почему той же Мадам ни разу не пришло в голову, посылая меня встречать пьяного Гомера, сказать: «Ника, вы рано встали и теперь поздно ляжете, вы поспите завтра подольше, я сама подам чай Николаю Григорьевичу»?

Нет, не говорила она мне этих слов. И ни разу почти за полтора года мне не удалось как следует выспаться, потому что независимо от того, что происходит вечером, вставать я каждый божий день должна в половине шестого. Черт бы взял эту проклятую жизнь, эту вечную усталость, это непреходящее желание уснуть, эту рабскую закабаленность и невозможность никуда уйти, когда нужно или просто хочется погулять или сходить в кино! Черт бы побрал Олега, который поставил меня в такое положение, загнал в такой капкан! Черт бы побрал его старых больных родителей, которых нельзя расстраивать и с которыми я вынуждена разговаривать подолгу, оплачивая эту радость из собственного кармана! Да еще выкручиваться и врать, что не могу передать трубочку Олегу, потому что он в командировке, на работе, на дне рождения у коллеги, в магазине, у черта лысого!

Стоп, Кадырова, опомнись, замолчи! Что ты несешь? Если Олег тебя бросил, ты сама в этом виновата, это твоя проблема, ты не сумела быть интересной ему и нужной. И его старенькие родители не виноваты в том, что они старенькие, часто болеют и подробно и долго рассказывают тебе о своем самочувствии, описывают симптомы, советуются, какие лекарства принимать, а какие не нужно, какие продукты можно есть, а какие нельзя. Разве можно негодовать на них за то, что они тебя так любят, так радовались вашему с Олегом браку и теперь просто не вынесут, если узнают, что их сын тебя бросил? И разве не ты сама выбрала себе эту жизнь «помощницы по хозяйству с проживанием и медицинским обслуживанием»? Ведь ты могла вернуться в Ташкент, но не захотела. Так кого же ты теперь проклинаешь?

«Храни меня от злых мыслей,
Храни меня вдали от тьмы отчаяния,
Во времена, когда силы мои на исходе,
Зажги во мраке огонь, который сохранит меня.
Дай мне силы...»

Где ты, моя бирюзовая занавесочка для ванны с красными рыбками и зелеными водорослями? Где ты, симпатичный маячок, освещающий беспросветность и безнадегу моей жизни? Рано или поздно наступит момент, когда я поеду покупать тебя, а потом буду вешать в собственной ванной в собственной квартире. Я верю в это. И я точно знаю, что так оно и случится.

Гомер притащился почти в два часа. Буквально вывалился из машины, на которой его привезли, и, по-моему, вознамерился так и остаться лежать на асфальте перед подъездом. Кряхтя, чертыхаясь и используя изысканную ненормативную лексику из репертуара изобретательного водителя Сергеева, я втащила полубездыханное тело сперва в подъезд, потом в лифт, потом в квартиру. Выслушала скомканные, смущенные слова благодарности от Мадам, приняла душ и ушла к себе.

Вдыхая теплый кошачий запах Патрикового брюшка, я скользнула глазами по стоящим на полке альбомам с фотографиями...

И вспомнила.

Я вспомнила, где я видела это длинноносое лицо с узким подбородком. Ну ничего себе, однако!

Глава 9

НИКА

— Д ядя Назар, у вас не складывается впечатление, что я делаю что-то не то?

Жаль, кругом темень непроглядная, хотела бы я видеть выражение его лица. Но, увы, на дворе глубокая ночь. Другого времени для встречи с Никотином мне выкроить не удалось.

— Какая разница, детка, какое впечатление складывается у меня. Делаешь-то ты, а не я, — усмехнулся он чуть погодя.

Все-таки ответил не сразу, несколько секунд думал. Значит, я права, ему действительно кажется, что я делаю это самое «не то».

Вся вчерашняя ночь была посвящена очередному рассматриванию семейных альбомов. Мне казалось, что все фотографии я уже знаю наизусть — столько раз я листала их и в обществе Николая Григорьевича, и в одиночестве, но я все-таки не была уверена и искала доказательства своей правоты. Того мужчину, который провожал Алену и недвусмысленно зажимал ее возле гаражей, я видела на этих фотографиях дважды, только был он существенно моложе. Да, все верно, только эти два снимка, один любительский, другой профессиональный. На любительском юноши и девушки с портфелями и сумками тусуются на школьном дворе, на переднем плане — Женечка Сальников в обнимку с приятелем, строят веселые рожи, вокруг стоят одноклассники числом восемь, все хохочут. Итого — десять человек. А одиннадцатый — в сторонке. Сутуловатый, худой, даже щуплый, одет бедновато и не по фигуре, выражение лица забитое и униженное. И еще — злобное. И смотрит он не в камеру, как все прочие, а непосредственно на нашего Женечку. Судя по подписи, дело идет к окончанию школы, выпускной класс, весна. Чем же Женечка так не угодил этому замухрышистому пареньку с длинноватым носом и узковатым подбородком?

Вторая фотография, большого формата, занимающая в альбоме целую страницу, являла собой типовое произведение сувенирного искусства: четыре ряда портретиков в овале, в верхнем ряду — директор, завуч и учителя, в трех других — ученики 10-го «Б» класса. Вот и наш Женечка, красавец, модно (по тем временам) постриженный. А вот и Аленин кавалер в юности, все с тем же выражением угрюмой злобы и одновременно страха. И подпись: Игорь Савенков. На кого же он так злится-то все время? На весь мир, что ли? И кого боится? Конкретно Женю Сальникова, или кого-то другого, или многих, или вообще всех?

С тех пор минуло полтора десятка лет, мальчонка заметно окреп, заматерел, накачал мышцы, расправил плечи, голову держит прямо и гордо, стрижется у хорошего мастера и носит дорогую одежду. И взгляд у него теперь вовсе не угрюмый и не злобный, а холодный, спокойный и расчетливый. Видно, детство было не самым счастливым, а вот потом все сложилось. Нет, не могла я ошибиться, это точно он.

Интересно, он знает, что Алена — племянница его одноклассника? Наверное, знает, ведь фамилии-то у них одинаковые, и живет она в том же доме, в котором жил когда-то Женя. И дом этот неподалеку от школы, в которой они оба учились. А если сопоставить это допущение со взглядом, которым он смотрит на Женечку на любительском снимке, и с тем, о чем накануне днем говорил, волнуясь, Старый Хозяин, то можно предположить... В общем, совсем нехорошее можно предположить.

И первое, что нужно сделать, это поговорить с Евгением. Но как? Если ангел отдохнул за два месяца, прошедших после борьбы с шантажистом, и готов снова поспособствовать мне в решении очередной проблемы, то Евгений Николаевич непременно объявится именно сегодня и даст мне возможность задать ему все необходимые вопросы. Если же ангелочек все еще пребывает в отпуске, то мне придется нелегко. Как выкроить время для разговора с ним хотя бы по телефону? Чтобы никто не слышал. И чтобы в тот момент, когда никто не слышит, Евгений Николаевич оказался бы дома, желательно во вменяемом состоянии, да еще согласился бы побеседовать со мной о своем однокласснике Игорьке Савенкове. Слишком много условий.

Ангелочек, вероятно, улетел отдыхать далеко и надолго. Евгений в течение дня не объявился, то есть именно сегодня ему деньги не нужны. Жаль. Пару раз я находила удобный момент и звонила ему домой (никаких других его телефонов в семейной записной книжке, лежащей в прихожей возле телефона, не оказалось), но безрезультатно. И тогда я обнаглела настолько, что позвонила Никотину. За мной до сих висел должок в виде плова для Никотина, Севочки Огородникова и его сотрудников, я не забывала о своем обещании, но полностью свободного дня у меня так и не выдалось. Примерно раз в неделю я звонила Назару Захаровичу и покаянно била себя в грудь, чтобы он не подумал, что я, как выражаются криминальные элементы, «пытаюсь соскочить», то есть увернуться от благодарственного угощения. Мне и в самом деле очень хотелось отблагодарить их всех: и Севочку, и его мальчика Алешу, сделавшего всю работу бесплатно, и даже их красоточку-бухгалтера, которая ничего не делала, но все равно она же с ними работает. И конечно, самого Никотина. И эта неотданная благодарность тяготила меня, мучила.

Назар Захарович не удивился, услышав мой голос в телефонной трубке, он решил, что я в очередной раз собираюсь извиняться. И я действительно начала с извинений. Потому что, конечно же, полное свинство — не от дав долг за однажды оказанную помощь, уже просить о чем-то снова.

— Да ладно тебе, — хмыкнул ничуть не возмущенный Никотин. — Что опять стряслось?

— Надо бы поговорить, — неопределенно ответила я.

— Давай, — с готовностью согласился он. — Когда и где?

— В этом вся проблема. Только если попозже вечером, когда я выйду с собакой.

— Можно и попозже, — он, казалось, ничуть не удивился. — Что ж с тобой поделаешь, рабыня ты моя Изаура.

Мы договорились встретиться в одиннадцать часов. Место я выбрала с учетом того, что может подвалить молодой Вертер, то есть такое место, куда можно быстро пройти дворами, а Костя не успеет меня догнать. Ведь он выходит на свои свидания обычно минут через десять после того, как я появляюсь на улице. Вероятно, видит меня из окна, потом ему нужно время, чтобы одеться, спуститься по лестнице... Этих семи-десяти минут мне вполне хватит, чтобы уйти в неизвестном направлении и чтобы он потом меня не нашел.

Но все получилось не так гладко, как планировалось. Гомер явился с работы с гостями — двумя мужиками в дорогих костюмах и симпатичной женщиной, женой одного из них. И, разумеется, ни о какой прогулке с собакой не могло быть и речи, пока нужно было быстренько готовить, угощать, подавать, убирать и мыть. Около десяти вечера я тихонько утащила телефонную трубку в ванную и звякнула Никотину. Он велел не переживать и сказал, что будет ждать моего звонка и готов подъехать в любое время.

Это «любое время» случилось ближе к часу ночи. Вот так и вышло, что разговаривали мы с ним в кромешной темноте какого-то неосвещенного двора, окруженного предназначенными к сносу домами. Пока я, перескакивая, как обычно, с последнего на первое, а оттуда к середине, повествовала Никотину о новой проблеме, которая может привести к нежелательным и даже опасным последствиям для Главного Объекта, во мне и зародилось неприятное ощущение, что я делаю что-то не то. С одной стороны, я не колебалась ни минуты, ведь однажды я уже приняла решение, что буду бороться за здоровье Старого Хозяина, чего бы мне это ни стоило, так что вопрос, ввязываться или не ввязываться, передо мной не стоял. Я приняла решение, выбрала дорогу и целенаправленно иду по ней. Но, с другой стороны, речь ведь идет о любви. И не о такой любви, которая больше похожа на банальный «левак», как это было в истории с шантажистом и любовником Натальи, а о любви юной девушки. А это совсем другое дело. Имею ли я право лезть, вмешиваться, мешать? Да, если мои опасения подтвердятся, то окажется, что у взрослого мужчины Игоря Савенкова никакой любви, ни нежной, ни страстной, нет и в помине, так что ему душевную травму мой неумелые действия вряд ли нанесут. Но вот Алена... Она-то увлечена всерьез, это невооруженным глазом видно. И каковы будут последствия моего вмешательства? И можно ли сделать так, чтобы этих последствий не было вовсе?

Отсюда и вырвался у меня вопрос к Никотину: не кажется ли ему, что я делаю что-то не то. И ответ его меня отнюдь не воодушевил.

— Ну, давай пофантазируем, — продолжал между тем Назар Захарович. — Предположим, что твоя гипотеза верна и этот Игорь за что-то мстит своему бывшему однокласснику. И для этой мести он выбрал орудие в виде любимой племянницы последнего. Что он собирается делать, как ты думаешь? В чем должна, по его замыслу, выражаться эта месть?

— Искалечить девчонке жизнь, — уверенно сказала я.

— Отлично. Теперь поподробнее. Как искалечить? Что он конкретно собирается делать?

— Не знаю, дядя Назар. Может, он собирается жениться на ней, заставить родить двоих или даже троих детей и бросить.

Я сама понимала полную глупость того, что говорю. Как только встанет вопрос о замужестве, в ближайшем же будущем станет известно, что у жениха давние счеты с дядюшкой невесты. Далее все прогнозируемо, и до победного конца затея никак не доводится.

— Нет, это я чушь сморозила, — тут же поправилась я. — Конечно, дело не в этом.

— Хорошо, что сама сообразила, — задребезжал Никотин, — а то я уж собрался было расстроиться, что ты не так умна, как я о тебе думал. Ну-ну, продолжай. В чем еще может выражаться месть?

— Например, он хочет заставить ее забеременеть и родить, а жениться откажется.

— Не очень. — Я не видела лица Никотина, но уверена была, что он поморщился. — Банально, пошло. А этот Игорь, судя по всему, человек не банальный. Ведь ты смотри, каким он был и каким стал! Это ж какую колоссальную работу надо было проделать над собой, над своими комплексами и страхами, чтобы из забитого изгоя, каким он выглядит на фотографии, превратиться в почти супермена. Ну-ка дай мне снимок, я еще разок гляну.

Я протянула ему фотографию, Никотин щелкнул зажигалкой, осветил запечатленные семнадцать лет назад фигуры юношей и девушек, веселящихся на школьном дворе.

— Видишь, он совсем один стоит. Все остальные — кучкой, вместе, им весело, а он — один. Почему? Ведь это его одноклассники, а не посторонние ребята, мимо которых он просто шел, когда их кто-то снимал. Там какой-то тяжелый конфликт, затяжной. И все эти годы он помнил свою обиду, копил ее, холил, лелеял. Нет, Ника, это мужичок не простой, и решения у него вряд ли будут банальными. Отпусти фантазию на волю, придумай что-нибудь интересное. Ну? Как он будет мстить? И не забывай, мстит он не Алене, а своему однокласснику, который в ней души не чает.

— Господи, — прошептала я в ужасе, — вы что же, хотите сказать, что он собирается ее убить?

— Да, — разочарованно протянул Назар Захарович, — с фантазией у тебя неважно. Хотел бы убить, так уж давно убил бы. А заодно и молодым телом попользовался бы. Ты же меня уверяешь, что между ними этого пока не было, так?

— Вроде так, — пробормотала я. — Я, конечно, могу и ошибаться, но...

— Вот именно что «но», — жестко прервал меня Никотин. — Думай, детка, думай.

И тут меня осенило. Ну конечно, это же лежит на поверхности!

— Дядя Назар, — ахнула я, — он же Алену дрессирует, как собачку! Показывает ей сладкую конфетку, но не дает, пока она не сделает то, чего он хочет.

— Вот, — Назар Захарович удовлетворенно крякнул, — можешь же, когда захочешь. Вопрос только в том, чего именно этот Игорь хочет от вашей Алены.

— А вы как думаете?

— Да чего ж тут думать... Это может быть все, что угодно. Например, совершить преступление, кражу, к примеру, какую-нибудь, или мошенничество, или подсесть на наркотик, или еще какая гадость. Чтобы это понять, нужно хотя бы узнать, что там произошло между ним и вашим родственником. Это как минимум.

Надо же, Евгений Николаевич уже превратился в «нашего» родственника, то есть и в моего тоже. И Алена тоже стала «нашей». Впрочем, ничего удивительного, я-то веду себя как член Семьи, а вот Семья, похоже, до сих пор считает меня чужой. Правда, Старый Хозяин порой позволяет себе назвать меня Никочкой, что свидетельствует о некотором сближении, иначе говоря, переводит меня из стана «чужих» Дениса и Патрика в сообщество «своих», где обитают Касечка, Гошенька, Павлушенька и прочие. Однако это случается редко, только в минуты сильного душевного волнения, так что на полноправное ощущение себя «своей» я права не имею.

— Мне сложно организовать беседу с Евгением Николаевичем, дядя Назар. Даже когда дома только Старый Хозяин, я все равно побаиваюсь звонить.

— Почему?

— Знаете... мне кажется, он подслушивает. У него в комнате стоит телефон, и я...

— Понял, понял. Небось хитрый аппарат какой-нибудь, когда он там трубку снимает, вам ничего не слышно, ни щелчков, ни изменения звука. Есть такие. Он же у вас комитетчик?

— Угу.

— Тогда вполне может быть. У них всегда была хорошая техника. И что, он постоянно этим грешит?

— Ой, дядя Назар, понятия не имею! Я вообще об этом впервые только вчера задумалась, когда он мне про Алену начал говорить. Уж больно много он знает про ее новый роман. Конечно, может, я зря гоню волну, может, я излишне подозрительна... Про шантажиста же он не узнал, значит, он не всегда трубку снимает, а выборочно. Если вообще снимает, если это не плод моего воображения.

— Резонно, — согласился Никотин. — Но рисковать в любом случае не стоит. Надо с этим Евгением встречаться лично. Дай-ка мне его телефончик, я сам это организую.

— Вы?! — Я от радости чуть не подпрыгнула. Или все-таки подпрыгнула и, кажется, дернула за поводок, потому что на мое восклицание Аргон отозвался недоуменно-обиженным поскуливанием: мол, чего дергаешь, балда, больно же. И вообще, я тут делом занят, тут так пахнет интересно, а ты отвлекаешь.

— Ну, не обязательно этим заниматься лично мне, есть люди при должностях и хороших удостоверениях. Не волнуйся, такую ерунду они сделают бесплатно, здесь ничего нарушать не нужно, подтасовывать тоже не нужно, все элементарно. Я-то сам к нему не пойду, потому как ксива у меня уж больно неуважительная, ну что это за должность — доцент кафедры, ну сама посуди. То ли дело старший опер или даже начальник отдела! У нас в июле сессия начинается, слушатели экзамены сдают, у всех есть отцы, а из этих отцов больше половины — наши сотрудники. Так что тут, я думаю, проблем не будет. Проблемы начнутся потом.

Да, я это понимала. Узнать у Евгения Николаевича суть старого детского конфликта — это даже не полдела, это только одна шестнадцатая. Если этот конфликт действительно был. Может, еще и не было ничего, просто у мальчика Игорька на снимке такое выражение лица потому, что оно у него постоянно, независимо от того, на кого он смотрит и чем занимается. А в сторонке стоит не потому, что изгой, а потому, что как раз в этот момент решил отойти. Но даже если конфликт и был, то совершенно не факт, что Игорь теперь занялся отмщением. Может быть, его встреча с Аленой — чистая случайность, ведь мальчики учились в одной школе, стало быть, оба жили примерно в одном микрорайоне, Алена живет там же, где раньше жил Женя, и Игорь тоже обитает там, где и прежде. Для людей, проживающих на соседних улицах (а может, и на одной), вероятность встретиться и познакомиться очень высока, ничего сверхъестественного в этом нет. И что мы будем делать дальше? То, что у Игоря есть какие-то скрытые мотивы, для меня очевидно, но если они никак не связаны с Женей? Ну, узнаем мы у Женечки, что там между ними произошло и каким был мальчик Игорек в свои школьные годы, и что?

— И потом, детка, не ты ли говорила, что боишься, как бы груз благодарности не оказался непосильным для твоей семейки. Говорила?

— Говорила, — подтвердила я.

— Ну вот и не нужно, чтобы кто-нибудь из Сальниковых догадывался о твоей причастности. Даже если ваш алкоголик объявится прямо завтра с утра, молчи как рыба и виду не подавай, и не вздумай заводить с ним разговоры о счастливых школьных годах. Надеюсь, с девочкой ты ни о чем таком не говорила?

— Да боже упаси! — воскликнула я. — Что я, смерти себе хочу? У нее такой характер, что даже матери бесполезно с ней разговаривать, а уж мне-то и подавно.

— Н-да, — хмыкнул Назар Захарович, — как сказала бабелевская мадам Криворучко, если у русского человека попадается хороший характер, так это действительно редкость. А кстати, что мама девочки? Замечает что-нибудь? Как-то реагирует?

— Ой, дядя Назар, что она может замечать? Про таких, как она, мой любимый водитель Сергеев знаете как говорил?

— И как же? — живо заинтересовался он.

— «У нее на всю черепную коробку одна-единственная мысль, которая болтается там, как копейка в пустом чемодане».

— Образно, образно! — Он опять задребезжал, звонко и радостно. — Я смотрю, у тебя тоже есть свой кладезь мудрости. У меня — Бабель, у тебя — водитель Сергеев.

Так-то оно так, да только мудрость эта никак мне не помогает сохранять мир и покой в Семье. Но все равно мне стало легче. Никотин снова рядом со мной, он предложил свою помощь, и я уже не чувствую себя такой одинокой.

В ДОМЕ НАПРОТИВ

— Смотри, смотри, она возвращается, и с ней какой-то мужчина! Так вот в чем дело! Она ходила на встречу с ним и не хотела, чтобы ее видели. Ты понял, придурок?! Ты понял теперь, что натворил? Идиот! На тебя ни в чем нельзя положиться! Она с ним заодно, со своим мужем, и она вместо него встречается с партнерами! Ты все прошляпил!

Отец разбушевался не на шутку. Он негодовал все полтора часа, которые прошли с момента выхода Вероники из дома и ее таинственного исчезновения. Предугадать такое развитие событий Костя не мог. Правда, вышла она сегодня очень поздно, часа на два позже обычного, Костя задремал у себя в комнате и проснулся, когда отец начал трясти его за плечи:

— Просыпайся, Костя, давай просыпайся, она вышла! Ну же, сынок, давай, давай!

Косте никак не удавалось сбросить с себя сонную одурь, он вяло, неохотно собрался и вышел. Но Вероники нигде не было. Он прошел быстрым шагом до спортплощадки, но не обнаружил женщину с собакой. Тогда он бегом вернулся и помчался в сторону магазина, куда она иногда ходила по утрам. Но и там ее не нашел. Куда же она подевалась?

Он вернулся домой, чтобы спросить у отца, может, он видел из окна, в какую сторону ушла женщина, но отец набросился на него с упреками и бранью:

— Если бы ты не спал как сурок... Если бы ты быстрее собирался... Если бы ты действительно хотел с ней встретиться, ты бы не лег спать, а сидел бы у окна одетый и помчался вниз в первую же секунду, как только она появилась бы... На тебя ни в чем нельзя положиться... Ты ничего не хочешь сделать для брата...

И так до тех пор, пока Вероника не вернулась. Ее провожал какой-то мужчина, но из-за темноты невозможно было рассмотреть, кто это, загадочный ли Главный Враг или кто-то другой. Отец хотел было выскочить на улицу, догнать неизвестного и проследить за ним, но, пока он надевал ботинки, злясь и чертыхаясь, мужчина скрылся в проходном дворе. И конечно, во всем виноват был Костя.

— Ты хотя бы понимаешь, что произошло? — Отец все никак не хотел успокоиться и продолжал твердить одно и то же, распаляясь и накручивая сам себя. — Она вышла в неурочное время и сразу пошла не по обычному маршруту, а куда-то в сторону. У нее была назначена встреча, и она не хотела, чтобы ее видели те, кто обычно видит ее и знает. Она хотела скрыть эту ночную встречу. Если бы ты был рядом, ты мог хотя бы увидеть того, с кем она встречается, а может быть, и услышать хоть что-то. Или она сказала бы тебе, кто это и какие у них дела.

— Да она бы наврала, пап, — пытался оправдываться Костя. — Неужели ты думаешь, что она сказала бы мне правду?

— Тебе наврала? Да кто ты такой, чтобы тебе врать! Ты для нее ничто, пыль под ногами, влюбленный идиот, чего ей от тебя-то прятаться? Наверняка она хоть пару слов сказала бы, или имя назвала, или род занятий, или общие интересы обозначила бы. И в любом случае у тебя был шанс увидеть его.

— Да как, пап? Если бы она сказала, что не хочет, чтобы я с ней шел, как бы я мог...

— И пусть бы сказала! Ты бы сделал вид, что возвращаешься, а сам пошел бы за ней следом! Ты что, совсем дурной? Ты элементарных вещей не понимаешь? Это был тот контакт, которого мы столько времени ждем, а из-за тебя, ленивого и безответственного разгильдяя, мы снова его упустили!

Мама в скандале участия не принимала. Костя видел, что она безумно устала и засыпает на ходу, но не смеет лечь спать, пока отец не объявит «отбой». Настоящая верная жена не должна ложиться раньше любимого мужа, она должна бодрствовать и всегда быть готовой оказать мужу если не помощь, то моральную поддержку. И даже резкие обидные слова, произносимые в адрес сына, не заставили Анну Михайловну включиться в разговор и попытаться защитить Костю. Все ее силы уходили на то, чтобы не отключиться и держать глаза открытыми. Почти три часа ночи. «Он всех нас извел, — с тоской думал Костя. — Он всех нас достал! И маму, и меня, и Вадьку.

Нам всем плохо. Только ему одному хорошо. Сколько же это может продолжаться? Если бы мама взбунтовалась, я бы тут же поддержал ее. Но она молчит и терпит, а одному мне затевать бунт бессмысленно, если мама этого не хочет».

— Утром ты подойдешь к ней и постараешься все узнать, — безапелляционно заявил отец.

Утром... О господи, это ее утро начнется через четыре часа. Вероника выходит в разное время, то в половине седьмого, то в восемь, то в девять, а бывает, и в одиннадцатом часу, никогда не угадаешь, и приходится караулить ее с раннего утра. Косте осталось поспать всего четыре часа. Да будет ли ему когда-нибудь покой, а? Он только-только закончил сдавать летнюю сессию, вымотался донельзя, и вот теперь, вместо того чтобы отсыпаться и отдыхать, сидит дома и караулит? Кого? Что? Поскольку в институт теперь ходить не нужно, отец разработал новую систему, в которой Косте отводится важная роль, требующая постоянного внимания и напряжения. Он теперь часами просиживает у окна, как раньше сидел отец, а сам отец толчется в институте и рядом с фирмой, где работает Враг. Глаза у Кости слезятся, на них то и дело наползает какая-то мутная пленка, которую никак не удается убрать, сколько ни три глаза и ни промывай чайной заваркой. И Мила, кажется, его бросила. Во всяком случае, после последнего экзамена она предложила ему вместе поехать отдыхать, а когда Костя отказался, с деланым равнодушием махнула сумкой с книгами, повернулась и ушла. Даже не предложила, как обычно, подвезти до дома или до больницы. Обиделась.

— Пап, кончай орать, мать устала, дай ей отдохнуть, — неожиданно вырвалось у Кости.

Сказал — и испугался. Что он себе позволяет? Как он разговаривает с отцом? Ну, сейчас начнется... Ладно, он выдержит, перетерпит, раз виноват, но маму-то, маму как жалко! Мало ей скандала из-за того, что сын упустил Веронику, так еще и из-за неподобающего разговора с отцом буря разразится. И кто его за язык тянул! Вырвалось то, что думает, но Костя в последние месяцы привык сдерживаться и не озвучивать свои подлинные мысли. Раньше, до того, что случилось с Вадиком, было по-другому. А еще раньше, когда пацаны были маленькими, а отец — главным инженером, сыновья и родители были настоящими друзьями. Теперь не то... Теперь все трое словно бы в игру какую-то играют, в которой правила устанавливались не вслух, а молча, будто подразумевались. Подразумевается, что отец всегда прав. Подразумевается, что мама счастлива, выматываясь на основной работе и подработках, лишь бы прокормить семью, в которой один мужик получает мизерную стипендию, а двое других не работают. Подразумевается, что один из сыновей, Костя, с восторгом и упоением служит идее отца, ловит каждое его слово и трепетно выполняет каждое указание. А второй сын с не меньшим трепетом лежит в больнице и ждет, когда же папочка найдет подлеца и отомстит за обман, так дорого обошедшийся Вадьке с его нежной и тонкой внутренней организацией. И этот второй сын с пониманием относится к тому, что отец занят делом и не находит времени, чтобы съездить в больницу.

А как на самом деле? На самом деле мама уже, как говорится, на последнем издыхании, она жалеет отца и не перечит ему, лишь бы дать мужу возможность чувствовать себя нужным и «при деле». И ни капельки она не счастлива. Потому что женщина, идущая на поводу у мужа исключительно из жалости к нему, не может быть счастлива по определению. Костя — что ж, Костя в общем и целом с идеей отца согласен, хотя и не так безоглядно, как это было вначале, но он не хочет служить только этой идее и ограничить свою жизнь рамками поиска Главного Врага. У него есть учеба, приятели, у него есть Мила, с которой хочется проводить больше времени, у него есть (вернее, могла бы быть) жизнь обычного студента с ее радостями, заботами и проблемами. А вместо этого он... да ладно, и так все понятно. А Вадька? Да плевать он хотел на все отцовские идеи, вместе взятые, и на месть эту, и на Главного Врага, ему отец нужен. А отца вроде как и нет. И Вадька от этого страдает.

Чем дольше тянется эта странная игра, тем привычнее становится для Кости скрывать свои мысли, а то и врать. Да-да, врать. Вот, например, с Вероникой: ничего у него не получается, Вероника о муже ничего не рассказывает и вообще ничего интересного не говорит, более того, она так явно тяготится Костиным присутствием, ей так скучно, ей так это все не нужно, что Костя теряется, не может найти тему для разговора. Вероника терпит его из жалости, а он выходит на прогулки с ней, потому что отец заставляет. Они оба совершенно не нужны друг другу, не нужны и не интересны, потому и не клеятся у них ни отношения, ни даже просто разговоры. Но разве Костя может признаться в этом отцу? Он пытался, еще в самом начале, честно пытался объяснить, что Вероника ни на йоту не заинтересовалась перспективой заиметь молодого любовника, но отец, вместо того чтобы отступиться и придумать что-то другое, настойчиво заставляет Костю продолжать начатое, еще и бранит его постоянно за отсутствие выдумки, изобретательности и инициативы. И Костя начал подвирать, сначала по чуть-чуть, потом все больше и больше. Дескать, Вероника с удовольствием с ним общается, обсуждает самые разные проблемы, но только вот про мужа — ни гугу. Отец воспринимает это «ни гугу» как признак того, что, значит, «есть что скрывать», и заставляет сына продолжать ухаживания. Зато хотя бы ругать Костю перестал за то, что тот не может наладить контакт с женщиной.

Все приходится скрывать, и правду о Веронике, и отношения с Милой, и собственные желания и мысли.

А тут вырвалось... Костя инстинктивно съежился в ожидании неминуемой расправы. Однако ничего не произошло. Отец виновато взглянул на маму и кивнул:

— Прости, Анюта, мы с Костей увлеклись своими проблемами, не подумали, что ты устала. Действительно, давай ложиться, тебе нужно отдохнуть. Да и Костику рано вставать.

«Мы с Костей». Это ж надо! Неужели отец так до сих пор и не понял, что он не с Костей, и не с женой, и не с Вадиком? Он один. А участие всех остальных в его грандиозных замыслах — не более чем видимость, продиктованная жалостью и нежеланием конфликтовать.

Костя и сам не понимал, почему почувствовал в этот момент радость. И только утром, вскочив по звонку будильника в шесть часов, вдруг сообразил: значит, можно. Можно перечить, можно настаивать на своем, можно бунтовать. Земля не разверзнется под ногами, и небеса не рухнут. Все это можно делать, только не сразу и не оглушительно, а по-умному, потихоньку, понемножку, маленькими шажочками отвоевывать право на собственное мнение, потом — на собственные желания, потом — на собственную жизнь.

Вероника вышла в шесть тридцать, и Костя выскочил из квартиры и помчался вниз по лестнице, будто на крыльях летел.

— Это вы, — она безразлично взглянула на него и отвернулась.

Костя заметил, что выглядит она неважно, если не сказать — плохо. Глаза воспаленные, кожа на лице сероватая, болезненная, глаза потухшие. Может, вчера на встрече с неизвестным что-то произошло? Или просто не выспалась, ведь на сон ей выпало ровно столько же, сколько и самому Косте, а он по себе чувствовал, как это мало.

— А я всю ночь не спал, — бухнул он.

— Я тоже.

— Из-за чего?

— Так... проблемы всякие. А вы почему не спали?

— Из-за ревности. Вы вчера на свидание ходили, я видел. И видел, как он вас потом провожал. Я понимаю, Вероника, у меня нет никаких шансов, я слишком молод, вам со мной скучно... Но я действительно ревную. Вам смешно?

— Нет, мне не смешно, — сухо ответила она. — У вас нет никаких оснований для ревности. Я не изменяю мужу.

— А тот мужчина, с которым вы встречались ночью?

— Я ни с кем не встречалась. Я просто гуляла с собакой и случайно встретила знакомого. Мы поболтали, потом он проводил меня до подъезда. Что вы себе вообразили, юноша?

— Честно? — обрадовался Костя. — Вы не обманываете?

— Да нет, зачем мне вас обманывать. Вы, Костенька, находитесь в плену книжно-киношных представлений. Встречаться ночью, тайком... Что за глупости! Зачем? Учитывая, что мужа целый день нет дома, а сама я на службу не хожу, я могу встречаться днем с кем угодно.

Верно, верно, все правильно! Она просто гуляла с собакой. И случайно встретила знакомого, который поздно возвращался домой. И никакой это был не Главный Враг, зря отец бочку на него катил, орал и разорялся, обзывал Костю, ругался. Не было в этой встрече ничего конспиративного, никакого криминала. Она просто гуляла... Но почему так поздно? И почему сразу ушла в том направлении, куда никогда прежде не ходила?

— Знаете, я так переживал всю ночь, — снова погнал Костя. — Десять вечера — вас нет, одиннадцать — нет, двенадцать — нет, я уж места себе не находил, думал, может, что-то случилось. А когда вы вышли, я рванул к вам, а вас и след простыл. Я и на спортплощадке вас искал, и к круглосуточному магазину бегал. А потом вы появляетесь в обществе мужчины. Меня прямо как холодной водой окатило! Даже не думал, что могу так бешено ревновать.

Врать было нетрудно, за последние месяцы ложь стала самым обычным делом для Кости Фадеева. Легкости и воодушевления прибавляла и та новая радость, которая открылась ему ночью и стала такой явственной утром. Ему казалось, что теперь он справится, непременно справится с любыми трудностями, ему теперь все по плечу. Потому что появилась идея, потому что замаячила цель, и цель эта вовсе не кажется недостижимой. Он вырвется. Он сбросит с себя отцовское влияние, он вытащит и себя, и маму, и они снова будут жить в любви и доброте — мама, Вадька и он. А отец пусть как хочет. Нравится ему быть главным — пусть будет, только не за счет своих близких. Пускай других дураков поищет. А он, Костя, жертвовать собой не собирается и маме и брату не позволит!

— Костик, — Вероника говорила медленно, словно через силу, и Косте даже показалось, что она чем-то раздражена, — неужели я похожа на безумицу? Зачем мне ходить на спортплощадку после полуночи? Приключений искать? Я уже, видите ли, не в том возрасте. Я пошла туда, где безопасно, где проспект, фонари, автомобили, люди. Это же так естественно! А где бы вы хотели, чтобы я гуляла ночью?

— Я вообще-то хотел бы, чтобы вы гуляли не ночью, а вечером, пока еще светло. А вы вчера вышли так поздно...

— У нас были гости, я не могла бросить их и уйти на целый час с собакой, я же все-таки хозяйка дома.

— А... а кто этот ваш знакомый, с которым вы встретились?

Вероника посмотрела на него таким усталым и измученным взглядом, что Костя мысленно поежился. Наверное, муж тоже доставал ее этим вопросом, ей надоело оправдываться, а теперь еще он сам лезет и спрашивает про то же самое.

— Костя, — неожиданно голос женщины окреп, в нем зазвенели какие-то новые для Кости нотки, — мы можем с вами договориться?

— О чем?

— О том, что я отвечу на ваш вопрос, но потом вы оставите меня в покое.

— До вечера?

— Нет, совсем оставите. Понимаете? Вы оставите меня в покое, — повторила она медленно и четко, глядя в сторону. — Вы больше не будете выходить и гулять со мной. Вы не будете больше топтаться рядом и вымучивать из себя слова. Я не знаю, что вы там себе напридумывали и зачем вам эти гулянки, но я от них устала. Время прогулок с собакой — это мое личное время, поймите это, это время, когда я могу остаться наедине с собой и подумать о том, что для меня важно. А вы мне все время мешаете.

— Простите, — пробормотал Костя. — Я не думал, что вас это так раздражает...

— Да, меня это раздражает. У меня большая семья, большая квартира и трое животных, у меня очень много домашней работы и всяческих забот. Прогулка с Арго́ном — это мой отдых. А вы меня этого отдыха лишаете. Я понимаю, что веду себя жестоко, но почему я должна жертвовать своими интересами ради ваших чувств? Так я могу считать, что мы договорились?

— Да, — растерянно ответил он и вдруг обрадовался: она прогоняет его! Сама прогоняет! И с этим деспот-отец уже ничего не сможет поделать. У него не будет оснований заставлять Костю ходить на эти дурацкие свидания.

Все! Свобода! Ура! Да здравствует честность, прямота

и жестокость! Да здравствует Вероника, которая не хочет жертвовать собой ради Костиных чувств! И да здравствует сам Костя, который тоже не хочет жертвовать собой ради чувств родителей! Вероника показала ему пример, и он этому примеру последует. Не зря же говорят, что учитель приходит, когда ученик готов. Еще вчера Костя не был готов отказаться от самопожертвования, и Вероника, сцепив зубы, терпела его присутствие. А сегодня он уже готов, он готов получить урок, и она — как почувствовала! — этот урок ему преподала.

— Спасибо, — искренне произнес он и снова испугался: сказал то, что думал, но так некстати, ни к селу ни к городу. Что она подумает?

— За что? — удивилась женщина.

— За искренность. Лучше вы один раз меня ударите и поставите все на свои места, чем будете мучиться в моем присутствии. Я понимаю, это ужасно глупо было с моей стороны — влюбиться в вас, но еще более глупым было подходить к вам, знакомиться и грузить вас своими чувствами. Я же видел, что я вам не нужен, что я для вас лишняя обуза, но все равно как-то надеялся...

Костя долго путался в словах и нес какую-то чушь, Вероника его не слушала, поглощенная своими мыслями, собака путалась под ногами и пыталась лизнуть Костину руку. Наконец все закончилось. Они попрощались, и Костя с облегчением ушел домой. Мать уже встала и собиралась на работу, отец спал. Он полагал, что, пока Костя гуляет с женой Врага, можно оставить наблюдательный пост, все равно сам Враг в такую рань никогда не уходит.

— Ты что, сынок? Почему так быстро вернулся? — удивилась мама, увидев Костю, но в ее тоне было куда больше безразличия, чем настоящего интереса.

— Она меня прогнала! — радостно сообщил он.

— Как это — прогнала?

— А вот так. Сказала, что я ей мешаю думать и отдыхать от домашних дел. И вообще, я ей надоел со своими придурочными приколами. Я с самого начала знал, что так и будет, я же говорил папе, что она слишком стара для меня. Или я для нее слишком молод, что, в принципе, равнозначно. А он ничего слушать не хочет, думает, он самый умный и все за всех может решить.

Он не скрывал злорадства, слова сами рвались наружу, и Костя даже не особенно старался выбирать выражения.

— Сынок, не надо так говорить о папе, — попыталась было возразить Анна Михайловна. — Он знает, что делает.

— Да ни хрена он не знает! Что ты его защищаешь все время? Он вбил себе в голову черт знает какую хренотень и заставляет нас с тобой плясать под его дудку. Ты хоть понимаешь, что он нам с тобой жизнь калечит?!

— Сынок, что ты говоришь...

— А то и говорю! Мам, я все понимаю, ты отца любишь, жалеешь его, но он-то нас с тобой не любит и не жалеет, он же нас с тобой использует, неужели ты не видишь сама? Он подминает нас под себя в угоду собственному самолюбию, он к Вадьке не ездит, только по телефону с ним разговаривает, великого сыщика из себя корчит, едрена-матрена! Ну и пусть себе тешит свое самолюбие, но только не за твой счет и не за мой! И не за счет Вадьки!

Мать присела на кухонный колченогий табурет и тихо заплакала. Она не всхлипывала, не рыдала, слезы катились по ее лицу, губы тряслись, по горлу то и дело пробегала судорога, но ни одного звука Костя не услышал.

— Мам, ну ты чего? — Он наклонился к ней, поцеловал в макушку и заметил множество седых волос, пробивающихся сквозь окрашенные в парикмахерской пряди. — Не надо реветь, а? Ну я же правду говорю, согласись.

Мать глубоко вздохнула, вытерла слезы ладонью и молча кивнула. Костя так и не понял, что означал этот жест: согласие ли с тем, что не надо плакать, или с тем, что он говорит правду.

— Костик, мы — семья, мы должны быть вместе и стоять друг за друга, помогать, поддерживать. Что бы ни случилось.

— А если помощь и поддержка превращаются в насилие? В то, что тот, кому помогают, мешает жить всем остальным? Тогда как? Ты вспомни, мам, на что меня отец нацеливал, нет, ты вспомни! — Он снова начал распаляться. — Он же хотел, чтобы я переспал с этой Вероникой, если надо будет. Это как, по-твоему? Братская помощь, что ли?

Анна Михайловна немного помолчала, потом спросила:

— У тебя есть девушка?

— Есть, — не задумываясь ответил Костя.

— Давно?

— С полгода примерно.

— Где ты с ней познакомился?

— Да мы учимся вместе, а что?

— Как ее зовут? — продолжала спрашивать мать.

— Мила. Мила Караваешникова.

— Мила Караваешникова, — задумчиво повторила мать и почему-то улыбнулась. — Уютное имя какое... А она сама такая же уютная?

— Мам, она самая лучшая на свете! — убежденно проговорил он. — Хочешь, я вас познакомлю? Только отцу не говори, он меня сожрет, опять начнет дундеть, что я ставлю личные интересы выше мести за брата и все такое. Ладно? Не скажешь?

— Не скажу, — с улыбкой пообещала Анна Михайловна. — А как же ты с ней сейчас встречаешься? Ведь занятия закончились, папа заставляет тебя быть с ним или дома.

— Именно, — Костя помрачнел. — Никак не встречаюсь. Она собирается ехать отдыхать, звала меня с собой, но я же не могу... Мы из-за этого поссорились.

— Переживаешь?

— Ну а то.

— Ладно, сынок, не отчаивайся, все наладится. — Она посмотрела на часы и заторопилась. — Сейчас выпью кофе и побегу, надо прийти пораньше и кое-какие документы просмотреть.

Ну вот, конечно, так он и знал! «Ладно, сынок, не отчаивайся, все наладится!» Да что наладится-то? Только-только нормальный разговор завязался, а она уже торопится, сворачивает его. Даже мама его не понимает. Или не хочет понимать?

НА СОСЕДНЕЙ УЛИЦЕ

Да, комбинация с Ольгой Петровной засбоила, но зато с девчонкой все развивается не просто по графику, а даже и с опережением. Совсем послушная стала, в рот ему заглядывает, каждое слово ловит. Еще чуть-чуть — и готова будет ноги целовать. Вот тогда он и заставит ее привести к нему домой дядюшку Евгения. И пусть Женька Сальников вытерпит все, что Игорь ему уготовил. Пусть переживет такую же физическую боль, какую когда-то, много лет назад, пережил сам Игорь, когда Женька с двумя приятелями не из их класса, с чужими какими-то пацанами, избивал его. И пусть перенесет такое же унижение. И все это — на глазах у любимой, обожаемой племянницы Аленки. Ведь в свое время он унизил Игоря на глазах у Ольги Петровны, вот пусть теперь и узнает, каково это.

Бог мой, как он ее любил... Боготворил. Боялся смотреть на нее, дышать в ее присутствии. Он писал стихи о своей любви. Стихов набралась целая тетрадка в 48 листов. Потом, уже в другой тетради, Игорь начал рисовать. Чувство к красавице-учительнице довольно быстро переросло платонические рамки, он был внешне хиленьким, но во всем остальном нормально, даже рано развивающимся юношей с бурно протекающими гормональными процессами. Поэтому он мечтал... видел сны... рисовал. Рисовал хорошо, у него были способности. Картинки получались не только правдоподобными, но и весьма впечатляющими эмоционально. Ольга Петровна на этих рисунках всегда была раздетой, ее тело казалось Игорю великолепным воплощением красоты и гармонии. Присутствовал на картинках и сам Игорь, но в одежде (он стеснялся своей невзрачности, в которой его успешно убедила тетка) и почти всегда в роли сурового мужчины, применяющего насилие. Нет, он не собирался насиловать учительницу, ни в мыслях, ни в желаниях у него такого не было, просто ему в те годы казалось, что если женщина раздета, а мужчина одет, то так может сложиться только в результате акта насилия. Если все происходит по доброй воле и взаимной любви, то оба партнера должны быть голыми. Другие варианты Игорю в голову не приходили, отсюда и содержание его живописных упражнений.

Как получилось, что обе тетрадки попали в руки Женьке Сальникову, — Игорь не представлял. Он так заботливо хранил их, носил с собой в портфеле, чтобы не оставлять дома (не дай бог, тетка найдет!), да и за портфелем следил, как ему казалось, бдительно. Но, вероятно, это ему только так казалось. Почему Женька заинтересовался содержимым школьной сумки невзрачного одноклассника, для Игоря осталось загадкой. Но факт есть факт, Женька тайком залез к нему в портфель и спер обе тетрадки. А потом предал огласке все, что в них было, и стихи, и рисунки.

Игоря вызвали к директору, при беседе присутствовали завуч и Ольга Петровна. Он до сих пор не мог без содрогания вспоминать то, что ему пришлось выслушать. Оказалось, что он глубоко безнравственный половой психопат, которого нужно посадить в тюрьму за изготовление порнографии, и только желание сохранить доброе имя школы не позволяет директору обратиться в милицию и прокуратуру. Он растленный тип, бездарный графоман, бумагомарака, кропающий мерзкие сладострастные стишата. И это было еще самым мягким из всего сказанного. Директор метала громы и молнии, завуч гадко поддакивала, а Ольга Петровна молча улыбалась и смотрела на Игоря холодными глазами, в которых смешивались в равных пропорциях презрение и брезгливое любопытство. А ведь она всегда хвалила его сочинения, особенно стихи, которые он порой в эти сочинения вставлял, его собственные стихи. И теперь, когда его обзывали бездарным графоманом, не произнесла ни слова, не заступилась, не призналась, что его стихи ей нравились. Совсем недавно он писал сочинение по «Войне и миру», из трех предложенных тем выбрал тему о Пьере Безухове, но раскрывал его образ не через участие в войне, а через отношения с Элен и Наташей. И после проверки сочинений Ольга Петровна перед всем классом похвалила Игоря, сказав, что таких пронзительных строк о любви, наполненных зрелым, недетским пониманием, никогда у своих учеников не встречала. Игорю в тот момент почудилось, что она признала в нем мужчину, «не мальчика, но мужа», способного на взрослое, сильное и достойное внимания чувство. А теперь она сидит молча, слушает, как директор и завуч измываются над ним, и ни слова не произносит в его защиту. Только разглядывает с холодным брезгливым любопытством.

Он действительно в одночасье превратился в изгоя. Учителя косились на него. Одноклассники открыто потешались. Очень скоро информация разошлась по всей школе, и на Игоря стали показывать пальцем сперва ребята из параллельного класса, а потом и все остальные, кроме совсем уж малышни, которая по малолетству не смогла понять, из-за чего сыр-бор. Тетку, разумеется, поставили в известность, так что Игорь и дома получал свое на протяжении многих месяцев. Однако же просьбу перевести его в другую школу тетя отклонила.

— Напакостил — умей отвечать, — сухо бросила она. — Потерпишь, может, ума наберешься.

И он терпел. Он был в то время еще слишком послушным, чтобы протестовать или настаивать.

А потом Женька Сальников подкараулил его вечером и втроем с незнакомыми пацанами избил. В принципе, высоченный и хорошо тренированный Женька мог бы справиться с хилым Игорьком одной левой, и было непонятно, зачем он позвал на подмогу дружков.

— Будешь знать, гаденыш паскудный, — приговаривал он, нанося удары, — будешь, пидор гнойный, знать свое место. Козявка тонконогая, ублюдок, поэт сраный.

Было произнесено еще много других, куда менее цензурных и более оскорбительных слов, из которых следовало, что с такими физическими и интеллектуальными данными Игорь не имеет права не только засматриваться на девочек, но даже и думать о них, а уж о том, чтобы мечтать о любви такой красавицы, как учительница Ольга Петровна, даже и речи быть не может. Такие гнилые выродки, как Игорь Савенков, должны сидеть тихо, головы не поднимать и благодарственно радоваться, если сильные, красивые и удачливые властители мира, к коим причислял себя Женька, им вообще позволяют дышать и существовать. В общем, в таком духе.

Только много лет спустя Игорь понял наконец, почему Женька избивал его не в одиночку, а в компании с дружками. Ему не нужен был честный бой один на один, потому что если бой честный, то проиграть в нем не стыдно, не зазорно. В том, что проиграет именно Игорь, никаких сомнений быть не могло, но Женьке Сальникову не нужна была победа. Он и без того чувствовал себя в этой жизни победителем. Ему нужно было унижение Игоря, он хотел морально уничтожить его, а когда избивают втроем, это всегда унизительно, потому что несчастная жертва практически лишена возможности сопротивляться и не в состоянии сделать ни одного движения, за которое потом сможет себя уважать и утешаться тем, что «не сдалась без боя». И потом, Женьке нужна была публика. Поражение тем унизительнее, чем больше людей его видят.

Ну что ж, теперь Игорь сделает так, чтобы Женькино унижение тоже увидели. Он не станет его бить, не опустится до такой гадости, тем более Женька, если верить его племяннице, пьет давно и основательно и не сможет оказать достойного сопротивления спортивному и мускулистому Игорю. Они поменялись местами. Нет, пусть Женька унижается сам, ползает на брюхе, умоляет простить, плачет, размазывая по лицу сопли, а Алена, его горячо и нежно любимая племянница, пусть стоит рядом и смотрит. Игорь знает, как это устроить, девчонка уже ходит на коротком поводке, еще немного — и она будет делать все, что он скажет. Хорошую школу прошел он у тетки, осмыслил ее опыт и теперь знает, как сделать из Алены покорную безропотную куклу.

НИКА

— Наталья Сергеевна, вы не думали о том, что Патрика надо бы кастрировать? — спросила я, с трудом разгибая спину после очередного оттирания пола в углу Алениной комнаты.

Я опять не уследила, делая массаж Николаю Григорьевичу, и Патрик снова выразил девушке свою активную нелюбовь. Патрик — хороший парень, но как же я от него устала! После первой, закончившейся дракой попытки вырваться на свободу он стал побаиваться улицы и начал вымещать на Алене не только личное к ней отношение, но и нереализованный эротизм. До достижения годовалого возраста стерилизовать котов не рекомендуется, и я терпела. Но вот ему исполнился год, так почему бы не облегчить жизнь всем, в том числе и мне?

— Кастрировать? — с недоумением переспросила Мадам. Потом, вероятно, сообразила, о чем идет речь, и бросила на ходу: — А, ну да, конечно, позвоните нашему ветеринару, договоритесь с ним.

Ветеринар согласился приехать и провести операцию дома, предупредил, что привезет с собой помощницу, потому что кота надо держать и не нужно, чтобы это делал кто-то из хозяев, иначе кот может затаить на него злобу. И еще добавил, что в течение трех дней после операции за котом нужно будет тщательно следить и в буквальном смысле глаз с него не спускать, чтобы он не забрался куда-нибудь и не спрыгивал с высоты. Такое требование поставило меня в жесткую зависимость от дня недели. Операцию по лишению Патрика радостей мужской жизни лучше всего было бы провести вечером в пятницу, чтобы обеспечить ему присмотр в течение субботы и воскресенья наличными силами Семьи и подготовить плацдарм для понедельника, заранее закупив все необходимые продукты, дабы мне не пришлось уходить в магазин.

Однако все мои расчеты тупо уперлись в нежелание моих хозяев жертвовать собственными удобствами. Денис после сдачи сессии уехал с друзьями и подругами отдыхать, а оставшиеся в Москве члены Семьи строили на выходные дни собственные планы, в которые входило что угодно, только не сидение дома с больным котом. Гомер и Мадам, к примеру, собирались в пятницу вечером отбыть на дачу к знакомым, где намечались шашлыки на природе и последующее длительное переваривание съеденного вплоть до утра понедельника. Алена заявила, что на нее я могу не рассчитывать, у нее свои дела, и вообще, я получаю зарплату в том числе и за уход за животными, так что нечего перекладывать свои обязанности на других. Я не выдержала и произнесла большим языком то, что предварительно проговорила маленьким:

— Когда я поступала к вам на работу, животных было двое, и это отражено в размере моей зарплаты. Потом ты принесла Патрика. Таким образом, животных стало трое, а зарплату мне не увеличили. Тебе не кажется, что это не совсем правильно? Я не прошу прибавки жалованья, я только прошу, чтобы ты хотя бы иногда принимала посильное участие в уходе за котом, которого ты же сама и принесла.

Ответом мне был исполненный негодования взгляд и хлопок дверью. Ну что ж, нет так нет, придется мне вызывать ветеринара, как я и собиралась, на вечер пятницы и два дня сидеть дома. На время «собакинга» Патрика можно будет запирать в комнате Николая Григорьевича, Старый Хозяин — человек ответственный, в границах отведенной территории он за котом присмотрит. Правда, придется ради выгула Аргона оставлять старика одного, я не совсем понимала, что себе думают по этому поводу хозяева. Оказалось, они не думают ничего, поскольку за время моей работы в Семье как-то легко и быстро отучились думать о таких глупостях вообще, ведь есть же Ника, пусть она и думает, ей за это деньги платят.

— Ну хорошо, — раздраженно сказала Наталья в ответ на мои настойчивые вопросы, — мы возьмем Аргона с собой за город. Правда, это нарушает наши планы, мы с Павлом Николаевичем собирались ехать в понедельник с дачи прямо на работу, а теперь нам придется с утра еще и Аргона домой завозить. Прямо не знаю...

— Может быть, вы поговорите с Аленой? — наивно предложила я. — Она ведь за город не едет. Она могла бы гулять с собакой или сидеть дома и следить за Патриком и дедушкой, пока я выгуливаю Аргона. Все продукты я куплю заранее, тем более если вас с Павлом Николаевичем в выходные не будет, готовки предстоит меньше.

Поговорить с дочерью Наталье удалось только поздно вечером, когда Алена явилась со свидания. Я к этому времени уже ушла к себе и торчала в Интернете, читая письма от многочисленных знакомых из Ташкента и сочиняя ответы. Мадам проявила деликатность и постучала, прежде чем войти.

— Алена не сможет вам помочь, она очень поздно

приходит. — В голосе Натальи слышалась едва заметная неловкость. — А утром она хочет выспаться.

— Пусть выспится, — я была сама покладистость, — а потом выведет собаку, Аргон все равно не приучен к конкретному времени.

— Но она поздно встает, вы же знаете, Ника.

— А она не может приходить домой немножко раньше и немножко раньше вставать? Это ведь всего на три дня, Наталья Сергеевна.

— Она отказывается. Вы должны с пониманием отнестись к этому, девочка закончила школу, в ее жизни закончилась строгая обязаловка, она упивается свободой, в том смысле, что можно не соблюдать режим, не нужно рано вставать... В общем, вы понимаете, что я имею в виду. Мы с Павлом Николаевичем даже не можем заставить ее подать документы в институт. Сейчас она совершенно неуправляема.

Уж это точно. Не могу сказать, что Аленой можно было успешно управлять, пока она училась в школе, но сейчас ее независимость перешла всякие границы и превратилась в наглость.

— А как же Николай Григорьевич? Если вас не будет дома, а Алена спит, как же я буду уходить с собакой и оставлять его одного?

— Но это же всего три дня, Ника, — возразила мне Наталья моими же словами. — Сейчас Николай Григорьевич чувствует себя неплохо, и ничего страшного не будет, если вы уйдете ненадолго. В конце концов, не обязательно отсутствовать целый час подряд, можно каждые десять-пятнадцать минут возвращаться домой и проверять, как Николай Григорьевич себя чувствует.

— Я поняла, — вздохнула я. — Так что вы предлагаете? Если вы не хотите увозить с собой собаку и если Алена отказывается мне помочь, то какой выход? Я имею в виду Патрика. Я не уверена, что Николай Григорьевич сможет за ним уследить, когда меня не будет.

— Позвоните ветеринару и договоритесь на другой день. Пусть эти три дня выпадают на будни, когда или я, или Павел Николаевич дома утром и вечером, и у вас не будет проблемы с выгулом Аргона.

У меня не будет проблемы. Хорошая постановка вопроса. Как будто это моя собака и моя проблема.

— Или вообще не будем его кастрировать, — продолжала Мадам.

Ну конечно, не ей же мыть, согнувшись в три погибели над полом или ковром. У нее-то уж точно никаких проблем нет.

Я не успела выдвинуть очередную серию аргументов, как распахнулась дверь и в комнату влетела бледная от ярости Алена.

— Почему телефон не работает? Вы опять торчите в Интернете? Мне нужно позвонить, отключитесь, пожалуйста.

Очень мне понравилось это «пожалуйста», сказанное таким тоном, будто это было самое страшное на свете ругательство. Уже и позвонить, ведь только недавно пришла. Видно, господин Игорь Савенков и вправду живет где-то неподалеку и успевает минут за десять-пятнадцать вернуться домой.

— Первый час ночи, Алена. — Я изображала всю глубину тупой невоспитанности. — Неужели ты будешь звонить в такое время?

— Это не ваше дело. Освободите телефон.

Мадам, как и следовало ожидать, промолчала. Что ж удивляться, что Алена такая выросла, если ей за всю жизнь ни одного замечания не сделали.

Я послушно отключилась. Алена метнула полный ненависти взгляд на Патрика, который уже успел умоститься на моей подушке и очень серьезно приготовился спать, и выскочила. Наталья помялась, потопталась у меня над душой и тоже ушла, посоветовав на прощание еще раз подумать, так ли уж необходимо оперировать Патрика и нельзя ли обойтись без всех этих сложностей.

Я подумала. И пришла к выводу, что оперировать кота все-таки надо. Алену он, само собой, от этого не полюбит и будет продолжать ей пакостить, но хотя бы станет спокойнее, перестанет беспрерывно метить территорию и не будет своей неугомонной подвижностью провоцировать громоздкого, неповоротливого Аргона на игрища и ратные подвиги, в результате которых, если не уследить, можно получить разбитую посуду, разлитую воду из вазы с цветами, перевернутые горшки и рассыпанную по ковру цветочную землю.

На следующий день я снова позвонила ветеринару, и мы назначили для богопротивной процедуры другой день. Юный Вертер пока не появлялся, и я решила, что мои слова, может, и были излишне резкими, зато дали нужный эффект. Со встречи с Никотином прошло три дня, и я подумала, что не будет ничего неприличного, если я ему позвоню. Три дня срок вполне достаточный, чтобы найти людей, которых можно послать к Евгению Николаевичу для проведения разведывательного опроса. Звонить из дома я не решилась, меня не покидало подозрение, что Главный Объект периодически интересуется содержанием телефонных переговоров своих домочадцев, а уж тем более — моими звонками, ведь я как-никак была и осталась «чужой», и кто меня знает, а вдруг я связана с какими-нибудь преступниками-уголовниками-ворами-вымогателями. В общем, я его понимала. Так что во время похода в магазин купила телефонную карту и позвонила Назару Захаровичу из автомата.

— А я уж думал, тебе неинтересно, как там дела, — с насмешкой укорил меня Никотин. — Не звонишь и не звонишь.

— Не хотела вас попусту дергать. Я ведь понимаю, что такие дела быстро не делаются, — кинулась я оправдываться.

— Вот такие-то дела как раз и делаются быстро. Где встречаемся? Там же, где в прошлый раз?

— Да. В одиннадцать вечера вас устроит?

— Ох, детка, не жалеешь ты меня, старика! Ладно, ладно, все понимаю, ты себе не хозяйка. Твой-то козел не напьется сегодня? Не придется, как в прошлый раз, встречу переносить?

— Надеюсь, что нет. Два раза на одной неделе — это для него многовато.

«Мой козел» не только не напился, но даже и пришел в немыслимую рань — аж в шесть вечера. Так что после десятичасового «кефиринга» я быстро довела кухню до состояния стерильной операционной и отправилась на плановый «собакинг». Ровно в одиннадцать я стояла в условленном месте и таращилась в ту сторону, откуда должен был появиться Никотин. Хорошо, что еще не совсем темно, а вот в прошлый раз глубокой ночью мне было здесь страшновато.

Назар Захарович вопреки ожиданиям появился совсем с другой стороны. Я где-то читала, что настоящие шпионы к месту явки никогда не приходят одним и тем же путем...

— Ну, детка, слушай историю, — начал Никотин, сладко затягиваясь «беломориной». — Жил-был мальчик Женечка, и ему очень нравилась одна девочка из его класса. Уж так нравилась, так нравилась, что просто сил не было терпеть. А девочка на Женечку ноль внимания, потому как интерес ее лежал в области совсем другого мальчика из этого же класса. Игорьком звали того мальчика. Был он худеньким, невзрачненьким, неспортивненьким, даже, можно сказать, на лицо страшненьким. Но зато Игорек был весь такой необыкновенный, стихи писал, учительница литературы его все время хвалила, и девочка прямо умирала по нему. А Игорек девочку не замечал. То есть Женечка любит девочку, девочка любит Игорька, а Игорек вообще непонятно о чем думает, но уж точно не о девочке. Вот такой вот наметился у них любовный треугольник...

Никотин рассказывал, и я слушала его, открыв рот и боясь упустить хоть слово. Так вот что за история произошла между нашим Евгением Николаевичем и Аленкиным ухажером! Отвратительная, грязная история, мерзкая, показывающая, насколько глуп, малодушен и низок был красивый самоуверенный мальчик Женечка и как подло он обошелся с соперником, который, судя по всему, даже и не подозревал об этом соперничестве, потому как был до помрачения рассудка влюблен в учительницу и больше никаких представительниц женского пола вокруг себя не замечал.

— Вот такая история, детка, — закончил свой рассказ Назар Захарович. — Теперь осталось выяснить, случайным или намеренным является знакомство Игоря Савенкова с племянницей Женечки Сальникова. Если случайным, если за этими отношениями не стоят какие-то нехорошие планы, то пусть себе крутят любовь, дело молодое. А если же нет...

— Да наверняка нет, — горячо перебила я Никотина. — Если бы это был обычный роман взрослого мужика с девчонкой, он бы давно уже вовсю пользовался ее телом, тем более она сама этого страсть как хочет. Мы же с вами, дядя Назар, еще в прошлый раз пришли к выводу, что Игорь ее дрессирует, как собачку, значит, ему от нее что-то нужно. Разве нет?

— Пришли, пришли, — он согласно покивал головой. — Стало быть, теперь нам нужно устроить крепкий мужской разговор с самим Игорем, чтобы выяснить, чего он хочет от Алены и нельзя ли предложить ему равноценный эквивалент. Но это, детка, уже за деньги. Такую работу за «спасибо» тебе никто не сделает. Ты готова платить?

Готова ли я платить? Из накопленной кучки трудно доставать только первую купюру, потому что это вопрос принципа: трогать деньги или нет. Как только первая купюра извлечена, отделена от общей кучки и передана в другие руки, все становится легким и простым. Я уже стояла у развилки и принимала решение: тратить свои деньги на решение проблем Семьи или не тратить. И поскольку однажды я уже решила, что проблемы Сальниковых — это, в конечном итоге, проблемы моего жилья, моей зарплаты и моего будущего, и поэтому я буду тратить собственные деньги на разруливание этих проблем, постольку во второй раз я уже не стою перед развилкой, а иду по накатанному пути.

— Сколько? — коротко спросила я.

— Триста долларов. К Игорю пойдут три человека, двести долларов одному, по пятьдесят — еще двоим.

— А почему три человека, а не один и не два? И не четыре?

— Психологический прием. Игоря били втроем, для него ситуация «один против троих» до сих пор остается травмирующей и подавляет способность к сопротивлению. Я думаю, если пойдут трое, его будет легче уговорить.

— На что уговорить? Бросить Алену? Или на что?

— Ну, детка, бросать или не бросать Алену — это он сам должен решить, может, она первая захочет его бросить, мы с тобой в это вмешиваться не можем и не должны. Но если мы с тобой считаем, что при помощи Алены он собирается свести счеты с Женечкой, то нужно предложить ему вариант, при котором Алена останется в стороне. Нужно сделать так, чтобы он ее не использовал. Тогда в ее глазах этот роман, чем бы он ни закончился, останется просто романом, каких у нее будет в жизни еще сто пятьдесят штук. Это не сломает ей жизнь и психику. Она не будет неделями рыдать, заперевшись у себя в комнате, не впадет в черную депрессию, не угодит в больницу, не будет предпринимать суицидальных попыток и так далее. Может, у твоей Алены с этим Игорем еще так все сложится, что они поженятся и нарожают кучу симпатичненьких детишек. Надо только сделать так, чтобы свои мстительные замыслы он не строил на Алене, потому как если она об этом узнает, то последствия будут самые тяжелые, судя по тому, как ты описала ее характер.

— Да это-то все правильно, дядя Назар, только я не понимаю, как это можно сделать.

— А тебе и не нужно понимать. Ты — заказчик, ты ставишь задачу и платишь деньги, а каким способом задача решается — не твоя печаль.

— Вы что, бить его будете? — в ужасе спросила я. — Нет, на это я денег не дам.

— Детка, я похож на идиота? — строго спросил Никотин.

— Не похожи.

— Тогда зачем ты мне это говоришь? Однажды ты уже поставила меня в известность насчет того, что ты против насилия. Я запомнил. Бить Игоря никто не будет, можешь не беспокоиться. Есть такая профессия — переговорщик. Слыхала?

— Которые с террористами договариваются?

— В том числе и с террористами. Это люди, которые умеют договариваться и знают, как это делается. Вот такой человек и пойдет к Игорю.

— А двое других?

— Для численности, я же объяснял тебе. Вести переговоры будет один человек, а еще двое стоят у него за спиной и молчат. Могу тебя заверить, что это очень страшно, даже если они просто стоят и не шевелятся. Скажу тебе больше, чем меньше они шевелятся, тем страшнее. Ну так как, детка, ты согласна? Будешь платить за эту работу?

— Буду, — твердо ответила я.

На следующий день я передала Никотину триста долларов, еще через два дня, в понедельник, с трудом перевалив через выходные, во время которых утренний и вечерний «собакинг» больше напоминал рваный пунктир — десять минут на улице, две минуты в подъезде и лифте, три минуты дома, снова две минуты в лифте и подъезде, и снова десять минут на улице, — я впустила в квартиру ветеринара с помощницей. Патрик, которого по наказу ветеринара не кормили со вчерашнего вечера, смотрел на меня сердито и все время искал Каськины и Аргоновы мисочки в надежде спереть кусок съестного. Мисочки я спрятала надежно, а не подлежащих операции животных кормила по очереди, закрывая Патрику доступ в пищеблок.

Через час все было закончено. Сердце мое разрывалось от жалости к коту, пусть и шкодливому, но честному, мужественному и, в отличие от моего мужа, верному. Я плюнула на все, взяла Патрика на руки и ушла к Николаю Григорьевичу. Старый Хозяин с пониманием отнесся к моим чувствам, усадил на диван, я баюкала кота, гладила его по спинке и целовала в макушку, а Главный Объект читал мне вслух «Учителя фехтования» Переса-Реверте. Измученный страхом и переживаниями котик уснул, и совершенно неожиданно для меня Николай Григорьевич предложил принести чаю и перекусить.

— Вы сидите, Никочка, пусть Патрик поспит, не будите его, я сам все принесу, и мы с вами чайку выпьем с бутербродами и пирожками. А?

Я с удовольствием согласилась. Господи, как давно никто не приносил мне чай в комнату! Это же такая малость, такая ничтожная ерунда, а возникает ощущение, что о тебе заботятся, что ты нужна и, может быть, даже любима...

Несмотря на напряженную ситуацию с Аленой и Игорем, несмотря на прооперированного котика и на возникшую снова финансовую брешь, это были несколько самых счастливых часов за то время, что я рассталась с Олегом.

А вечером я снова встретилась с Никотином.

— Алену удалось отбить, — не тратя лишних слов, сообщил Назар Захарович. — Ребята очень хитро перевели стрелки на деда, девочка рассказала Игорю, что дедушка у нее всю жизнь проработал в КГБ—ФСБ, и парень поверил, что это именно дед его вычислил и разгадал весь замысел. Ему мягко дали понять, что у Алениного дедушки возможности неограниченные, и если что, то... С фантазией у него лучше, чем у тебя, детка, он сам дорисовал картину. Вероятно, получилось очень впечатляюще, потому что он позволил им договориться. Более того, Игорь пообещал не бросать Алену сразу, а сделать это мягко, постепенно, чтобы не нанести ей травму. Он признался, что как женщина она его совершенно не интересует и поддерживать с ней отношения в дальнейшем он не намерен.

— Значит, все? — с облегчением перевела я дух. — Вопрос закрыт?

— Ну прямо-таки! Вопрос закрыт только в части Алены. А в части Женечки он остается открытым. Если мы хотим, чтобы Алена осталась в стороне и ее отношения с Игорем никогда и ни в чем не вышли за рамки обыкновенного романа, мы должны сделать так, чтобы Женечка сам пришел к Игорю и в самой униженной форме попросил у него прощения. Игорь собирается отвести душу и всласть поиздеваться над бывшим одноклассником, и Женечка должен все это вытерпеть.

— И как этого добиться? — спросила я упавшим голосом.

— Детка, в наше суровое полукапиталистическое время деньги решают все. Те же самые ребята уже поговорили с Женечкой. Они же опытные переговорщики.

— И что? Неужели он согласился?

— Ты меня удивляешь, — покачал головой Никотин.

Он выбросил окурок, тут же достал еще одну «беломорину», прикурил, выпустил дым сквозь зубы.

— Кто же может за здорово живешь согласиться на такое? — задал он сакраментальный вопрос.

Это верно.

— Сколько? — обреченно ответила я тоже вопросом.

— Ребятам — триста, по таксе, за визит к Женечке.

А самому Женечке — тысячу долларов. За меньшую сумму он не согласен. Сначала вообще требовал три тысячи, но ребята его уломали.

— Хорошо. Я дам деньги. Когда нужно?

— Ребята могут подождать, они нормальные, в положение входят. А Женечка — сама понимаешь, в кредит не работает. Пока денег не будет, он к Игорю не пойдет. Ребята взялись процесс проконтролировать, то есть деньги будут у них, и Женечка не получит их до тех пор, пока Игорь не испытает чувство глубокого удовлетворения. Ты остаешься полностью в стороне, ни Женечка, ни Игорь никогда не узнают, что за всем этим стоишь ты и деньги даешь тоже ты.

— А за то, что ваши ребята проконтролируют, как вы выразились, процесс, сколько я должна заплатить? — безнадежно уточнила я.

— Это — подарок от фирмы. Бесплатно. Пока они вели переговоры сначала с одним мудаком, потом с другим, они так прониклись сочувствием к тебе и к Алене, что решили за контроль денег не брать. Все люди, у всех есть не только желудок, но и сердце.

НА СОСЕДНЕЙ УЛИЦЕ

Почему все перестало получаться так, как он задумывает? Почему раньше все шло строго по разработанным им планам, а теперь все срывается? Полоса такая, что ли? Или с его планированием что-то не в порядке? Сначала старая стерва Ольга взбрыкнула, теперь, когда все, казалось, на мази, дед Алены свои длинные комитетские щупальца протянул. Как догадался? Как вычислил? Впрочем, нечему удивляться, разведчик-контрразведчик, это его профессия. С ним связываться — себе дороже. А с Женькой Сальниковым что за фигня получилась? Он же алкаш! Этого Игорь не мог предвидеть, он был уверен, что жизнь красивого и уверенного в себе одноклассника сложилась успешно и благополучно, и именно это благополучие, социальное, семейное, финансовое, придавало плану мести такую приятную окраску. Заставить этого успешного красавца, наверняка богатого бизнесмена, мужа красивой женщины и отца прелестных ребятишек, распластаться перед Игорем, унижаться, просить, каяться, бить себя в грудь... Много чего придумал Игорь для этой решающей сцены. И ничего не получилось.

Потому что вместо успешного и богатого Евгения Николаевича Сальникова к нему явился спившийся, трясущийся похмельной дрожью, опухший и отекший Женька, который даже не в состоянии был оценить и осознать всю глубину заготовленного ему унижения. Игорь очень быстро понял, что Женьке абсолютно все равно, что говорить, что делать и какие слова выслушивать, чувство самоуважения и гордости у него атрофировалось. И интерес к Женьке сразу пропал. Осталась обида, осталась раздавленная с Женькиной подачи и оскверненная любовь, но не осталось больше идеи о том, как восстановить равновесие, как вернуть утраченный баланс. Еще вчера Игорь был уверен, что, как только Женька начнет просить прощения, все встанет на свои места. Но вот он пришел, вот валяется на полу, говорит нужные слова, которые еще вчера казались самыми лучшими, самыми желанными, и... ничего не происходит. Баланс не возвращается, равновесие не восстанавливается, потому что нет вожделенного Женькиного унижения, нет его растоптанной гордости, а есть жалкий дешевый спектакль, разыгрываемый жалким трясущимся алкоголиком.

Игорь прервал Женькины излияния на середине и выставил его из квартиры. Может, и хорошо, что так получилось, хорошо, что настырный дед-комитетчик вмешался. И все закончилось. А то Игорь бы еще сколько времени и сил потратил на Алену, заставил бы ее присутствовать при этом позорище, а она привела бы пьяного Женьку. И никакого удовольствия, одно сплошное разочарование. Результат был бы точно таким же, только был бы достигнут ценой куда больших усилий. Ну и ладно.

Хорошо, что он не уложил Алену в постель. Она очень хорошенькая, но не в его вкусе, да и молода слишком, Игорю с такими неинтересно. Зато теперь он свободен от притязаний, эти современные школьницы, конечно, очень продвинутые и физическую близость не рассматривают как повод даже для знакомства, не то что для женитьбы, но, когда у девчонки такой дед, лучше держаться от нее подальше. Дед просил девочку не обижать, ну что ж, Игорь умеет расставаться с женщинами по-разному, и резко, в один момент, выставляя их за дверь, и плавно, постепенно, так, что они даже не замечают, что, оказывается, уже встречаются не с Игорем, а с кем-то другим.

Вот и Алена не заметит. Уж он постарается.

Глава 10

В ДОМЕ НАПРОТИВ

—Я хочу посмотреть, как вы живете.

Это было уже не в первый раз, но почему-то сегодня просьба брата застала Костю врасплох. То ли он слишком увлекся новым ощущением возможности сопротивляться отцу, то ли подсознательно искал повод позвонить Миле, но если раньше он находил убедительные аргументы для Вадика, то сегодня даже не пытался их искать и сразу согласился.

— А доктор разрешит тебе уйти?

— Разрешит. Я уже спрашивал у него.

— Я должен сам спросить, — строго ответил Костя, по многолетней привычке чувствуя себя старшим и во всем ответственным за брата-близнеца.

— Спроси, — Вадик пожал плечами и поерзал на скамейке. — Он как раз сегодня дежурит. Иди, я тебя здесь подожду.

Костя, мгновение поколебавшись, отправился в корпус, на третий этаж, где находилось отделение, в котором лежал Вадик. Доктор — Дмитрий Вениаминович — сидел на диванчике рядом с сестринским постом и что-то сердито объяснял пожилой женщине, навещающей здесь дочь. Эту женщину Костя видел часто, и почти всегда она плакала, и парень ее жалел, хотя и не знал, из-за чего она плачет. Просто жалел, и все.

Увидев Костю, Дмитрий Вениаминович коротко кивнул ему — дескать, подожди минутку, я сейчас освобожусь. Костя послушно отошел в сторонку и принялся разглядывать прикрепленные к стене плакаты наглядной агитации о вреде наркомании и опасности лекарственной зависимости. Нового ничего не почерпнул, потому как плакаты эти висели здесь давно, и Костя неоднократно имел возможность ознакомиться с их душераздирающим содержанием. Женщина наконец ушла, и по ее вздрагивающей спине он понял, что она снова плачет.

— Дмитрий Вениаминович, я насчет Вадика... Он хочет съездить домой. Как вы думаете, ему можно?

— Можно, — улыбнулся врач. — Даже нужно. Я думаю, встреча с родителями в привычной обстановке, среди любимых вещей, в родных стенах ему не помешает.

Костя открыл было рот, чтобы возразить, но спохватился, вспомнив, что доктор ведь не знает об их временном жилище и о том, что нет там никаких любимых вещей и уж тем более родных стен. И не нужно ему знать. Пусть Вадька съездит, посмотрит, как они живут, и, может быть, скажет матери с отцом какие-то такие слова, которые заставят их остановиться, одуматься, прекратить этот балаган. Вадька, конечно, младший, слабенький и больной, он в депрессии, но он умный, он всегда умел находить необычные слова и видеть события в необычном свете.

— Значит, я смогу завтра его забрать? — спросил он.

— Пожалуйста. Только, Костя, это уж на твою ответственность, чтобы без глупостей. Вадик постоянно принимает сильнодействующие препараты, так что алкоголя — ни капли, даже пива ни глотка. Ты меня понял? И исключить любые психотравмирующие факторы.

— Какие? — не понял Костя.

— Ну как какие... Те, которые могут вызвать у него тяжелые мысли и переживания. Ты же учишься в институте?

— Учусь.

— А Вадик не поступил. Он может болезненно воспринять это различие. Видишь ли, одно дело — абстрактно знать, что ты учишься, и совсем другое — видеть реальные доказательства, свидетельства того, что у тебя теперь совсем другая жизнь, такая же, какая могла бы быть и у него, но не получилась. Учебники там всякие, конспекты, телефонные звонки однокурсников, фотографии веселой студенческой жизни и все такое. Ну, ты понимаешь, о чем я?

— Понимаю, — кивнул Костя. — Я к завтрашнему дню все приберу, чтобы в глаза не бросалось.

— Вот и правильно. И с родителями поговори, подготовь их. Особенно важно, чтобы встреча Вадика с отцом прошла гладко. Ты ведь знаешь, что твой брат очень переживает, оттого что отец не приезжает к нему в больницу?

— Папа очень много работает, на трех работах вкалывает, — принялся врать Костя, — и в выходные, и в праздники, у него совсем времени нет, он тоже переживает, что не может к Вадьке вырваться, но нужно же зарабатывать, у вас тут дорого...

— Конечно, я понимаю. Для Вадика важно услышать от отца, что тот его любит, не осуждает и не считает слабаком. Постарайся объяснить это своему папе. Если ты не уверен, что сможешь договориться с ним, тогда лучше не затевай эту поездку, вся наша работа может пойти насмарку. Отец завтра будет дома?

Этого Костя не знал, завтра суббота, все будет зависеть от того, чем собирается заняться Враг, сидеть дома или куда-нибудь уехать, по делам или на дачу. Но так ответить Дмитрию Вениаминовичу он не мог, ведь он же сам только что вдохновенно наплел про то, как много отец работает, и по выходным, и по праздникам. Если признаться, что отец может днем оказаться дома, то сразу возникнет вопрос, почему он не приезжает к Вадику.

— Н-не знаю, — пробормотал он, — вообще-то вряд ли, он же работает...

— Ты мог бы отвезти Вадика к нему на работу, это было бы совсем неплохо, завтра суббота, пусть парень увидит, что отец действительно работает, что он занят и не избегает его, а просто не имеет возможности приезжать даже в выходные. Но только при условии, что твой отец будет вести себя правильно. Хочешь, я сам позвоню ему и поговорю, объясню?

— Нет-нет, — торопливо отказался Костя, — не нужно. Я сам ему все объясню. Он очень любит Вадьку и скажет все, что нужно. А в какое время завтра можно его забрать?

— Да в любое. Можешь увезти брата сразу после завтрака и привезти вечером, часам к восьми. Я скажу медсестре, чтобы дала ему с собой все препараты, только ты уж сам проследи, чтобы он все принял вовремя. Ты ведь парень ответственный, так что я на тебя полагаюсь.

На первом этаже корпуса, в холле, висели на стене телефоны-автоматы, и Костя, в очередной раз сердито вспомнив о мобильниках, которые сегодня есть у всех, сунул в прорезь карточку и набрал номер Милы. Уж у Милы-то мобильник был, и девушку его звонок застал на Клязьминском водохранилище, где она вместе с компанией друзей валялась на пляже. Голос у нее сперва был суховатым и напряженным, но, услышав Костину просьбу, она как-то сразу смягчилась и тут же согласилась помочь.

— Без вопросов, Костик. Когда нужно?

— Завтра, часов в двенадцать. Сможешь?

— Постараюсь. Тебя у дома забрать?

— Не обязательно, — заторопился Костя, — я и на метро до больницы доеду, чего тебе лишний крюк делать. Мне главное Вадьку привезти, а потом отвезти. Если тебе удобнее прямо к больнице...

— Мне удобнее побыть с тобой, желательно без свидетелей.

Костя все отдал бы в этот момент, чтобы увидеть, улыбается Мила или нет. Голос-то у нее строгий, как будто она выговаривает ему за провинность, обижается, что Костя отказался ехать с ней отдыхать и даже на подмосковный пляж ей приходится отправляться без него. Все-таки она замечательная, самая лучшая на свете! Маме она обязательно понравится. А Вадьке? И Вадьке тоже понравится!

— Мила... — он глубоко вздохнул, — я по тебе соскучился. Кончай дуться, ладно? Ты же видишь, я к Вадьке привязан.

— Завтра поговорим. В половине двенадцатого у твоего дома.

Через больничный парк, к скамейке, где дожидался брат, Костя мчался чуть ли не вприпрыжку.

— Завтра забираем тебя в двенадцать дня, — радостно сообщил он.

— Забираете? — прищурил близорукие глаза Вадик. — И сколько вас?

Костя ощутил болезненный укол где-то в груди. Вадька, похоже, надеется, что за ним на машине приедет отец, но впрямую спрашивать не решается, хорохорится, пытается выглядеть спокойным и ироничным.

— Ну... это... — замямлил Костя, подыскивая нужные слова, и внезапно выпалил: — Вадь, отец не может ничего планировать, я ведь тебе объяснял, он целыми днями у твоего доцента на хвосте висит. Я приеду за тобой с одной подругой, с моего курса телка. У нее своя тачка. Она нас отвезет домой, а потом назад в больницу.

— С подругой? Ты хочешь сказать, с твоей девушкой?

Осторожно, сказал сам себе Костя, Дмитрий Вениаминович предупреждал насчет этих... как их там... психотравмирующих факторов. У Кости есть девушка, да еще однокурсница, он с ней встречается, причем весьма интимно. А у Вадика нет ни однокурсников, ни девушки, ни личной жизни. Хотя все это могло бы быть.

— Она не моя девушка. Просто знакомая с тачкой.

По лицу Вадика было видно, что он не поверил. И уж точно не поверит, когда увидит Милу и Костю рядом с ней. Да ладно, подумал Костя, завтра разберемся.

Дома он пристально осмотрел свою комнату и устроил тщательную приборку. Все учебники и конспекты — с глаз долой, а то они так и валяются кругом после сессии. Костя сложил их высокой стопкой в угол комнаты, а впереди поставил стул, набросав на него джинсы, джемпера и майки. Вот так, одежки на виду, а студенческой атрибутики не видно. Закончив уборку, привычно сел у зашторенного окна и уставился на улицу сквозь щель между ветхими полотнищами. Отца не было, он еще утром уехал следом за Врагом и до сих пор не вернулся. Костя исправно нес вахту, наблюдая за домом напротив. Подъезд, в котором жил Враг, из окна виден не был, поле обзора покрывало пространство, начинающееся метрах в десяти от подъездной двери, но этого было вполне достаточно, чтобы видеть, как Враг уходит и приходит, точнее — уезжает и приезжает. Пешком к подъезду можно подойти и с другой стороны, но на машине — только со стороны проезжей части, которая из окна — как на ладони.

Вот Вероника появилась, одна, без собаки, и пошла в сторону магазина. Теперь, когда не нужно больше было притворяться и изображать поклонника, она даже нравилась Косте. Спасибо ей за то, что прогнала! И вообще, никакая она не старуха, очень даже симпатичная тетка. Муж у нее, само собой, ублюдок, а сама она хорошая, веселая такая, юморная, прикалываться любит. Небось даже не знает, не ведает, с какой сволочью живет. Отец, правда, до сих пор думает, что тогда ночью она по поручению мужа встречалась с Главным Врагом или с кем-то, кто с ним связан, но Костя в это не верит. Ох, как отец разорялся, когда Костя сообщил ему, что Вероника устроила своему потенциальному молодому любовнику от ворот поворот! Опять называл его бестолковым, ни на что не годным, придурком, который даже такую ерунду как следует сделать не может. Но Костя все вытерпел, не огрызался и даже не пытался оправдываться, только бросил сквозь зубы: мол, насильно мил не будешь, и не всякой женщине хочется изменять мужу с первым встречным, тем более при такой разнице в возрасте. Отец еще больше раскипятился и запыхтел, что, дескать, он лучше знает, и не родилась еще такая баба, которая отказалась бы от молодого поклонника, а если отказывается, то, значит, поклонник — полное ничтожество, но тут Костя ошарашил его аргументом, против которого у отца возражений не нашлось:

— Но ведь наша мама не такая. Почему ты решил, что Вероника должна быть такой?

Отец захлебнулся возмущением и заткнулся, как ржавый фонтан. А у Кости в душе все улыбалось... Он в тот момент скосил глаза на маму и увидел, что она тоже улыбается, осторожно, одними глазами. Но улыбается. И от этой улыбки он почувствовал себя увереннее.

Около восьми часов к дому подрулила машина Врага, буквально следом за ней ехал отец, но к дому напротив, стоящему торцом к улице, конечно, не свернул, проехал чуть вперед, въехал в арку, развернулся и остановился у своего подъезда.

— Ну что? — встретил его вопросом Костя.

— Опять ничего. — Отец был зол, впрочем, в последние недели он пребывал в этом состоянии постоянно. А это, с учетом завтрашнего мероприятия с Вадиком, совсем ни к чему.

— Пап, я хотел тебе сказать... В общем, завтра Вадька к нам приедет.

Отец резко остановился на полпути в ванную, нахмурился.

— Как это — приедет? Зачем? Его что, выписывают?

— Нет, но он очень хочет повидаться. И вообще, ему там все обрыдло, сам бы попробовал столько месяцев в больнице проваляться... Пап, он по тебе скучает. Я говорил с доктором, он просил тебе передать, чтобы ты был с Вадькой помягче. Ну там, я не знаю... Скажи ему, что ты его любишь, что ли...

Костя постепенно терялся, будто молчание отца с каждой секундой замораживало его, лишая способности выговаривать слова. А ведь ему казалось, что он так хорошо продумал свою речь, выверил каждое слово, готовился все это время, пока сидел у окна. И вдруг оказалось, что слова превратились в камни, застрявшие в гортани и никак не желающие выходить наружу. А отец все смотрел на него в упор и молчал. Косте на мгновение стало страшно, но он быстро взял себя в руки. Не убьет же его отец, в конце-то концов! А все остальное можно вынести, уж сколько криков и упреков он за последние полгода вытерпел — закалился.

— Он что, сюда приедет? — наконец произнес отец. — Ты ему сказал, что мы живем не у себя дома?

Костя молча кивнул. Только сейчас он осознал свой непростительный прокол. Ведь отец строго-настрого запретил ему говорить брату о том, где они теперь живут и почему. А он проговорился Вадьке, зная, что Вадька его не выдаст, он хоть и слабенький, хлипкий, нервный, но язык за зубами держать умеет, сто раз проверено. Они с братом друг за друга всю жизнь стояли стеной и никогда друг друга не подводили.

— И как ты ему это объяснил? — холодно спросил отец.

— Я сказал, что мы сдаем нашу квартиру, потому что деньги нужны. Пап, ты не волнуйся, Вадька нормально отнесся, он же все понимает. Он знает, сколько стоит эта его больница, и у него стали всякие вопросы появляться, типа, ну, откуда деньги на лечение и все такое... Стал меня доставать, что, может, ты в какой-то криминал подался, чтобы заработать ему на больницу, и что он опять во всем виноват, и из-за него у всех проблемы, и если с тобой что-то случится, он себе не простит... Вот я и сказал. Нужно же было его успокоить.

— Он тебе поверил?

— Ну а то! Пап, ты не сомневайся...

У Кости отлегло от сердца. Кажется, обошлось! А в части вранья он стал прямо-таки мастером, сочиняет с листа, без подготовки, и даже не запинается. Раньше Костя таким пентюхом был, совсем лгать не умел, краснел, путался, он по темпераменту в отца пошел, импульсивный и взрывной, да и придумать складную ложь не мог, его всю жизнь Вадька спасал, у него мозги — дай бог каждому и самообладание — как у матери. А теперь он, пожалуй, брата и за пояс заткнет с такой-то тренировкой.

Отец неожиданно улыбнулся и похлопал Костю по плечу.

— Ты маме сказал?

— Нет пока. Я думал, когда она с работы придет...

— Позвони сейчас же и обрадуй ее. И вот еще что, возьми деньги и дуй в магазин, купи там чего повкусней, надо же завтра будет стол сооружать, побаловать мальчика. Этот, — он мотнул головой в сторону окна, из чего стало понятно, что он имеет в виду Врага, — завтра собирается дома сидеть, я случайно услышал, как он из машины по мобильнику разговаривал, мы на перекрестке рядом стояли, и окна открыты. Так что я, скорее всего, никуда не уеду, с Вадиком повидаюсь.

— Пап, только ты... это... Если он спросит, почему ты к нему в больницу не приезжаешь, что ты ответишь?

— Да он меня и по телефону об этом много раз спрашивал. Мы же с тобой договорились, что для всех я работаю на трех работах, и в выходные, и в праздники. А насчет того, почему я завтра окажусь дома, я что-нибудь придумаю, только вы с мамой меня поддержите, не выдавайте, и все будет нормально.

На самом деле Вадька давно знает, почему отец не приезжает и чем занят целыми днями, поэтому, как человек умный, не станет задавать отцу никаких провокационных вопросов, в этом Костя был убежден. Но если брат обнаружит свою осведомленность, то отцовский гнев, несомненно, обрушится на Костю как на проболтавшегося. Поэтому Костя исправно делал вид, что Вадик ни о чем не догадывается, и роль свою играл до конца.

— И еще, пап... Вадька очень боится, что ты его осуждаешь за то, что он сделал, считаешь его слабаком и депрессивным психом. Он думает, что ты именно поэтому к нему не ездишь. Я думаю, он так настаивал на этой поездке к нам, чтобы услышать от тебя... ну, в общем... что это не так, что ты... короче...

— Я понял, сынок, — очень серьезно ответил отец. — Ты не волнуйся, все будет хорошо.

И Костя окончательно успокоился.

На следующий день в четверть двенадцатого у подъезда, рядом с отцовской машиной, остановилась «бэха-треха» Милы Караваешниковой. Она приехала на пятнадцать минут раньше, чем договаривались, и у Кости зародилась смутная надежда на то, что, может, она тоже по нему соскучилась, ведь они не виделись целых две недели!

Сидевший у окна, на своем наблюдательном посту, отец заметил припарковавшуюся машину и внезапно заметавшегося Костю.

— Это за тобой? — спросил он. — Твоя пассия?

— Да, — коротко ответил Костя, судорожно напяливая майку, потому как по причине жаркой погоды ходил по квартире с голым торсом.

— Что ты ей рассказал?

— Да ничего, пап... Ничего особенного. Ну, сказал, что брат в больнице, попросил помочь отвезти туда-сюда... Она не в курсе.

— Костик, пригласи ее к нам на обед, — вмешалась Анна Михайловна. — Она все-таки целый день на нас потратит, неудобно.

Костя с благодарностью посмотрел на мать и выскочил на лестницу. Жаль, что суббота и пробок на дорогах не будет совсем, мало того, что в большинстве учреждений день нерабочий, так еще половина автомобилистов по дачам разъехалась. Сбегая по выщербленным ступенькам и вдыхая осточертевшую вонь — комбинацию из перегара, валяющихся рядом с мусоропроводом гниющих пищевых отходов и кошачьей мочи, — Костя с тоскливой нежностью вспоминал, как они с Милой целовались, как только движение стопорилось.

Девушка встретила его насмешливой улыбкой, подставила для поцелуя щеку, а не губы, как раньше, и у Кости внутри все похолодело. Но уже через три минуты он был абсолютно счастлив, потому что Мила, проехав два квартала, свернула в какой-то переулок и заглушила двигатель.

— В котором часу мы должны быть в больнице?

— Я обещал Вадьке в двенадцать... — начал было Костя, но она оборвала его:

— По пустым дорогам доедем минут за двадцать. Значит, у нас куча времени.

Она повернулась к Косте и посмотрела на него так... так... что у него сердце зашлось. А потом быстрым движением засунула руки под его майку, погладила спину, слегка царапнула, прижалась губами к его губам.

Когда до больницы оставалось минут пять езды, Костя очнулся, вынырнул из мира волшебного в мир повседневный.

— Милка, давай договоримся, у нас тут сложности всякие...

— Опять вранья три кучи нагородишь? — проницательно спросила она.

Как же хорошо она его изучила, и его, и всю его жизнь. А если бы она знала правду...

— Приходится, — со смехом подтвердил Костя. — Значит, так. Пусть Вадька думает, что мы с тобой просто приятели, даже не очень близкие.

— Думаешь, ревновать начнет?

— Ты что! Вадька слишком умный, чтобы ревновать. Просто у нас с тобой есть личная жизнь, а у него нет, и не надо его нервировать.

— Сам придумал? — скептически осведомилась она.

— Доктор посоветовал. Вадьку нельзя травмировать, у него же депрессия, забыла?

— Ладно, нельзя травмировать — не будем, — легко согласилась девушка. — Какие еще будут указания у партии?

— Еще нельзя вести никаких разговоров про институт, лекции, зачеты, экзамены и всякое такое.

— Ну понятное дело, у нас есть — у него нет. Что еще?

— Еще... Если в нашем с Вадькой разговоре тебе что-то покажется непонятным, ты, пожалуйста, не встревай и ничего не спрашивай при нем. Я тебе потом, когда мы будем одни, все объясню.

Конечно, ничего объяснять он не собирался, не имел права, он просто оставлял себе отходной путь — запас времени, чтобы иметь возможность придумать очередное вранье в зависимости от того, какие неосторожные слова будут произнесены либо братом, либо самим Костей.

— Хорошо. Еще что?

— А еще мама пригласила тебя к нам в гости сегодня. Зайдешь?

— С предками знакомиться? — фыркнула Мила. — Не рановато ли?

— Ты не понимаешь, — Костя внезапно рассердился. — Я хочу, чтобы мама тебя увидела. И отец тоже.

— Для чего?

Они уже подъехали к ограде, окружающей территорию больницы, и у ворот Костя увидел Вадика. Он одиноко стоял, прислонившись к решетке, и смотрел на проезжающие машины. Он уже ждал. Несчастный, больной, такой худенький и слабый. Такой любимый единственный брат Вадька.

— Смотри, это он.

— Это твой брат? — удивилась Мила. — Надо же, совсем не похож.

— Я же говорил, мы разнояйцевые. Ну что, все запомнила?

— Уи, мон женераль, — она шутливо коснулась двумя пальцами виска, словно отдавая воинскую честь на французский манер.

По пути домой Костя сидел вместе с Вадиком на заднем сиденье, и Мила вела себя так, будто она и в самом деле не подруга, а наемный водитель. В разговор не вмешивалась, а если к ней обращались, отвечала весело, с шутками, но по возможности коротко.

Когда машина остановилась у подъезда, Костя растерялся. С одной стороны, мама пригласила Милу на обед, и он сам ужасно хотел, чтобы она побыла сегодня вместе с ними, но с другой — перед Вадькой ведь разыгрывается спектакль «одна знакомая согласилась подвезти», и в рамках этого спектакля приглашение на обед выглядит как-то неуместно. Но Вадька — вот ведь умница, тонкая душа — спас положение:

— Мила, ты никогда здесь не была? Не заходила к Костику в гости?

Девушка метнула на Костю вопрошающий взгляд, но правильного ответа он подсказать ей не мог, потому что хода Вадькиных мыслей пока не улавливал.

— Не была. А что?

— Значит, нас уже двое. Тогда пойдем с нами, а? Я тоже в этом доме в первый раз, немного волнуюсь, а вдвоем не так страшно.

— Пошли. — Она пожала плечами, будто ей в общем-то все равно, как и где проводить время до того момента, когда нужно будет везти его назад в больницу. — А что, и поесть дадут? А то я голодная, как собака.

— Дадут, — радостно подхватил Костя. — У мамы сегодня на обед самые фирменные блюда.

Дальше все было как в сказочном сне. Счастливая мама, радостно возбужденный отец, сдержавший слово и придумавший для Вадьки какое-то вполне удобоваримое вранье, объясняющее его пребывание дома, Вадик улыбается и о чем-то все время болтает с Милой, которую, кажется, совсем не коробит убогость и нищета жилища, в котором ей, дочери банкира, привыкшей к роскоши, приходится находиться. Отец, правда, старается не отходить от окна, все посматривает на улицу, но Вадьке объяснил это тем, что сигнализация на машине сломалась, вот и приходится приглядывать, а то здесь район такой неблагополучный, полно всякой пьяни-рвани, промышляющей битьем стекол и кражами из автомобилей. Вадька молодец, держит себя в руках, ни одного ненужного вопроса, ни одного лишнего взгляда.

Период всеобщего возбуждения и застольного шума, как это обычно бывает, сменился периодом затишья. Мила взялась помочь Анне Михайловне убрать со стола в комнате грязную посуду и накрыть чай, а Вадик попросил Костю показать свою комнату. Вместе с ними пошел и отец.

— А где учебники? — первым делом спросил брат, окинув взглядом помещение, в котором царил идеальный порядок, если не считать заваленного одеждой стула в углу.

— В библиотеку сдал после сессии, — не моргнув глазом ответил Костя.

Вадик внимательно посмотрел на него.

— А-а-а, понятно, — протянул он, и Костя вдруг почувствовал, что Вадьке понятно что-то совсем другое. — Папа, пойдем в большую комнату, ты машину надолго не бросай без присмотра. Пойдем, мне с тобой поговорить нужно.

Отец с готовностью ринулся назад к наблюдательному посту. Неужели он не чувствует, что восемнадцатилетний Вадик управляет им, как кукловод? Нет, ответил сам себе Костя, ничего он не чувствует, он думает, что он самый умный, потому что самый главный. И не понимает, что главный на самом деле не он, а Вадька. Умница Вадька, который все знает и все понимает, но умело делает вид, что он полный лопух и верит всем этим байкам, которыми его кормят. В эту секунду Костя осознал, что не только родителям, но и ему самому не удалось обмануть брата насчет Милы. Он все понял, правильно понял, и поэтому сам пригласил ее зайти. И про учебники он понял.

Диспозиция через некоторое время изменилась, теперь уже Мила сидела с Костей в его комнате, а Вадик разговаривал с матерью на кухне.

— Ну и зря ты психовал, — спокойно заявила Мила, вытягиваясь рядом с ним на узенькой кушетке. — Чего стеснялся-то? Я, когда маленькая была, вообще в коммуналке жила, а здесь хоть и запущенная, но все-таки «двушка». И потом, это же не ваша квартира, а съемная, у вас-то ведь квартира большая.

— Большая, — подтвердил Костя, чувствуя ее всю, от волос, щекочущих его щеку, до пальцев ног, которыми она упиралась в его щиколотку. Как было бы здорово, если бы из квартиры сейчас все испарились, и они остались бы вдвоем...

— И маманька у тебя клевая. Хочешь, я с папаней поговорю, чтобы он ее на переговоры вызывал? У него уйма партнеров из Австрии и Швейцарии, переводчики постоянно нужны, а платят они много.

— Что, у твоего отца своих переводчиков нет?

— До фига. Но попросить-то можно, пусть даст заработать хорошему человеку. И потом, твоя муттер, как я понимаю, превосходный синхронист, а это сегодня большая редкость.

— Она даже на кинофестивалях фильмы синхронила, — с гордостью сказал Костя.

— Вот видишь. Ладно, я поговорю, а там как фишка ляжет. Может, у них страстется.

— Что срастется? — с испугом спросил он.

— Деловое сотрудничество, балда, — Мила рассмеялась. — А ты думал что? Хотя я бы не возражала. Пусть бы папаня округлил твою муттер, и мы бы стали жить одной семьей. А, Костик?

— Ну и шутки у тебя, — проворчал он.

Мила резко поднялась и села на краю кушетки.

— Какие же шутки? Ты что, слепой? Ничего не видишь?

— Что я должен видеть?

— Да то, что твои предки друг друга с трудом выносят. Я вообще не понимаю, почему они живут вместе.

— Что ты выдумала? — возмутился он. — Они любят друг друга. И нас с Вадькой любят.

— Вот только что вас они и любят. А друг другу они смертельно надоели. У меня на это дело глаз наметанный. Знаешь, они оба как будто непосильную ношу тащат. Или в игру какую-то играют, от которой не знают как отказаться. В общем, это, конечно, не мое дело, Костик, но попомни мои слова: твои предки в ближайшее время жестоко перегрызутся. И первой взбрыкнет твоя муттер. У нее силы уже на исходе. Вот увидишь, по моим прогнозам — максимум месяц, и она выкинет какой-нибудь фортель. Кстати, что ты мне голову-то морочил насчет Вадика? Я-то думала, он и в самом деле депрессивный шизик, а он нормальный парень и про нас с тобой просек в первый же момент. Я потому и сижу тут с тобой.

— Почему — потому?

Он уже ничего не соображал, голова шла кругом от всего услышанного.

— Потому. Вадик сам мне сказал, чтобы я шла к тебе. И еще сказал, что очень рад за тебя, а то он все переживал, что из-за его болезни у тебя вся личная жизнь рушится. А теперь он видит, что твоя личная жизнь в полном шоколаде, и будет чувствовать себя спокойно.

В дверь постучали, раздался голос Анны Михайловны:

— Костик, Милочка, идите чай пить!

Мила тут же вскочила с кушетки и принялась поправлять выбившуюся из-за пояса джинсов кофточку.

— Вот видишь, все всё понимают. Проявляют деликатность.

После чая с пирожными — мамиными фирменными эклерами со взбитыми сливками — Вадик заявил:

— Я хочу погулять по вашим окрестностям. Мне интересно, что тут у вас в округе есть.

— Господи, сынок, ну что тут интересного? — всполошилась Анна Михайловна, не желающая расставаться с сыном. — Такие же магазины, как везде. Пыльно, шумно, грязно.

— Нет, мама, мне интересно. И потом, я так давно не был в городе, только в больничном парке гуляю, — упрямо возразил Вадик.

Костя переглянулся с Милой.

— Мы пойдем с тобой.

— Пусть идут, — вступился за Вадика отец, — в самом деле, Аннушка, ну что им в доме сидеть в такую погоду, пусть погуляют. Молодежь!

Костя понимал, что отец только рад будет, если Вадика уведут из квартиры. Тогда ничто не помешает ему предаваться любимому занятию — слежкой за Врагом. Конечно, сегодня суббота, вряд ли что-то интересное произойдет, но отец ведь такой упертый, все на чудо какое-то надеется. Вдруг именно сегодня, сейчас, пока Вадька здесь, случится невероятное, и возле дома появится Главный Враг. И что тогда делать? Как объяснить внезапный уход? И вообще, сразу возникнет масса вопросов.

Они вышли на улицу втроем и остановились в нерешительности, раздумывая, куда бы пойти.

— Хочешь, в компьютерный клуб сходим? — неуверенно предложил Костя. — Здесь неподалеку есть приличный.

— Нет, — быстро проговорил Вадик, и лицо его болезненно искривилось. — Про компьютеры даже слышать не хочу.

— Тогда, может, в кино?

— Неохота в помещении сидеть. Пошли просто так, район мне покажешь.

— А давайте поедем куда-нибудь, — подала идею Мила. — А что? Тачка есть, времени полно. Можно даже в Серебряный Бор на пляж съездить.

Идея насчет «съездить» понравилась, они столпились около машины и ударились в жаркое обсуждение маршрута. Костя не заметил, как к ним подошла Вероника.

— Привет!

НИКА

Почему-то в тот день у меня было превосходное настроение. Закончились наконец холода и дожди, стало тепло и солнечно, и от этого в душе поселилась приятная уверенность в том, что теперь все будет хорошо. Ну просто отлично! В Ташкенте я так привыкла к солнцу, что тосковала без него, и настроение у меня портилось, и сил, казалось, не было совсем, и все представало мрачным и безысходным. Но сегодня все цвело и переливалось радужными красками, мне было хорошо, и я всех любила.

Поэтому когда я, возвращаясь из аптеки, увидела Костю в обществе девушки и еще одного юноши, мне показалось вполне естественным остановиться и поздороваться. Чай, не чужие, вон сколько «собакингов» вместе отгуляли, да и последний мой разговор с мальчиком оставил у меня в душе неприятный осадок, и хотелось сгладить впечатление.

— Привет! — весело сказала я, подходя к ним.

Костя испуганно обернулся и растерялся. Ну конечно, его друзья-ровесники наверняка не знают о том, что он пытался ухаживать за почти сорокалетней теткой, и сейчас, чего доброго, на смех его поднимут.

— Здравствуйте, Вероника, — упавшим голосом проговорил он.

Второй мальчик, худенький, невысокий, в очках, из-за которых на меня смотрели внимательные и не по возрасту умные глаза, встрепенулся и почему-то радостно улыбнулся.

— Здравствуйте! Так это вы — Вероника?

Ничего себе! Оказывается, Костин дружок обо мне наслышан. Уж не промахнулась ли я со своей оценкой Костиных поступков? Если он делился с другом, значит, не стыдится, и значит, для него это все серьезно.

— Кажется, я, — ответила я глупо, не понимая, что происходит. — А вы — Костин товарищ?

— Это мой брат, — тут же встрял юный Вертер, — Вадик. А это Мила, мы в одном институте учимся.

— Очень приятно. Костя рассказывал, что у него есть брат-близнец, но я почему-то думала, что вы хоть немножко похожи. А вы совсем разные!

— Знаете, Вероника, — оживленно заговорил Вадик, — мы с Костей долго совещались и решили быть разнояйцевыми. Когда близнецы однояйцевые, то им самим жить ужасно весело, их все путают, ошибаются, можно устраивать всякие приколы. Но окружающие с ними мучаются из-за бесконечных розыгрышей и обманов. А когда близнецы разнояйцевые, то живут самой обычной жизнью без какого-то особенного веселья, зато представляете, как родителям здорово? Одновременно получаются два маленьких человечка — и совсем разные. И вот когда нас мама с папой сделали, мы там на клеточном уровне собрались на совещание и решили, что пусть у нас будет обычная жизнь, зато у родителей — сплошная радость и удивление, когда они будут обнаруживать, какие мы разные. Верно, Костик?

Да, с реакцией у моего Вертера неважно, брат шутит,

резвится, а Костя стоит как истукан. Нет чтобы шутку поддержать или хотя бы просто посмеяться, уставился на колесо машины и молчит.

А вот девушка по имени Мила оказалась поживее, вступила в разговор, сказала что-то смешное, Вадик подхватил, я приняла подачу и тоже удачно сострила на тему внутриутробного развития эмбриона (настроение-то хорошее, почему не перекинуться парой слов с веселящейся молодежью), и в результате мы протрепались почти двадцать минут. Вспомнили массу кинофильмов и книг, в которых обыгрывалась ситуация двойников, и дружно сошлись во мнении, что бесконечная путаница с близнецами уже надоела до тошноты и воспринимается не иначе как пошлость. Все это время Костя молчал и, по-моему, сердился. В общем, я его понимала, он, наверное, боялся, что я начну рассказывать о его ухаживаниях, и если брат Вадик, как выяснилось, был в курсе, то девушка Мила — наверняка нет. Надо бы сделать что-то такое простенькое, чтобы мальчик расслабился. А то прямо душа болит смотреть на него, такое солнышко, тепло, суббота, рядом веселые друзья, а ему словно жизнь не в радость. Жалко же парня!

— Костя, Аргон без вас скучает, — сказала я. — Он вас почему-то очень любит.

— Аргон? — спросила Мила. — Это кто?

— Собака. Вы знаете, как мы с Костей познакомились? Я гуляла с собакой, а Костя шел мимо, домой возвращался. Пес кинулся к нему, начал лизать руки и вилять хвостом, я стала его оттаскивать, а он — ни в какую, скулит, рвется, норовит Косте лапы на плечи закинуть. В общем, любовь с первого взгляда. Хорошо, что Костя не испугался, а то мог бы такой скандал поднять! Вот с тех пор, если мы встречаемся, когда я выгуливаю Аргона, я прошу Костю немножко с нами походить, пса порадовать. Ума не приложу, что он в вас нашел, Костя. Прямо млеет, когда вы рядом.

Вертер благодарно посмотрел на меня и немного расслабился. А вот глаза у брата Вадика стали какие-то... Не то чтобы нехорошие, нет, но напряженные, как будто он одновременно с поддержанием разговора пытается обдумать какую-то очень сложную мысль.

Обсудив собаку, мы еще немного поговорили о том, куда бы ребятам имело смысл поехать в такую замечательную погоду, дружно пришли к выводу, что в Серебряный Бор, пожалуй, далековато, а вот в Измайловский парк — в самый раз, и распрощались.

— Я был очень рад с вами познакомиться, — почему-то сказал на прощание Вадик.

Интересно, чему тут так уж особенно радоваться? Любопытно было, что ли?

В приподнятом настроении я вернулась домой, с радостью констатировала, что за время моего отсутствия животные ничего не разбили и не порвали, сделала Старому Хозяину плановый массаж, а Гомеру — внеплановый бифштекс (если он целый день сидит дома, то его не прокормить, каждые два часа просит есть — и не перекусывает, а вполне полноценно питается) и занялась приготовлением ужина. Гомер заказал запеченную в духовке баранину, Мадам — манты с тыквой, поскольку с мясом, с учетом рекомендаций по раздельному питанию, она не ест, Алене нужно было изварить рисовую кашу с яблоками и изюмом, Главному Объекту — паровые котлетки из индейки. С одной стороны, хорошо, что Сальниковы несколько лет назад продали дачу, чтобы собрать деньги на дорогой ремонт квартиры, потому что теперь по выходным они в основном сидят дома, и у меня развязаны руки в части ухода по магазинам или даже просто прогулки. Но, с другой стороны, когда они все находятся в квартире, это довольно утомительно. Гомер все время хочет есть, Алена и Мадам путаются под ногами, то и дело требуя то чайку, то кофейку, то бутербродик или печеньице (естественно, не магазинное, а испеченное Кадыровой), при этом бутербродики и выпечка поедаются не на кухне, а уносятся в гостиную и употребляются в качестве закуски к телевизору, благодаря чему той же самой Кадыровой приходится по субботам и воскресеньям собирать крошки пылесосом в дополнение к плановым уборкам, которые проводятся по будним дням, когда дома нет никого, кроме Николая Григорьевича. Сейчас хотя бы Дениса нет, а то он в выходные очень любит приглашать к себе друзей. Они группируются в его комнате возле компьютера и чем-то увлеченно занимаются, но при этом мне приходится несколько раз приносить им чай и какую-нибудь еду, а потом оттирать светлое ковровое покрытие химикатами, потому что обязательно кто-нибудь что-нибудь прольет.

Нынешняя суббота мало чем отличалась от всех предыдущих. Единственным исключением, кроме уже упомянутого отсутствия Дениса, была Алена, которая сегодня не путалась под ногами, а ускакала на свидание со своим мстительным Игорьком. Уж не знаю, как и что там у них происходит, но, по-видимому, люди, посланные к Игорю Никотином, со своей задачей справились, потому что Алена стала куда спокойнее и даже начала, правда, пока изредка, но все же произносить какие-то слова про институт. Вероятно, с дрессурой покончено. Теперь Игорь общается с ней, как и положено взрослому мужчине общаться с юной девушкой. Ну и дай им бог!

И ничто не могло испортить мне сегодня настроение, даже устрашающий счет за междугородные переговоры, в котором среди прочих были и мои телефонные мосты с Ташкентом. За один только месяц — две с половиной тысячи рублей! Уму непостижимо. Но разве я виновата, что старенькие родители Олега говорят медленно, и вообще у них развивается возрастная вязкость, как и у всех стариков, они по многу раз повторяют одно и то же и по стольку же раз переспрашивают об одном и том же. Может, хватит уже мне строить из себя благородную скромность? Может, надо поговорить с Олегом и предложить ему оплачивать эти переговоры? Все-таки это его родители, и если уж он не хочет их волновать и расстраивать, то пусть платит за это. Хотя, с другой стороны, я ведь тоже не хочу их волновать, значит, и я должна за это платить. Наверное, все справедливо.

Ровно в половине одиннадцатого я вывела собаку. И тут меня подстерегала неожиданность. Прямо возле подъезда ко мне обратилась приятная женщина, чуть постарше меня.

— Вероника? Простите, мне нужно поговорить с вами.

— Со мной? — удивилась я. — А вы кто?

— Я — мать Кости.

Так вот оно что! Бдительная матушка испугалась, что старая развратная баба является любительницей юношеских тел и будет калечить чистого невинного мальчика. Но поговорить я не возражала. Зачем женщину зря нервировать? Надо все ей объяснить, чтобы не переживала попусту.

— Хорошо, — сказала я. — Давайте поговорим.

— Только пойдемте в ту сторону, — заторопилась она, показывая рукой направление.

— Зачем? Я обычно хожу в сторону спортплощадки, там собаке есть где побегать, а в той стороне я не гуляю.

— Пожалуйста, — она умоляюще посмотрела на меня. — Из нашего окна ваш подъезд не виден, и если мы пойдем туда, во дворы, никто не узнает... Я вам все объясню. Пожалуйста, Вероника.

— Ладно, — сдалась я и отправилась следом за Костиной матерью в сторону, противоположную моему обычному маршруту. Собаке там развернуться было негде, все перекопано, стоят какие-то нелепые заграждения, предназначенные обозначать территорию некой стройки, замороженной, по-моему, лет сто назад, во всяком случае, имеющей вид ржавый и тоскливый.

Женщина, назвавшаяся Анной, показалась мне красивой, но измученной. Ей бы отдохнуть как следует, походить к косметологу и получить побольше положительных эмоций, и она превратилась бы в настоящую красавицу. Одета она была, правда, как-то странно для прогулки по запущенной стройке: босоножки на высоких каблуках, костюм для ресторанного банкета, глаза сильно накрашены, волосы явно только что вымыты и уложены феном. В общем, оказалось, что я была недалека от истины, когда Анна сказала мне, что работает переводчиком, и для того, чтобы уйти из дома в субботу вечером, ей пришлось солгать насчет протокольного мероприятия в ресторане, куда ее вызвали для обеспечения общения с немецкими партнерами. А на протокольное мероприятие, понятное дело, в джинсах и кроссовках не пойдешь.

В течение почти сорока минут я выслушивала невероятную историю про мальчика Вадика, которого подставил и обманул «мой муж» вместе с каким-то проходимцем, про отца, который решил найти негодяя и разобраться с ним, про Костю, которого послали специально знакомиться со мной, чтобы выведать информацию о «моем муже» и его знакомых. Про то, что семья рушится под напором одержимости отца мальчиков и что сама Анна Михайловна не может больше этого выносить, она хочет положить конец этому, но не знает, как и что нужно сделать. Про то, что сегодня Вадик приезжал из больницы и провел с семьей целый день, а Костя привел в гости свою девушку, и Анна именно сегодня, посмотрев на детей, поняла, что так больше продолжаться не может, что мальчики страдают и деятельность отца им в тягость. Она не верит, что я могу быть причастной к махинациям «моего мужа», поэтому решила познакомиться со мной, все мне рассказать и попросить о помощи. Хотя она, конечно, сомневалась, правильно ли решила сделать, потому что ее муж уверен, что я — соучастница и тайком ночью даже встречалась с таинственным Дмитрием Дмитриевичем, которого отец Кости «засек» только один раз, но потом бездарно упустил и с тех пор все никак не может выследить. Так вот, она сомневалась, но потом решилась, ведь никакого другого выхода она не видит, а спокойно смотреть, как разрушается ее семья, она больше не может.

Ай да Гомер! Ай да Великий Слепец! Молчаливый, рассеянный, ни во что не желающий вникать и обременяться чужими проблемами. Вот он, оказывается, какой! И все эти разговоры о том, что он берет часы в институте, чтобы не терять педагогический стаж, — сплошная туфта. На самом деле институт нужен ему для того, чтобы выискивать на подготовительных курсах талантливых мальчиков, еще достаточно молоденьких и неопытных, чтобы не понимать, что делают, и недостаточно финансово обеспеченных, чтобы заинтересовать их поступлением на бюджетное отделение. Интересно, сколько у него было таких обманутых Вадиков? Или обманутым оказался только один, а все остальные поступили? Тогда почему? Почему не поступил сын этой женщины?

Ответ напрашивался сам собой, он лежал на поверхности. Гомер поставлял мальчиков (а может, и девочек) таинственному Дмитрию Дмитриевичу, который просил их взломать сайт крупной компании, внести туда необходимые изменения, например, сведения о предстоящем слиянии этой компании с другой компанией, или фальсифицированные финансовые отчеты, или сведения, ставящие под сомнение благополучие и прибыльность фирмы, вследствие чего акции этих компаний резко менялись в цене, а связанные с Дмитрием Дмитриевичем брокеры быстренько проворачивали все необходимые манипуляции, играли на повышении или понижении курса и в течение нескольких часов наваривали немыслимые суммы. Гомер получал свою долю, платил кому надо в приемной комиссии за конкретного абитуриента, и юный хакер, уверенный, что сделал доброе дело и помог обманутому доверчивому проректору вернуть отнятые у него неправедно деньги, благополучно поступал. И никому из поступивших и в голову не приходило (по молодости лет) задуматься о том, почему это Дмитрия Дмитриевича, который является якобы проректором, они в институтских коридорах не видят. С наивным ребенком договариваются о строгой конфиденциальности, дескать, дяденька проректор тебе, безусловно, поможет поступить, но только ты прояви сообразительность и никому ни слова о вашем знакомстве и о той работе, которую ты для него сделал, а если начнешь трепаться, тебя за первую же провинность отчислят. Ребенок, естественно, верил и молчал, потому что учиться на бюджетном отделении с военной кафедрой хотел, а в армию идти, само собой, не желал. Нет, пожалуй, все-таки для такой работы выбирали именно мальчиков, у них стимул молчать сильнее, они должны бояться быть отчисленными, а девочек в армию не забирают. Поступление мальчика должно быть, таким образом, обязательным, иначе ребенок лишается стимула молчать и непременно пожалуется родителям, а те — прокуратуре. И выйдет нехорошо.

Выходит, за Вадика Фадеева Гомер взятку в комиссию не дал. Почему? У него были какие-то неожиданные расходы, и он деньги присвоил, вместо того чтобы оплатить гарантированное поступление абитуриента? Какие расходы? Летом прошлого года я уже работала у Сальниковых. Ни крупных покупок, ни срочного ремонта разбитой машины, ни дорогостоящих поездок за границу, ничего такого. Может, у Гомера любовница завелась? А что, вполне может быть. Если Наталья себе позволяет, то почему ему нельзя?

Я слушала Костину мать и одновременно обдумывала ее рассказ. Гомер «подрабатывает» не столько в вузе, сколько в преступном бизнесе. Похоже, едва разобравшись с двумя проблемами — с шантажистом и Алениным кавалером, — я уже получила третью. Ну что ж, говорят, бог троицу любит. Если история получит продолжение и Гомер загремит под уголовное дело, я за здоровье Главного Объекта не поручусь.

— Вы понимаете, Вероника, у Вадика очень плохо с правописанием, ну не дается ему грамматика, сколько мы ни бились. У него особенность такая: вот если он занимается упорно, целыми днями, зубрит правила, тренируется, упражнения делает, изложения пишет или даже сочинения, то потом может вполне прилично написать, почти без ошибок, но этого хватает буквально на несколько дней, потом все из головы выветривается. Насколько он талантлив в программировании, настолько бестолков в русском языке. Если бы он всерьез готовился к экзамену по русскому языку, он смог бы, я уверена, что смог бы написать с минимумом ошибок и получил бы проходной балл, но он совсем не занимался, потому что был уверен, что поступит, ведь ваш муж ему обещал, понимаете? Твердо обещал, и Дмитрий Дмитриевич его заверил, и Виктор Валентинович, они оба...

Про Дмитрия Дмитриевича я уже слышала, а вот второе имя, Виктор Валентинович, промелькнуло в разговоре впервые. Это что, третий фигурант?

— Виктор Валентинович? — переспросила я. — А это еще кто такой?

— Как кто? — Анна повернулась ко мне всем корпусом и замерла. Было уже темно, поэтому смею предположить, что она в недоумении уставилась на меня широко раскрытыми глазами, но судить об этом могу лишь весьма приблизительно. — Ваш муж.

Вообще-то, моего пока еще не разведенного мужа зовут Олегом Павловичем, но если иметь в виду Костино заблуждение, круто замешенное на моем же попустительстве, то зовут его Павлом Николаевичем. Налицо, как говорилось в фильмах про героические будни ЧК, неувязочка.

— Анна, — осторожно сказала я, — тут какое-то недоразумение. Я не знаю никакого Виктора Валентиновича. Давайте сразу расставим все точки над «и». У меня вообще нет мужа. То есть был когда-то, но он меня бросил полтора года назад.

— Как... Как это — нет мужа? Вы же Костику говорили...

— Господи, Анна, ну а что еще я могла ему сказать? Молоденький мальчик подходит и несет какую-то несусветную чушь о том, как он видит меня из окна и тайно вздыхает. Откуда я знаю, как с ним разговаривать? Я же не знала, что он знакомится со мной с какой-то практической целью, поэтому единственное, что я могла, — это поверить ему. И чтобы сразу лишить его хотя бы части иллюзий, я не стала отрицать, что у меня есть муж. Он был в этом уверен, а я просто подтвердила. Кстати, а почему он был так уверен, что я замужем?

— Погодите, — она наклонила голову и сжала ладонями виски, — погодите, Вероника, я ничего не понимаю... А собака?

— Что — собака?

— Вот эта собака — она чья? Ваша?

— Ну, почти. Это собака моих хозяев. Я, видите ли, домработница, меня наняли с проживанием, поэтому вменили в обязанность гулять с собакой. А при чем тут собака?

— Значит, вы не жена Виктора Валентиновича?

Я начала терять терпение. И в кино, и в книгах меня всегда безумно раздражали ситуации, когда возникающее недоразумение долго не могут распутать и произносят массу ненужных слов, вместо того чтобы сразу все прояснить. Я уже ясно сказала ей, что ничья я не жена и никакого Виктора Валентиновича не знаю, ну чего она опять спрашивает? Но, с другой стороны, мне было жаль эту симпатичную женщину, павшую жертвой какой-то идиотской ошибки. Она волнуется и, наверное, не очень хорошо понимает, что я ей говорю.

— Нет, Анна, я не жена Виктора Валентиновича, — внятно и четко произнесла я. — А кто он такой?

— Это тот человек, преподаватель с подготовительных курсов, который Вадика... который Вадику... ну, предложил ему помочь проректору и обещал за это гарантированное поступление. Виктор Валентинович Кулижников.

Кулижников! Елки-палки, да это же наш сосед! Я настолько редко с ним общаюсь, что даже на имя не среагировала.

— А почему вы решили, что я — жена Виктора Валентиновича? — спросила я. — Вы что, видели нас вместе? Откуда вы вообще взяли эту глупость?

— Так собака же... У Виктора Валентиновича черный терьер, мальчик, он Вадику фотографию показывал. А в этом доме черный терьер только у вас, только вы с ним гуляете.

Теперь все начало складываться. Да, действительно, когда-то черных терьеров было двое, у Сальниковых и у соседа Виктора Валентиновича. Совершенно одинаковые, братишки из одного помета. Когда Аделаиде Тимофеевне подарили щенка, жена соседа увидела кроху и буквально заболела желанием завести такого же. Адочка тут же позвонила дарителю и справилась, не осталось ли щеночка. Все устроилось наилучшим образом, и соседи Кулижниковы стали обладателями точно такого же терьерчика. Однако брак у них распался, во всяком случае, я ни разу жену Виктора Валентиновича не видела, стало быть, она съехала с этой квартиры еще до моего появления у Сальниковых. И собаки у него тоже не было, это точно, за полтора года ежедневных выгулов я запомнила в лицо (и в морду) всех владельцев и их питомцев из нашего и окрестных домов. Следовательно, при разводе собаку жена забрала себе. Старый Хозяин, помнится, рассказывал, что Адочка вместе с соседкой долго рядились насчет собачьих имен и решили смеха ради назвать их по таблице Менделеева. Наш малыш получил имя Аргон, а соседский — Радон.

— А Виктор Валентинович, когда показывал вашему сыну фотографию собаки, кличку не называл? — поинтересовалась я на всякий случай.

— Называл, но Вадик не запомнил. Вернее, он помнил только, что это какой-то химический термин, название элемента и вроде бы газ. Когда Костя сказал, что вашу собаку зовут Аргон, мы больше не сомневались. Господи, как же это... Как же получилось, что мы так ошиблись? Вероника, что же нам теперь делать? Нет, я не так сказала... Что МНЕ теперь делать? Я хочу, чтобы все это прекратилось, я больше не вынесу этой жизни со слежкой, подозрениями и планами мести, вы понимаете? Муж требует от Костика полной отдачи, а мальчик хочет жить своей жизнью, у него друзья, у него девушка такая замечательная, я сегодня с ней познакомилась, просто чудесная девушка, и она обижается, что Костик не уделяет ей внимания... И второй мальчик, Вадик, обижается, что отец не навещает его в больнице... И я надрываюсь, хватаюсь за любую подработку, чтобы оплачивать и больницу, и эту квартиру... Я больше не могу! У меня больше нет сил. Я хочу, чтобы это кончилось наконец, но не знаю, как этого добиться.

Она говорила быстро и монотонно, глядя прямо перед собой, словно решила выплеснуть из себя все слова, накопившиеся за несколько месяцев, слова, которые она не смела произнести не только вслух, но и мысленно. Я понимала, что Анна ждет от меня если не реальной помощи, то хотя бы совета, но не могла сосредоточиться ни на чем конструктивном, потому что готова была петь от счастья: это не Гомер! Это ошибка! Гомер ни при чем, он честный человек, и здоровье Николая Григорьевича вне опасности.

— Знаете, Анна, проблема у нас с вами сложная, а сложные вещи торопливости не любят. Давайте-ка разойдемся по домам, а завтра снова встретимся. У меня есть один человек, который может дать дельный совет. Сегодня уже поздно, а завтра утром я ему позвоню и попрошу, чтобы он с нами встретился. Договорились?

Бедный Никотин спит себе, наверное, в мягкой постельке и даже не подозревает, что я уже приготовила ему новую проблему и новую заботу. Конечно, свинство это — так беззастенчиво эксплуатировать человека, но что же делать, если у меня больше никого нет в этом городе и обратиться мне совершенно не к кому, кроме него?

— Спасибо вам, — Анна схватила меня за руку и крепко сжала мою кисть двумя ладонями. — Спасибо за то, что выслушали. И еще... спасибо вам за Костика.

Я усмехнулась и аккуратно отняла руку. Еще бы, незамужняя (а точнее — брошенная, что еще больше усугубляет ситуацию) домработница в девяноста девяти случаях из ста клюнула бы на страдания молодого Вертера, потому как при безрадостной жизни этот роман мог бы стать пусть кратковременным, но ярким переживанием. Однако домработница оказалась нетипичной и нравственное здоровье юноши под угрозу не поставила. За что ей от любящей матери горячее материнское спасибо.

— Я мужу пока ничего говорить не буду про ошибку, — продолжала она. — Или сказать, как вы считаете?

— Пока не надо, пожалуй, — не могла не согласиться я. — Давайте сначала поговорим с моим знакомым, послушаем, что он посоветует. Он человек опытный.

— А он кто? Из милиции?

— Почти. Он просто очень хороший и очень умный человек. Кстати, это именно с ним я встречалась, когда ваш муж заподозрил, что я пошла на тайную встречу с Дмитрием Дмитриевичем.

— А почему...

Анна замялась, но я догадалась, о чем она хотела спросить.

— Почему ночью? Да все очень просто! — рассмеялась я. — У моих хозяев были гости, и меня не отпускали гулять с собакой, пока я всех не накормлю, не напою чаем и не перемою посуду. А о встрече мы с ним уже договорились, вот и пришлось ее перенести на более позднее время. Знаете, Анна, очень часто бывает, что события, которые внешне кажутся жутко подозрительными, на самом деле имеют до смешного простое объяснение.

Я продиктовала Анне телефон квартиры Сальниковых, мы условились, что завтра она позвонит мне в первой половине дня, и я скажу ей, где и когда мы встречаемся с Никотином. Собственно, вопрос «где» и не стоял, планировать встречу можно только на маршруте «собакинга», а вот когда — утром или вечером — это уж пусть Никотин выбирает.

Мы расстались, и я все-таки решила пройтись привычным маршрутом, потому что при отсутствии кустов Аргон категорически отказывался исполнять своей физиологический долг. Все объекты стройки он обнюхал и пометил, но главного так и не сделал. Кроме того, мне нужно было собраться с мыслями и обдумать свое поведение. Рассказывать ли Сальниковым о проделках милого соседушки и о том, как я по недоразумению оказалась вовлечена в нелепую историю? Надо бы рассказать, потому что мне теперь будет звонить Анна и придется разговаривать и с ней, и с Никотином, а снова прятаться и изворачиваться, выискивая удобный момент, или бегать звонить из автомата, то есть вести себя как сопливая школьница, скрывающая от мамы сомнительного приятеля, мне, честно говоря, неохота. Но, с другой стороны, я не могу прогнозировать поведение ни Гомера, ни Натальи. А вдруг они сочтут своим соседским долгом проинформировать Виктора Валентиновича Кулижникова? И неизвестно еще, чем это может кончиться. Вдобавок получится, что я разболтаю чужой секрет — секрет семьи Фадеевых. В общем, есть над чем подумать.

Через полчаса интенсивной ходьбы и вдыхания свежего поздневечернего воздуха я пришла к выводу, что рассказать надо, но не Гомеру и не Мадам, а Старому Хозяину. Это будет самым правильным. Поскольку речь пойдет не о близком человеке, а о соседе, он не станет сильно волноваться и переживать, так что для здоровья риска никакого. Зато он как человек с комитетским прошлым, может дать дельный совет. А поскольку мы с ним целыми днями вдвоем и мои подозрения в части подслушивания им телефонных переговоров так и не рассеяны, то лучше всего ничего не скрывать.

Воодушевленная этой мыслью, я бодро зашагала в сторону дома. Вошла в подъезд...

НА СОСЕДНЕЙ УЛИЦЕ

Настроение с каждым днем становилось все хуже и хуже. Оно начало портиться после прихода Женьки Сальникова, и Игорь понимал, почему это происходит. Он снова позволил управлять собой.

Он не понимал, как это произошло. Он, человек, который поставил себе за правило не позволять никому руководить и указывать, что ему делать, вдруг дал слабину и согласился на все, что предлагали ему эти трое. Вернее, предлагал только один из них, двое других молчали, но молчание это было выразительнее слов. Как ловко обвели они его вокруг пальца! Как хитро — он даже не заметил, как! — вырвали у него согласие отказаться от задуманного и удовлетвориться Женькиными извинениями без присутствия любимой племянницы! Неужели так сильна в нем инерция послушания, которую Игорь вытравливал из себя годами? Или он просто струсил, глядя на молчаливых плечистых мужиков с нехорошими глазами? Или испугался деда-фээсбэшника, который при помощи старых связей может сделать жизнь Игоря мало похожей на малиновый торт?

У него были собственные представления о порядочности, далеко не во всем совпадающие с общепринятыми, однако включающие в себя постулат о том, что достигнутые деловые договоренности следует соблюдать. Каким образом получилось, что его заставили пойти на эти договоренности — вопрос отдельный, но соблюдать их он будет. Это даже не обсуждается. Он согласился с тем, что Женька придет и поунижается, и на этом вопрос закроет, а Алена никогда не узнает о том, что он собирался ею попользоваться как свидетелем дядиного позора и бросить. Игорь дал слово, и он его не нарушит.

Но как же он ненавидел себя за то, что дал это проклятое слово! Признать себя слабаком и трусом он не хотел, однако других объяснений случившемуся не находил, и маялся, и метался, и злился...

Сегодня воскресенье, на работу идти не нужно, хотя можно поработать дома, у него есть кое-какие идеи по оформлению новой серии, которую издательство собирается запускать через полгода, неплохие, как ему кажется, и для вытеснения тяжелых мыслей иногда полезно бывает посидеть за компьютером или даже с карандашом в руках.

Игорь плотно позавтракал, выпил две чашки кофе, распахнул окно и устроился возле подоконника с большим планшетом на коленях. Он всегда, с самого детства, любил рисовать у окна. Сделал несколько набросков, но забраковал их и сердито швырнул листы на пол. Идея, которая еще полчаса назад казалась ему неплохой, при воплощении в рисунок выглядела убогой и примитивной. Но в голову пришла другая идея, совершенно неожиданная... Игорь улыбнулся сам себе и начал рисовать. Когда зазвонил телефон, он уже понял, что эта вторая идея — то, что нужно! Даже настроение улучшилось. Немножко.

— Игорь, — раздался в трубке голос Алены, одновременно звенящий и задыхающийся, — ты не мог бы сейчас прийти ко мне домой?

— Зачем? — равнодушно спросил он, не отрывая взгляда от нового рисунка. Здорово, черт возьми! Не зря ему в издательстве такую зарплату платят.

— У нас несчастье.

— С дедом, что ли? — вяло поинтересовался он, памятуя о том, что Алена частенько говорила о болезни деда.

— Нет, с дедушкой все в порядке. У нас Ника пропала.

— Какая еще Ника?

— Ну наша домработница. — В голосе девушке послышалось нетерпение. — Пошла вчера вечером гулять с собакой и пропала. Собаку мы возле подъезда нашли, а Ники нет нигде. С ней что-то страшное случилось!

— А я-то зачем нужен? Я вашу Нику не знаю. — Игорь по-прежнему был в работе и не до конца понимал суть происходящего.

— Игорь! — теперь Алена почти плакала. — Ну ты что! У нас катастрофа! Дедушка старый и больной, брата нет в Москве, мы с мамой женщины, у нас на все про все один мужчина — папа. Приходи, пожалуйста.

В голове у него начало проясняться. Кажется, у девчонки действительно беда. И она зовет его на помощь.

— А в милицию вы обращались?

— Да нельзя в милицию! Ника в Москве без регистрации живет, у нее даже паспорта российского нет! Они ее, может, и найдут, только потом вышлют из города в двадцать четыре часа! Ты что, не понимаешь?

Теперь Игорь очнулся окончательно. Кто сказал, что он трус и слабак? Он ничего не боится, он пойдет туда и познакомится с родителями Алены и с ее дедушкой, который так ловко пытался его отвадить от внучки. Он покажет себя с самой лучшей стороны, он в лепешку разобьется, но придумает, где искать эту пропавшую домработницу, и даже — лучше всего — сам ее найдет, а еще лучше, чтобы он это сделал с риском для жизни. Он не трус и не слабак, и пусть все это знают.

— Какой номер квартиры? Буду через десять минут.

Ровно через десять минут он звонил в квартиру Сальниковых. Дверь открыла Алена, зареванная, некрасивая, с опухшим лицом. Тут же кинулась ему на грудь и зарыдала. Следом за ней в прихожей появилась ослепительно красивая женщина в соблазнительном наряде, в котором не то в постель с любовником ложиться, не то на прием к английской королеве идти. Взгляд у нее был растерянный и одновременно просительный.

— Здравствуйте. Вы — Игорь?

Он молча кивнул, осторожно поглаживая Алену по плечам. Глядя на мать девушки, он вдруг осознал, насколько же она моложе, ведь за этой женщиной он бы с огромным удовольствием приударил, она если и старше, то ненамного. То есть они совершенно точно принадлежат к одному поколению, да и его одноклассник Женька, собственно говоря, не кто иной, как брат ее мужа. Они все — ровня, а Аленка — совсем другое. И если родители девочки отнесутся к Игорю, мягко говоря, не вполне лояльно, он их поймет.

— Меня зовут Наталья Сергеевна, — строго произнесла мать Алены, потом неловко улыбнулась дрожащими губами. — Можно просто Наташа. Я ведь ненамного старше вас. Спасибо, что пришли. Пойдемте, я познакомлю вас с отцом Алены и с ее дедушкой.

Через полчаса Игорь знал историю домработницы Сальниковых и жутковатую эпопею ночных поисков, когда около часа ночи вдруг спохватились, что Ника ушла с собакой в половине одиннадцатого, как обычно, и до сих пор не вернулась. Отец Алены Павел Николаевич (можно просто Павел, давайте без церемоний) вышел на улицу и прямо возле подъезда обнаружил Аргона, покорно сидящего в ожидании неизвестно чего. Ники нигде не было. Павел привел собаку домой. Дед уже спал, его тревожить не стали, втроем — отец, мать и дочь — обшарили все окрестности, но женщина как сквозь землю провалилась. Они не спали всю ночь, как только стало светать, часа в четыре, снова вышли и осмотрели каждый закоулок, заглянули под каждый куст, внутренне приготовившись к самому худшему — к обнаружению трупа. Но трупа не было. Как не было и живой Ники.

В шесть утра проснулся дед Николай Григорьевич, и тут уж отсутствие домработницы скрыть не удалось, потому что в десять минут седьмого она обычно подает ему чай с булочками. Узнав о том, что произошло, дед схватился за кислородную подушку, но потом взял себя в руки и первым делом спросил:

— Она с сумкой ушла?

— Да нет, она же с собакой вышла, зачем ей сумка? — удивилась Алена.

— Ты не спрашивай, а пойди посмотри. Если ее сумка на месте, неси сюда. Нет, не надо, пошли в ее комнату, надо посмотреть все бумаги.

Сумка Ники оказалась в ее комнате, и дед, как и следовало ожидать, тут же вытряхнул на стол содержимое и перебрал каждую бумажку. Записную книжку он отдал Павлу и велел методично отработать все московские номера. Иначе говоря, Павлу было поручено обзвонить всех московских знакомых Ники и задать им один и тот же вопрос: как давно они в последний раз видели женщину или разговаривали с ней. Эта работа много времени не заняла, потому как знакомых у нее оказалось немного, да и они в основной своей массе чудесным июльским солнечным воскресным утром дома не находились. Кто на даче, кто в отпуске. Из тех же, кого удалось разыскать, никто с Никой в последнее время не разговаривал, они уже давно перестали общаться. Единственным исключением оказался бывший муж, которому Ника звонила два дня назад и пересказывала длинный путаный разговор с его родителями. Был, правда, еще один человек, его номера записаны не в книжке, а на визитной карточке, вложенной под обложку книжки, некий Назар Захарович Бычков, но из трех указанных номеров два не отвечают, а третий — сотовый — отключен.

— Звони каждые десять минут, этот Бычков — наша последняя надежда, если, конечно, он сам не причастен к ее исчезновению, — велел дед и занялся методичным обыском комнаты, в которой живет домработница.

Пока ничего важного или интересного обнаружить не удалось.

— Ну как, Игорь, есть идеи? — спросил Павел, закончив рассказ, больше похожий на доклад.

Идей у него не было. Он не знал, как искать пропавших людей. Вот если бы ему сказали, куда увезли Нику, где ее прячут, уж тут он себя показал бы! Он бы голыми руками порвал в куски негодяев, которые ее похитили. Но почему он решил, что ее похитили? Зачем? Кому она нужна? Ради выкупа? Смешно. Никто не станет платить выкуп за домработницу, это же не ребенок и не супруг. Да и что взять с Сальниковых? Ладно бы еще банкир был, а то... Наверное, ее убили. Может, ограбить хотели, мало ли ночью всяких пьяных или обколотых ходит. Или изнасиловать.

— Она у вас красивая? — спросил Игорь.

— Очень! — тут же выпалила Алена.

— Обыкновенная, — пожал плечами Павел. — И выглядит на свой возраст. Так что в гарем к арабскому шейху ее не возьмут. Я понимаю, о чем вы думаете, Игорь. В тех местах, где она гуляла с собакой, ее не убили. Значит, ее должны были куда-то увезти. Встает вопрос: зачем? Если хотят ограбить, то убивают и отбирают деньги и вещи прямо на месте. Если хотят изнасиловать, то тащат в кусты тут же, по ходу. Если хотят присмотреть телку посимпатичнее, посадить в машину и увезти, чтобы потом оприходовать, то выбирают молодых и длинноногих. С почти сорокалетней женщиной, да еще с большой собакой никто связываться не будет. Не тот контингент. Так что остается только похищение.

— А если ее хотели не похитить, а увезти и потом убить? — предположил Игорь.

— Возможно, — согласился Павел. — Давайте думать, почему это могло произойти. Почему не убить прямо на месте, зачем везти куда-то?

— Нужно с ней поговорить. Что-то узнать, получить какую-то информацию и только потом убивать.

— Господи, ужас какой! — мать Алены прижала ладони к щекам. — Вы хотите сказать, что нашу Нику там сейчас пытают?

Она тихо заплакала, и, глядя на нее, начала реветь и Алена. Да, правильно поступила девочка, что позвала его,

Игоря, с этими двумя рыдающими красавицами каши не сваришь.

— Вопрос в том, — продолжал Игорь, стараясь не обращать внимания на льющих слезы женщин, — информацией какого рода может обладать ваша Ника. Тогда проще будет понять, кому эта информация так понадобилась.

Алена смотрела на него сквозь слезы с восторгом и гордостью. Вот какой он умный, не зря она его позвала!

Звякнул телефон, Павел тут же нажал кнопку на зажатой в руке трубке (по ходу рассказа-доклада он то и дело набирал телефонные номера, записанные на визитной карточке некоего Бычкова с таким странным именем-отчеством).

— Веронику? Простите, а кто ее спрашивает?

Игорь, Алена и ее мать дружно вскинули головы и уставились на Павла, словно он сейчас, как по мановению волшебной палочки, достанет из трубки исчезнувшую Нику или, по крайней мере, адрес, по которому она находится.

— Анна? А вы когда видели Веронику в последний раз? Вчера вечером? В котором часу? С половины одиннадцатого примерно до двенадцати? Где? На стройке? Так... Видите ли, Анна, Вероника не вернулась вчера домой. Нет, собака на месте, она сидела возле подъезда. А Вероника пропала... Да. Да. Хорошо. Я буду вам очень признателен. Пожалуйста, поторопитесь.

Павел положил трубку на стол и обтер о джинсы вспотевшую ладонь.

— Кажется, дело сдвинулось с мертвой точки, — он с трудом скрывал волнение. — Эта женщина виделась вчера с Никой. Она живет в доме напротив. Сейчас она придет к нам и кое-что расскажет. Ну, раз дело пошло, то, может, мне и тут повезет, — отец Алены кивком указал на визитку Бычкова и принялся набирать номер.

Один номер по-прежнему не отвечал. Второй тоже. Он набрал третий. По его мгновенно напрягшемуся лицу Игорь понял, что мобильник заработал.

— Алло! Назар Захарович? Здравствуйте. Меня зовут Сальников Павел Николаевич... да, очень приятно... Дело в том, что у нас Ника пропала... Сегодня ночью... да, ушла с собакой и не вернулась. Нет, собака дома, она у подъезда сидела, а Ники нет нигде... Да. Хорошо. Спасибо.

Положил трубку и с некоторым удивлением посмотрел на нее.

— Он сейчас приедет. Мне даже не пришлось ему объяснять, кто я такой. Наверное, Ника ему про нас рассказывала.

— Да кому она могла про нас рассказывать! — воскликнула Алена. — Она же ни с кем не общается! Она же тут как в тюрьме живет!

— Ой, я вспомнила, — вмешалась ее мать. — Назар Захарович — это, кажется, ее знакомый доктор, он ее от мигрени лечил или что-то в этом роде. Я помню, она ему звонила весной, я еще удивилась, что имя такое странное у него.

Позвонили в дверь, Алена помчалась открывать.

— Вот и Анна, — удовлетворенно сказал Павел. — Сейчас мы узнаем...

Однако, судя по голосам, это была не Анна. Или не только Анна. Игорь выглянул в прихожую и увидел женщину, мужчину и молодого парня. Это еще кто такие?

— Простите, — заговорила женщина, — мы все пришли. Это мой муж, а это наш сын Костя.

В этот момент Игоря осенило, он вспомнил, что Алена как-то жаловалась на домработницу, которая по вечерам торчит в Интернете, занимая телефонную линию и не давая девушке возможности позвонить ему.

— Интернет! — воскликнул он. — Надо проверить ее почту, может, там есть что-то важное.

Присутствующие замолчали и переглянулись. Первой прорезалась Алена:

— Мы пароля не знаем.

— А если взломать? — предложил Игорь. — Кто-нибудь сможет?

Вновь пришедшие как-то странно посмотрели друг на друга, потом мужчина решительно шагнул к двери:

— Я привезу Вадика. Он сможет.

— Вы уверены? — недоверчиво спросил Павел.

— Он и не такое взламывал, — горько усмехнулся мужчина и вышел из квартиры.

— Кто такой Вадик? — нахмурился Павел.

— Это наш сын, брат Костика, — объяснила Анна почему-то виноватым голосом. — Он действительно хороший хакер, вы не сомневайтесь. Конечно, этим не хвастаются, но тут такое дело...

Ничего себе иногородняя домработница без паспорта и без прописки, подумал Игорь, если на ее выручку бросается такая армия людей! Сейчас еще Бычков с дурацким именем явится, и будет полный комплект. Ладно, чем больше людей соберется, тем лучше, может, идеи какие появятся, сам-то он все равно не может придумать, куда и зачем увезли Нику и где ее искать, зато уж когда до дела дойдет — тут он себя покажет.

Глава 11

НИКА

В книгах все неправда. И в кино тоже. Если бы то, что происходит со мной, описывалось в каком-нибудь забойном детективе, все было бы совершенно иначе. Я оказалась бы жутко находчивой, сообразительной и физически подготовленной и, будучи с виду слабой и не самой умной на свете женщиной, ловко обманула бы похитивших меня бандитов и либо умудрилась сбежать, либо заставила бы их меня отпустить, либо придумала бы что-то совершенно невероятное и сумела бы связаться с Никотином. Но то в детективе. В реальной жизни все проще, скучнее и безысходнее. Я сижу в полутемном чулане с крохотным окошечком, расположенным так высоко, что выглянуть в него нет никакой возможности. И встать не на что, никакой мебели здесь нет. Здесь вообще ничего нет такого, что позволило бы развернуться воображению и соорудить, например, из черенков швабры шест, а из ржавой гантели — оружие, которым можно проломить череп тем, кто сюда зайдет. Четыре угла, пыль, паутина, слабый свет из прямоугольного маленького окошка — и я, Ника Кадырова, со своим приданым. В качестве приданого в данном случае выступает тошнота, головокружение и спазмы кишечника. Интересно, какой дрянью я надышалась, пока они везли меня сюда? Ничего не помню, кроме приторно-сладковатого запаха, окутавшего меня, как только я с Аргоном на поводке вошла в подъезд.

Очнулась я уже здесь, в чулане. Первым делом меня вырвало. И уже одно это в условиях отсутствия унитаза, раковины и воды моментально деморализовало меня. Кстати, еще одна замечательная ложь, на которую как-то не обращаешь внимания, читая книги или смотря фильмы: как это люди ухитряются сохранять присутствие суперменского духа и боевой настрой в обстановке полной антисанитарии? В чулане не было ни ведра, ни чего бы то ни было, что можно было бы использовать по сантехническому назначению, а организм-то функционирует, почки работают, кишечник тоже не дремлет, особенно в стрессовой ситуации, и что с этим прикажете делать? Сначала я мужественно терпела, надеясь на то, что чулан кем-то охраняется и этот охранник будет выводить меня в туалет. Я кричала, стучала в дверь и требовала соблюдения моих физиологических прав. Охранник был, он даже общался со мной. Но насчет прав — убеждений моих не разделял, посоветовав использовать в необходимых случаях имеющееся пространство. Выражений он не выбирал, а поскольку явно не был высокообразованным филологом, умеющим использовать все богатство родного языка, то называл вещи своими именами, и поэтому его прямую речь я приводить не буду — неприлично.

Мои шумные демарши в защиту санитарного состояния жилища (пусть и временного) дали ему понять, что я очнулась и готова к употреблению. Минут через пять после нашего первого диалога за дверью послышались шаги, голоса, потом со мной заговорили. Это был уже не охранник, голос другой, хотя лексика такая же убогая.

— Слышь, ты, кто тебя нанял?

Я прильнула к двери, пытаясь найти хоть какую-нибудь щелочку и увидеть своего собеседника. Безрезультатно. Щель была, и не одна, но все они находились выше моей головы, а встать, как я уже сказала, там было не на что.

— Куда нанял? В домработницы?

— Ты дурой-то не прикидывайся! Повторяю: кто тебя нанял?

Я дурой не прикидывалась, я ею была. Потому что совершенно не понимала, о чем он меня спрашивает.

— Послушай, — я решила не церемониться и не изображать благовоспитанную девицу, — я в туалет хочу. Отведи меня в туалет, тогда поговорим. Мне уже моча в голову ударяет, я ничего не соображаю. Пока на горшок не отведешь, разговора не будет.

Вы верите в то, что слон может испугаться комара? И правильно делаете, если не верите. Потому как мои требования и дерзкие попытки выставлять условия возымели на моего невидимого собеседника примерно такое же действие, как на слона — угроза комариного укуса. Мне посоветовали, во-первых, не выступать, а то будет хуже, а во-вторых, отправлять физиологические потребности по месту нахождения, то есть непосредственно в чулане. Структура дальнейших шумов позволила прийти к выводу, что собеседник мой, перекинувшись парой негромких слов с охранником, покинул стол переговоров.

Но я не преувеличивала, когда говорила, что моча ударила в голову и я ничего не соображаю. В туалет хотелось так нестерпимо, что ни о чем другом я просто думать не могла. Пришлось последовать дважды данному мне совету, после чего и организму в целом, и голове в частности стало куда легче, и я смогла приступить к сбору анамнеза и постановке диагноза.

Итак, что в анамнезе? Встреча с Костей и его братом Вадиком на улице и светская беседа эдак минут на двадцать. Потом вечерний разговор с мамой Вадика, из которого выяснилось, что наш сосед Виктор Валентинович Кулижников, во-первых, знает Вадика Фадеева в лицо, во-вторых, связан с ним неким криминальным эпизодом, разбирательств по поводу которого ему хотелось бы избежать, в-третьих, этот Виктор Валентинович — человек импульсивный и недальновидный, поскольку ухитрился «кинуть» доверчивого Вадика и не позаботился при этом о собственной безопасности. Ну в самом деле, как можно «кидать» человека, который знает, как тебя зовут и где ты работаешь? Можно, конечно, но только при условии, что ты хорошо «обставишься», например, объяснишь своей жертве, что любые попытки разобраться выйдут ему боком, или заведешь охрану, или еще что-нибудь в этом же роде. Господин Куликников ничего этого не сделал, поступление Вадика в институт материально не обеспечил, присвоив деньги, и решил отчего-то, что это сойдет ему с рук. В общем-то, оно и сошло бы, если бы Вадик не наделал глупостей, которые привели его семью в состояние бешенства. Однако же есть еще один факт, свидетельствующий о характере нашего соседа: моя встреча с Вадиком на улице произошла днем, часа в четыре, а реакция наступила уже ночью. Быстро, ничего не скажешь. Ни тебе обдумывания ситуации, ни сбора дополнительной информации, ничего, что обычно свойственно работе нормальной службы безопасности, если таковая в криминальной структуре имеется. Стало быть, менталитет у этих ребят простой, как чугунная гиря: хватай и тряси, чего тут думать, трясти надо. И, стало быть, никакой службы безопасности в этой структуре нет, и сами они — никакая не мощная структура и вообще не структура, а так, кучка удалых ребят во главе с прилично выглядящим Дмитрием Дмитриевичем, строящим из себя проректора одновременно нескольких вузов, ведь наверняка гениальную операцию по регулированию курса ценных бумаг проводят не один раз, то есть приглашают по одному абитуриенту из нескольких институтов. Работа сезонная, психологическая надежность комбинации строится именно на желании поступить на бюджетное отделение и на страхе быть отчисленным и загреметь в армию в случае излишней болтливости. Брать несколько человек из одного вуза опасно, при взаимном обмене информацией между двумя студентами сразу станет ясно, что дело не в оказании однократной личной услуги проректору, а в массированном зарабатывании денег. Так что урожай снимают один раз в год, летом, потом до следующего лета контора затихает и спокойно тратит заработанное. Сколько же имеет на этом наш дорогой сосед? Давай считать, Кадырова. Взятка за поступление в институт в среднем составляет пять тысяч долларов, но бывает и дороже. Самые высокие ставки, насколько мне известно, — двадцать тысяч. Хорошо, предположим, в тот институт, куда хотел поступать Вадик Фадеев, нужно давать по максимуму. Итак, что-то стряслось у Кулижникова, и ему на решение проблемы не хватило двадцати тысяч. Он их получил у Дмитрия Дмитриевича после проведения брокерских операций, но в приемную комиссию не передал, присвоил. О чем это говорит? О том, что денег у него не так уж много (по бандитским меркам, конечно). Человек, зарабатывающий сотни тысяч долларов, уж двадцать-то тысяч всегда найдет. Значит, наш сосед зарабатывает куда меньше, основной навар имеют держатели акций и ценных бумаг, а Виктор Валентинович выполняет роль поставщика рабочей силы и получает скромный гонорар за услуги плюс деньги на взятку в приемную комиссию.

Очевидно, Виктор Валентинович видел, как я разговаривала с Вадиком, и испугался. Может быть, он в это время проезжал мимо на машине или шел домой пешком по противоположной стороне улицы. Или видел меня с балкона. Кстати, мог ли? Я напрягла память и пространственное воображение и пришла к выводу, что если бы сосед вышел на балкон, то вся наша милая компания была бы перед ним как на ладони. Конечно, он нас увидел, и реакция наступила незамедлительно. Хорошо бы выяснить одну деталь: а не выходила ли Анна вместе с Вадиком на улицу? Например, когда провожала его вечером в больницу. Если выходила, то тогда получается еще более складно. Перепуганный Кулижников, видя, что опасность притаилась в доме напротив (именно оттуда вышел обманутый год назад мальчик и вступил в контакт с соседской домработницей), продолжает пристально наблюдать за логовом врага, видит обманутого мальчика в обществе не только юноши и девушки, но и женщины, а потом видит, как эта женщина поздно вечером встречается со мной. Ну, тут уж вообще полная феерия наступает! Тут впору кричать «караул», бить во все колокола и сматывать удочки. Или что там еще делают бандюки в таких ситуациях? Рвут когти, уходят в бега? Кажется, еще забивают стрелку.

На этом мои познания в жизни преступного мира закончились. Господи, да чем же они меня траванули в целях транспортировки? Голова чугунная, и сильно тошнит. Такое состояние аналитической работе отнюдь не способствует. Ладно, постараюсь не отвлекаться, а то вдруг опять начнут вопросы задавать, а я пока не придумала, как себя вести и что отвечать.

Так, с анамнезом разобрались. И каков же диагноз? Меня, то есть человека, вступавшего в контакт с обманутым мальчиком и еще одной женщиной «из логова врагов», похитили, чтобы выяснить, что происходит и кто меня нанял. То есть для Виктора Валентиновича и его компании должно быть очевидным, что их хакерские проделки и биржевые фокусы кто-то хочет вытащить на свет божий. Кто? Правоохранительные органы, чтобы состряпать уголовное дело и отдать героев-акционеров под суд? Или отважные Робин Гуды, узнавшие откуда-то о таком оригинальном способе обогащения и возымевшие страстное желание заставить акционеров поделиться неправедно нажитым? Или все дело в одном конкретном мальчике, которому не дали поступить в институт? В любом случае все замыкается на домработнице Сальниковых, которую наняли (или завербовали? не знаю, как правильно) специально для того, чтобы она следила за соседом Виктором Валентиновичем, втиралась к нему в доверие и снабжала заинтересованные стороны информацией о нем и его образе жизни.

Вот так или примерно так они должны были рассуждать. Ну ладно, а мне-то что делать? От всего отпираться? Дескать, ничего не знаю, Вадика в первый раз в жизни видела сегодня днем (впрочем, кажется, это было уже вчера), знакома с его братом, который в меня влюбился и вбил себе в голову невесть что, а заботливая мама пришла поговорить со мной, попросить, чтобы я не поощряла мальчика, не приваживала его, не обольщала и не соблазняла. И ни про какое несостоявшееся поступление в институт я и слышать не слышала. Да, пожалуй, это единственный способ... Способ чего? Выжить? Дуреха, да кто тебе позволит выжить-то? Кто тебя отсюда отпустит, чтобы ты немедленно бросилась всем рассказывать, как тебя похитили? Правда, есть одно обнадеживающее обстоятельство: с тобой разговаривают через дверь. То есть не дают тебе возможности увидеть их лица. А раз ты не видишь лиц и не знаешь географических координат места своего заточения, то ты не опасна, тебя можно будет отпустить.

Надежда есть. Но она есть только при двух условиях: в разговорах с тобой ни разу не будет упомянуто имя Виктора Валентиновича, и самого соседа ты здесь не увидишь. Если одно из этих условий будет нарушено, можешь прощаться с жизнью, Кадырова, потому что станет очевидным: тебя отсюда отпустят только в одном направлении, и это совсем не то направление, о котором ты мечтаешь.

Так, а что будет, если сказать правду? Вот как было, так и рассказать, мол, сначала был мальчик Костик, потом появился брат Вадик, потом мама, и от мамы я узнала про Кулижникова и про недоразумение, в основе которого лежала (или стояла? А может, бегала?) черная крупная собака породы русский терьер с химической кличкой. Что тогда? История правдивая, но малоправдоподобная. И в ней есть одно слабое место: имя соседа. Тогда точно не выпустят.

Черт бы вас взял, авторы детективных сюжетов! Где вы там? Где ваши гениальные идеи о том, как слабая одинокая женщина может вырваться из рук отмороженных на всю голову бандитов? Ау! Нету вас, попрятались, сволочи, вы только за своими письменными столами и компьютерами такие умные, обязательно в чуланчик подбросите весь необходимый для побега инвентарь, а в голову вашей героини напихаете оригинальных мыслей о том, как всех обмануть и выйти сухой из воды.

Ну вот, Кадырова, свободного времени у тебя нынче навалом, можешь предаться своему любимому занятию: рассуждениям о дорожках, которые ты выбирала. Ты шла из аптеки с лекарствами для Николая Григорьевича, увидела юного Вертера и выбрала вариант «подойти и поздороваться». Вот отсюда и начались твои неприятности. Не подошла бы — сидела бы сейчас дома, варила обед для Сальниковых, делала массаж Старому Хозяину.

Нет, все началось раньше, в тот момент, когда ты сделала другой выбор — выбор своего поведения с Костей. Если бы ты не отшила его так грубо и прямолинейно, он пришел бы гулять с тобой вчера вечером, и тогда его мама уж точно не подошла бы к тебе с разговорами. И он проводил бы тебя до лифта, и тебя не похитили бы.

Стоп, Кадырова! Ты забыла о самом главном — об Анне. Анна должна тебе звонить сегодня, ты ведь обещала свести ее с Никотином. Она позвонит, и... Что дальше? Сальниковы уже понимают, что раз ты не явилась домой, то с тобой что-то случилось. Что они сделали? Искали тебя? А фиг их знает, вряд ли они станут колотиться ради домработницы, я для них всего лишь мыслящая бытовая техника. Но я ушла с собакой, о собаке они, надо думать, побеспокоятся. Собаку они будут искать. И поймут, что вместе с собакой исчезла и я. А кстати, где Аргон? Наверное, его оставили, и он, бедолага, терпеливо сидит возле подъезда в ожидании, пока его заберут. Вряд ли здоровенного пса увезли вместе со мной, с ним хлопот много, он лает, вертится и занимает место. Нет, конечно, его оставили.

Ну хорошо, Сальниковы нашли собаку, а меня нет. Что они станут делать? Обратятся в милицию? Скорее всего. Хотя... Кто их знает, ведь придется объяснять, что я у них живу без прописки и без регистрации и за меня как за наемную рабочую силу они не платят налоги. Это может их остановить. Тогда как? Как они будут действовать? Да никак! Пожмут плечами, подождут пару дней и станут искать новую прислугу, желающих-то вон сколько, Москва заполонена такими беженцами из бывших союзных республик, которым жить негде и есть нечего. И далеко не все они бомжуют, среди них огромное количество таких же, как я.

И вот звонит Анна. Просит меня к телефону. Если трубку снимет Алена, которая меня принимает за неодушевленный предмет, она скажет, что меня нет дома и, когда я приду, неизвестно. Если подойдет Наталья, результат будет точно таким же, она скажет, что меня нет, и положит трубку, потому что хоть и понимает, что я одушевленная, но мозгов у нашей Мадам совершенно точно недостаточно, чтобы уцепиться за этот звонок и начать разговаривать с Анной. Если на звонок ответит Гомер, он может даже не понять, кого зовут к телефону, и скажет, что таких здесь нет. Старый Хозяин? О господи, только бы он не начал нервничать и волноваться из-за моего исчезновения! Но ведь наверняка начнет. Тахикардия, сердечная недостаточность, кислородные подушки, растерянная и плохо соображающая Наталья, не сделанные вовремя уколы, слишком поздний вызов «Скорой»... Этот последовательный ряд событий логичен и неумолим, но думать о нем не хочется. Николай Григорьевич, милый, пожалуйста, не волнуйтесь, не переживайте, поберегите себя, со мной все будет в порядке, вы только не болейте! Не надо приступов, не надо «Скорой», не надо больницы, пусть у вас найдутся силы и самообладание, чтобы понять, что вам сейчас болеть ну никак нельзя, потому что меня нет рядом. Потерпите, соберитесь, милый, хороший мой Николай Григорьевич, возьмите себя в руки, подождите, пока я вернусь! Старый Хозяин — моя последняя надежда. Этот цепкий старик своего не упустит, если где-то можно урвать кусочек информации — урвет всенепременно. Но он снимает трубку, только когда никого нет дома, кроме него самого. Сегодня воскресенье, так что рассчитывать на удачное стечение обстоятельств не приходится, Сальниковы должны быть дома. А если он все-таки подслушивает? Если снимает тайком трубку? Господи, сделай так, чтобы это оказалось правдой! Пусть он снимает трубку, пусть все слышит. Еще вчера такое поведение казалось мне нежелательным и неприличным, но сегодня это самое неприличное может меня спасти.

Ну что ж, диагноз поставлен. Есть две вещи, два сильнодействующих препарата, которые могут сохранить мне жизнь. Молчание вокруг фигуры нашего соседа. И звонок Анны, на который ответит Старый Хозяин. Что я могу, сидя взаперти в полутемном чуланчике? Только думать. Воспользоваться старым проверенным способом и представлять себе, как я, живая, здоровая и счастливая, покупаю в магазине, а потом вешаю в ванной бирюзовую занавесочку с красными рыбками и зелеными водорослями. И еще буду представлять себе, как звонит Анна, и с ней разговаривает Николай Григорьевич, и сразу узнаёт, что вчера вечером мы с ней разговаривали, и она расскажет ему свою историю, и про сына, и про соседа, и он все поймет.

А если мне будут задавать вопросы, начну прикидываться кофемолкой и рассказывать про влюбленного

Ромео и бдительную мамашу. Другого выхода все равно нет.

Это я так долго рассказываю о своих размышлениях, на самом же деле они заняли от силы минут пятнадцать, ведь мы, когда думаем, фразы до конца не проговариваем.

Меня снова начала мучить рвота, но теперь вопросы гигиены жилища меня беспокоили меньше, то есть беспокоили, разумеется, как врача, но не до такой степени, чтобы страдать от отсутствия возможности умыться и почистить зубы. Если тебя заставляют существовать на пяти квадратных метрах вместе с собственными испражнениями, то многие высокие материи становятся как-то безразличны. И сила духа заметно падает. Поэтому я еще раз повторю: не верьте, когда вам рассказывают о запертых в чуланчик без туалета героях, которые после многодневного пребывания наедине со своими фекалиями совершают невероятный рывок к свободе. Сама ситуация настолько унизительна, причем на уровне подсознания, что человек просто теряет способность к конструктивному мышлению.

Снова послышались шаги и голоса. Я замерла, прижавшись к двери и мечтая только о том, чтобы не появился сосед. Кто угодно, только бы не он!

Мне повезло, это снова был тот тип, который уже приходил.

— Ну что, проссалась? — громко спросил он.

Это было грубо. Я даже обиделась. И решила поэтому не отвечать. Ну можно ли быть таким неделикатным?

— Эй, ты там, уснула, что ли?

— Уснешь тут с тобой, — спокойно ответила я. — Чего ты орешь, как на базаре? Мне плохо. Меня тошнит, и голова кружится. Сами накачали какой-то дрянью, а теперь спать не даете. Садисты.

— На том свете выспишься, курица, — оптимистично пообещал невидимый собеседник. — Отвечай: кто тебя нанял? На кого работаешь?

Мне тут же вспомнился «Мертвый сезон» и истошные крики: «Кто с тобой работает? Кто еще с тобой работает? Говори!» Почему-то стало смешно. Наверное, от безысходности. Тут же вспомнился еще один фильм из моего детства, «Старшая сестра» с Татьяной Дорониной. Героиня Дорониной рассказывает притчу о жителях осажденного города, которые со слезами и плачем отдавали захватчикам все, что у них было. А когда в ответ на очередное требование сдать ценности начали смеяться, захватчики поняли, что в этом городе им больше взять нечего.

— Чего молчишь, курица? — с подозрением в голосе спросил тип за дверью.

— Кино вспоминаю, — честно ответила я.

И за честность тут же была наказана. Меня обложили таким отборным и витиеватым матом, что я даже пожалела: вот умру и никому не смогу пересказать этот филологический шедевр.

— В последний раз спрашиваю: кто тебя нанял?! — заорал автор шедевра.

Я находилась в сложном положении. Если я приняла решение прикидываться кофемолкой, то не должна рассказывать про Костю, Вадика и Анну, пока он сам не спросит. Я должна абсолютно не понимать, о чем речь и чего от меня хотят. А он, идиот, задает только один совершенно тупой вопрос: кто меня нанял. Как же вывести его из ступора?

— Послушай, я ничего не понимаю, — жалобно заскулила я. — Ты о чем? Куда меня наняли? Меня наняли полтора года назад в домработницы, и всё, больше меня никто никуда не нанимал. И еще я хотела спросить про собаку. Я же с собакой гуляла, когда вы... ну, когда это случилось. Меня хозяева живьем сожрут, если она потеряется, она же жутко породистая, дорогая. Вы собаку тоже сюда привезли?

— Делать нам нечего, — проворчал филолог. — Только и забот с твоей скотиной возиться. Там оставили.

Уже хорошо. То есть я не знаю, может, это и плохо, но это свидетельствует о том, что хотя бы в этой мелочи я ход событий рассчитала правильно, так что есть надежда, что и в чем-то другом не ошиблась.

— А Аню вы тоже похитили? — я нагло перла напролом.

— Какую еще Аню?

— Ну Аннушку, мою знакомую, с которой я вечером гуляла? Или только меня одну?

Мне тут же в весьма далекой от изысканной стилистики форме посоветовали не врать.

— Ты одна была, с собакой, никакой Ани там не было.

Само собой, не было, ведь после того, как мы с ней расстались возле дома, я еще на спортплощадку ходила и возвращалась уже одна.

— Ну как это не было, — возмутилась я. — Она меня возле дома караулила, познакомиться хотела и поговорить. Мы с ней полтора часа почти что гуляли, она мне все про сына голову морочила, какой он чистый и непорочный, и чтобы я перестала его привораживать, потому что я на двадцать лет старше и никакой любви у нас с ним не получится.

Кажется, ему стало интересно. Или просто он такой, мягко говоря, неумный, что его оказалось легко сбить с деловой тематики на бытовую.

— А у тебя чего, с ним любовь?

— Да ну, какая любовь! — фыркнула я. — Пацан сопливый, малолетка, вбил себе в голову, что я — женщина его мечты, и вот таскался за мной по пятам несколько месяцев, цветочки дарил, стихи читал, телячьими глазами смотрел. Нужен он мне! Главное, он сам-то до ужаса стесняется своих чувств, понимает, что глупость затеял. Представляешь, иду вчера из аптеки, смотрю, он стоит с девкой какой-то и еще с одним парнем, ну, я, как порядочная, подхожу, мол, приветик, как дела, а он краской залился, глаза в землю, молчит. Стыдится, понимаешь ли! Вот я тебя спрашиваю, хоть я тебя и не вижу, но все равно, вот скажи мне, ну это надо за бабой ухлестывать, цветочки дарить и все такое, чтобы потом этого стесняться?

— Козел он, — искренне согласился со мной филолог. — Чего он на тебя попер? Молодых телок, что ли, нету? Вон на каждом углу стоят, только снимай.

— Так и я про то же, — радостно подхватила я. — Главное дело, он меня знакомит с ними, ну, с теми, с которыми на улице стоял, один из них его брат оказался, а девица — его однокурсница, в него влюблена по уши, невооруженным глазом видно. Причем хорошенькая такая, и одета дорого, и машина у нее есть. Вот я и спрашиваю, это ж каким козлом надо быть, чтобы при наличии таких кадров за мной по пятам ходить, а? Я старая уже, и одета не очень, и машины у меня нет. А он уперся. Ну вот, его мать и прискакала ко мне отношения выяснять, ей, видно, девушка тоже понравилась, из хорошей семьи, умненькая, и ей обидно, конечно, что сыночек, вместо того чтобы выгодно жениться, за мной утром и вечером таскается, пока я с собакой гуляю. Представляешь, какие истории в жизни бывают?

— Ладно, зубы мне не заговаривай, — с угрозой проговорил незримый филолог. — Говори, кто тебя нанял?

Снова-здорово! Он что, совсем тупой? Для кого я тут разорялась?

— Слушай, ну что ты прицепился? — снова заскулила я, давя на жалость. — Ты можешь разговаривать по-человечески? Я не понимаю, о чем ты меня спрашиваешь. Ну не понимаю я! Ты можешь мне на пальцах объяснить, с чего ты взял, что меня кто-то нанял? И зачем меня вообще сюда привезли?

— Не хочешь отвечать — еще посиди, подумай. Жрать тебе не дадут, может, от голода поумнеешь. Надумаешь говорить — крикни, меня позовут.

Я так и не поняла, удался ли мой маневр или все было впустую. Но то, что Виктор Валентинович не появился лично и его имя до сих пор не названо, — это хороший признак. Во всяком случае, что я могла, то сделала, кто смог бы сделать больше или лучше — флаг ему в руки. Может быть, знаток ненормативной лексики сейчас доложит кому надо мою душераздирающую историю про безответную любовь молодого Вертера и про его заботливую маму, и мне поверят. Глупо, конечно, рассчитывать на то, что вот прямо сейчас распахнутся двери, меня выведут на белый свет и с почетом проводят к машине, но хотя бы каплю сомнений я в своих похитителей постаралась заронить. Как говаривал мой любимый водитель Сергеев, после пожара и пипетка — брандспойт.

Больше ничего умного не придумывалось. Время шло, никаких идей в голове не появлялось, филолог ко мне не приходил, еды не давали, питья тоже. Без еды я перебьюсь, а вот без воды долго не протяну. Токсинов во мне немерено, судя по тому, что я до сих пор не отойду от транспортировки, и, если их не выводить из организма, они меня очень быстро приведут в полную негодность. Несколько раз я заговаривала с охранником, но он был молчалив и безжалостен, так что ни воды, ни новой информации я не получила.

Судя по мягко угасающему свету, робко пробирающемуся в окошко, наступала ночь. Тошнота и спазмы кишечника меня окончательно домучили, голова уже не болела, но была такой тяжелой и словно набитой песком, как бывает, когда не спишь две ночи подряд. Я свернулась в клубочек в углу чулана и задремала, положив голову на согнутую руку. Пол был далеко не стерильным, но, как частенько повторял мой любимый водитель Сергеев, больше грязи — шире морда. То есть в том смысле, что грязь для здоровья не вредна, а вовсе даже напротив.

Я лежала, дрожала от озноба и повторяла свою молитву:

«Храни меня вдали от тьмы отчаяния,

Во времена, когда силы мои на исходе,

Зажги во мраке огонь, который сохранит меня...»

А потом я уснула. Проснулась резко, внезапно, как просыпаешься от громкого звука. Мне показалось, что я слышу шум подъезжающей машины. Нет, нескольких машин. Шаги. Голоса. Нет, теперь уже крики... Видно, меня все-таки сильно траванули при похищении, потому что чувствовала я себя так плохо, что даже не могла сосредоточиться на том, что слышала. Ухо воспринимало множество звуков, но мозг отказывался включаться в работу и анализировать их природу и смысл. Я изо всех сил пыталась взять себя в руки, но результат был прямо противоположным желаемому: я проваливалась в тошнотворную одурь и состояла, казалось, только из тяжеленной головы с приделанным к ней напрямую беснующимся пищеводом, на конце которого болтался завязанный в пятьдесят морских узлов кишечник. Больше ничего от Ники Кадыровой не осталось.

Сквозь меркнущее сознание прорвался чей-то истошный вопль:

— Игорь!!! Назад!!! Назад!!!

Потом грохнул взрыв, это я еще успела сообразить, а потом я потеряла сознание.

* * *

Когда теряешь сознание, то, в общем-то, есть шанс его найти. И я нашла. Нашла и вернула в свою больную голову. И даже попробовала открыть глаза. Не получилось. Зато получилось на несколько секунд включить слух в процесс освоения окружающей действительности. Слух меня подвел, во-первых, потому, что слишком быстро выключился, а во-вторых, потому, что оказался ненадежным, донес до с трудом найденного сознания какую-то галлюцинацию.

— Никочка, миленькая, родненькая, только не умирай, пожалуйста!

Голос показался мне смутно знакомым, но я даже и не пыталась его идентифицировать, потому что такие слова произносить некому. Нет на свете человека, который мог бы это сказать. Сознание же, убедившись, что пока может порождать только слуховые галлюцинации, огорчилось своей несостоятельностью и снова меня покинуло. Вероятно, пошло отдыхать и набираться сил.

Не знаю, долго ли оно отдыхало, но вторая попытка оказалась столь же неудачной. Мне удалось открыть глаза, и теперь мне в подарок была преподнесена галлюцинация зрительная: я увидела Никотина, который был в то же время совсем не Никотин. Но если он совсем не Назар Захарович, то почему я решила, что это он? Так бывает во сне, когда видишь совершенно незнакомое лицо и почему-то твердо знаешь, что это твой муж или подруга. У того видения, которое подбросило мне разболтавшееся сознание, были глаза Никотина, но другое лицо. И одет он был почему-то в белый халат.

Третья попытка показалась мне более успешной. Я услышала:

— Ника, сожмите мою руку.

И действительно, в правой руке я почувствовала чью-то теплую ладонь. Я сжала ее, как смогла.

— У-у, какое крепкое пожатие, — голос, кажется, был доволен моими усилиями. — Теперь другую руку.

Теплая ладонь оказалась в моей левой руке, и я послушно выполнила то, что от меня требовали. Сознание профессионального медика проснулось раньше, чем сознание просто человека, и я успела сообразить, что меня будут после общего наркоза. Значит, мне делали операцию. Где? Кто? Удалось приоткрыть глаза, и кажется, я даже кого-то увидела, но сознание, утомленное работой слуха, зрительные образы идентифицировать уже отказывалось, это было ему не силам, и я ничего не поняла, кроме того, что человек, которому я так старательно пожимала руки, был в зеленой операционной робе.

Я закрыла глаза и решила отпустить сознание на вольный выпас, пусть еще отдохнет. Но оно моих намерений не разделяло и осталось со мной. То есть я его больше не теряла, просто мы оба крепко заснули, вернее, я спала, а оно, сознание, развлекало меня тем, что показывало цветные затейливые сны.

— Ника, вы меня слышите?

Я шевельнула губами в попытке ответить. Получилось не очень-то. Но, вероятно, тот, кто задавал вопрос, шевеление заметил и понял, что слышу. Это его воодушевило, и он задал следующий вопрос, вот, однако, любознательный:

— Как вы себя чувствуете?

Я снова прошевелила ответ, мол, нормально. Но я не уверена, что меня поняли правильно, все-таки изъяснялась я не так уж внятно.

— Вот здесь больно?

Чьи-то руки начали меня ощупывать, в одних местах было больно, в других нет, и я добросовестно шевелила губами и моргала, в общем, общалась как могла.

— Отлично, — услышала я. — Вы родились в рубашке, Ника. А рожденный в рубашке, как известно, в конце концов надевает королевскую мантию. У вас впереди прекрасная и яркая жизнь.

И голос был знакомый. Откуда? У меня в Москве нет ни одного знакомого медика.

С этой недоуменной мыслью я снова уснула. Мне снился Никотин в белом халате, читающий со сцены рассказы Бабеля. Когда я проснулась, Никотин, который совсем не Никотин, снова наклонился надо мной. Я никогда прежде не видела этого человека, голову могу дать на отсечение, но его голос кажется мне знакомым, и у него

точно такие же, как у Никотина, глаза — глаза победителя, не сомневающегося в том, что он может все.

— Вы кто? — спросила я вполне внятно.

— Доктор.

— А где я?

— В больнице.

— А что со мной?

— Много всего. Сначала отравление, потом травмы от
взрывной волны и обрушения дома. Но теперь все в порядке, все почистили, где надо — зашили, где надо — на-
ложили гипс. Будете как новенькая. Вы еще поспите, вам
полезно, а завтра я всех к вам пущу.

— Кого — всех? — не поняла я.

— Да там целая толпа сидит вторые сутки, никто не
уходит, ждут, когда вы в себя придете.

— А...

Я собиралась еще кое-что спросить, вопросов у меня
возникло сразу множество, видно, сознание отдохнуло
как следует и набралось сил, но в палату (я еще не видела,
но предполагала, что коль я в больнице, то и в палате) заглянула медсестра:

— Юрий Назарович, капельницу ставим?

Юрий Назарович! Так вот почему он казался мне
одновременно Никотином и кем-то другим, вот почему у
него такой взгляд, вот почему его голос кажется мне знакомым! Это же его сын!

— Ваша фамилия Бычков? — спросила я нахально.

— А я этого и не скрываю, госпожа Мельникова-Кады-
рова, — засмеялся он. — Отец мне все про вас рассказал.
Я даже знаю, что вы на самом деле не Амировна, а Андреевна. А про меня он, судя по всему, ничего вам не рассказывал?

— Никотин... ой, простите, Назар Захарович говорил,
что у него есть сын, а больше ничего, — призналась я. —
Но у вас глаза совершенно одинаковые, и голоса очень
похожи.

— Мы потом поговорим, — почему-то шепотом сказал доктор Бычков, — сейчас Валечка поставит вам капельницу, и вы заснете, а я попрошу Алену посидеть с
вами, чтобы вы рукой не дергали.

— Алену? — Я опять ничего не понимала.

— Ну да, вашу Алену. Она уже просидела с вами три капельницы, две вчера и одну сегодня утром. Сначала она очень сильно плакала, я даже пускать ее не хотел, но потом ничего, успокоилась.

— Как... как это — плакала?

Мои вопросы становились все глупее, я решила, что речь идет о какой-то другой Алене, потому что представить Алену Сальникову рыдающей над моим бессознательным телом не могла ни при каком напряжении фантазии.

— Ну как люди плачут? — Бычков пожал плечами. — Слезами плакала. Мол, Никочка, родненькая, не умирай.

Так это была не галлюцинация... Ничего не понимаю. Мир, что ли, перевернулся?

— Я, собственно, решил, что лучше пусть девушка с вами побудет, поделает что-то полезное для вас, это ее займет как-то, отвлечет.

— От чего отвлечет?

— Ах да, — он немного смутился, — вы же не знаете. Ее молодой человек погиб, когда вас освобождали.

— Кто погиб? Игорь?

— Кажется, его так зовут. Ника, я понимаю, у вас много вопросов, вам хочется обо всем узнать, но вам сейчас лучше всего уснуть, поверьте мне, вы же врач, должны понимать.

Я понимала. Как врач я все понимала. Но как женщина — изнемогала от желания все узнать. Врач и женщина боролись во мне не на жизнь, а на смерть. Тут же из дальних закутков памяти вылез Лев Кассиль со своим классическим вопросом: если слон на кита влезет, кто кого сборет? Не знаю, кто победил в кассилевском поединке, но в моем победил врач. Я добросовестно уснула, не успев даже увидеть Алену. Сон обрушился на меня в тот момент, когда медсестра Валечка отрегулировала капельницу и пошла звать девушку.

Не знаю, сколько времени прошло, пока я окончательно не проспалась после наркоза, но, когда я вполне бодро открыла глаза в очередной раз, капельницы не было, аккуратненький катетер одиноко торчал из моей руки чуть повыше запястья, а на кожаном кресле рядом с кроватью сидела Анна.

— Вы проснулись, Вероника? — радостно спросила она и заплакала. — Ну, как вы?

— Нормально, — ответила я, с удовлетворением ощущая, что артикуляционный аппарат слушается меня гораздо лучше, чем прежде, когда я разговаривала с сыном Никотина. Просто-таки совсем хорошо слушается. — Рассказывайте.

— Что рассказывать?

— Да все. Как я здесь оказалась. Как вы здесь оказались. Вообще все, что знаете.

Свой потенциал слушателя я переоценила, потому что на протяжении всего рассказа периодически проваливалась в сон. Наверное, Анна не сразу это замечала, и часть ее повествования ушла не в мои уши, а в пустоту, поэтому всей полноты картины я в итоге не получила, но все равно, даже того, что я сумела воспринять, оказалось достаточно, чтобы потом долго думать и удивляться.

Оказалось, я сильно и самонадеянно заблуждалась, когда полагала, что хорошо изучила семейство Сальниковых. Мало того, что они, оказывается, искали меня всю ночь, мало того, что они сообразили, как нежелательно мне иметь дело с официальной милицией, так они еще и подняли на ноги всех, кого могли. Они привлекли к моим поискам Анну и всю ее семью, даже привезли больного Вадика, который вскрывал в Интернете мой почтовый ящик и искал в моей переписке зацепки, позволяющие понять, что произошло. Они нашли Никотина. Старый Хозяин тщательно, со знанием дела обыскал мою комнату и нашел документы — договор и приходный кассовый ордер — частного детектива Севы Огородникова. Связался с ним и попросил помочь. Какое счастье, что я не стала забирать у Севочки присланные шантажистом фотографии, а то и их Николай Григорьевич нашел бы... Несмотря на слабость, меня от ужаса в жар бросило.

Севочка и его помощник Алеша тут же примчались. Николай Григорьевич не подвел меня, держался молодцом, тяжелого приступа не выдал, ограничился всего-навсего кислородом из одной подушки, после чего вспомнил о своем славном профессиональном прошлом и активно включился в работу. Это еще раз подтвердило мысль о том, что людям нельзя уходить на пенсию до тех пор, пока они еще могут работать. Уходить надо тогда, когда физически больше не можешь, а пока можешь, пока есть силы встать и идти и есть интерес делать дело — иди и работай, и никто не должен иметь права тебе запрещать или мешать. Чем дольше Главный Объект сидел в своей скорлупе, тем больше обострялись болячки, а как до реального, настоящего дела дошло, так и болеть забыл. Но самым удивительным для меня было сообщение о том, что Алена привела в «лагерь поисковиков» своего поклонника Игоря. И ведь не побоялась! Вспоминая себя в ее возрасте, могу ответственно заявить, что если бы у меня в семнадцать лет был роман с мужчиной хорошо за тридцать, то я бы костьми легла, но не допустила, чтобы мои родители об этом узнали. Потому что они просто убили бы меня за это. То ли наша Алена такая смелая, то ли Гомер и Мадам у нас такие продвинутые...

Нет, все-таки мое предназначение — быть женщиной, а не детективом. Потому что в этом месте рассказа мне гораздо интересней стало «про любовь», чем «про страшное».

— И как родители Алены к этому отнеслись? — спросила я Анну.

— Знаете, Вероника, они, по-моему, были немножко в шоке. Игорь им очень не понравился, но для них в тот момент было намного важнее найти вас, поэтому они сдержались и отнеслись к нему просто как к члену коллектива. И еще, знаете... — Анна тихонько засмеялась, — ваша хозяйка, Наташа, она такая... слов не подберу, чтобы объяснить...

— Глуповата? — пусть болезнь оправдает мою прямолинейность.

— Не знаю... Короче, она решила, что наш Костик гораздо больше подходит вашей Аленке, чем Игорь, и... в общем, она этого не скрывала, а Игорь ужасно злился, потому что намерения Наташи были так очевидны... Алена этого, кажется, не замечала, а Костик только хихикал. Я ведь вам говорила, у него есть девушка, очень хорошая, о женитьбе ему, конечно, думать еще рано, но все равно, зачем ему Алена? У него есть Милочка. А вот нашему Вадику ваша Аленка очень понравилась, но он понимал, что с Игорем соперничать не может, и переживал. Он, конечно, ничего мне не говорил, но я же мать, я вижу.

Дальше опять пошел рассказ «про страшное», про то, как совещались все собравшиеся, обсуждая историю Вадика Фадеева и Виктора Валентиновича Кулижникова, как куда-то звонили Никотин и Севочка Огородников, а Алеша ездил по разным местам и что-то узнавал, как потом Гомер, муж Анны, Севочка и Игорь, каждый на своей машине, ездили за город в разных направлениях и по разным адресам и докладывали о результатах двум руководителям «штаба» — Николаю Григорьевичу и Никотину. И как поздно ночью, вызвав знакомых омоновцев, поехали меня освобождать. Анну с собой, естественно, не взяли, поэтому о деталях боевой операции она ничего рассказать не смогла. Только то, что Игорь погиб, рванувшись вперед и не слушая команд руководившего захватом омоновца.

«Про страшное» кончилось, началось «про хорошее», то есть про спасение. Для всех пострадавших вызвали «Скорую», но поскольку реально пострадали только мои похитители, то их и увезли куда бог послал, кого в дежурные больницы, кого в милицию. В стане «наших» была одна потеря — Игорь, но ему больница, к сожалению, уже не понадобилась. А меня отвезли туда, где работает сын Никотина, это была инициатива Назара Захаровича, который, оказывается, заранее предупредил Юрия, что может понадобиться хирургическая помощь для хороших людей, и Юрий добросовестно сидел в больнице и ждал, пригласив на всякий случай всех хирургов. Больница платная, дорогая, но очень хорошая, и врачи здесь опытные и знающие, и персонал вышколенный, и условия замечательные, и палаты только одноместные, в каждой — свой санузел, телевизор, холодильник и кондиционер, и даже пепельница для курящих.

Как только меня привезли сюда, вся команда «поисковиков» подтянулась в больницу и ждала, пока не закончится операция и я не проснусь после наркоза. Теперь, когда уже понятно, что все хорошо, что операция прошла успешно и я ее отлично перенесла, народ подуспокоился, некоторые даже уехали домой поспать, а остальные, самые стойкие, сидят в холле и отказываются уходить, пока им не дадут возможности увидеть меня бодрствующей и внятно разговаривающей.

Я отказывалась это понимать и в это верить. Для меня это было запредельно. Как могло получиться, что вокруг меня, такой одинокой и никому не нужной, затерянной в огромном мегаполисе, есть, оказывается, люди, которым не безразлично, где я и что со мной? Может, я все еще сплю и все это мне снится? Или я брежу?

— А кто там, в холле? — осторожно спросила я.

— Аленка сидит, Наташа, наш Вадик. Назар Захарович тоже здесь, но он у Юры в кабинете. Говорит, что вот хоть случай представился с сыном подольше пообщаться, а то они оба такие занятые, что редко видятся. А ваш дедушка в соседней палате.

— Какой дедушка? Николай Григорьевич?!

— Ну да.

— Что с ним?! — перепугалась я. — Сердце? Язва?

— Да ничего страшного, не волнуйтесь вы, — засмеялась Анна. — Он сам вызвался полежать тут с вами, чтобы вам не скучно было. Юра сказал, что лежать вам долго, как минимум месяц, а то и два, тогда Наташа стала беспокоиться, кто же будет с дедушкой сидеть, пока вы болеете, потому что другую сиделку нанимать они не хотят, в общем, там целое дело... И вот Николай Григорьевич сам подал идею лечь сюда, и врачи под рукой, и к вам поближе. Он сказал, мол, вы столько для него сделали за то время, пока работали, что ему не грех и долг вам отдать.

— Что, прямо так и сказал? — не поверила я, чувствуя, как из глаз потекли слезы, а губы свело предательской судорогой.

— Так и сказал. Он еще сказал, что будет сам приносить вам чай с булочками... нет, с плюшками. Да, точно, чай с плюшками. И взял с собой несколько книжек, своих любимых, собирается вам читать вслух. Почему вы плачете? Я что-то не то сказала? — забеспокоилась Анна.

Я помотала головой.

— Нет, — выдавила я сквозь слезы, — все в порядке. Это я от радости... Растрогалась. Надо же... Николай Григорьевич... Не ожидала.

— А вы любите чай с плюшками? — Анна, спасибо ей, постаралась меня отвлечь. — Хотите, я буду вам печь каждый день свежие плюшки? Я хорошо пеку, честное слово, моим мужчинам нравится.

Я не люблю плюшки. Я их пекла для Сальниковых, но сама никогда не ела. Анна просто не знала и не могла знать, почему Старый Хозяин хочет приносить мне чай с булочками. А я знала. И еще я знала, что готова полюбить эти самые сладкие плюшки с корицей и есть их тоннами только за одно то, что кто-то захотел печь их для меня и приносить их мне с чаем в постель. Не я кому-то, а кто-то — мне.

— Анна, давайте перейдем на «ты», — предложила я. — И не зовите меня Вероникой, это слишком официально. Просто Никой, ладно?

— Конечно, — она улыбнулась и повторила, словно пробуя на вкус: — Ника. Ника.

Она помолчала, погладила меня по руке и встала.

— Надо позвать их... А то они сидят там и не знают, что ты уже в порядке. Пусть посмотрят на тебя и едут отдыхать, они трое суток на ногах.

— Погоди, — остановила я Анну, — у меня еще вопрос... Ты не знаешь, кто за меня платит?

— В каком смысле?

— Ну, вот за это все... За больницу, за операцию. Ты же сказала, это платное отделение. Наверное, это дорого, мне не по карману.

— Да выбрось ты из головы! — она махнула рукой. — Павел платит, и за тебя, и за дедушку. Когда Юра сказал ему, сколько это стоит, он даже глазом не моргнул, ответил, что его устраивает.

Еще одна потрясающая новость: Гомер готов платить за меня. Гомер, скупой и считающий каждую копейку... Нет, или мир действительно перевернулся за последние три дня, или я чего-то в этой жизни не понимаю.

Анна ушла, и через несколько минут в палату ввалилась развеселая компания из четырех человек во главе с одетым в красивую пижаму Николаем Григорьевичем. Лица у всех, правда, были осунувшиеся и почерневшие, на Аленку вообще страшно смотреть, не лицо, а сплошной опухший блин, однако все улыбались и старались выглядеть веселыми и бодрыми. Но так было только в первые три секунды, видно, они собрались с духом перед входом в палату тяжелобольной, но запас положительных эмоций быстро иссяк. Алена тут же начала рыдать, и мальчик Вадик оттер ее в угол, загородил от всех и принялся утешать. Похоже, у девочки затяжная истерика, судя по ее лицу, она плачет постоянно и уже очень давно. Наверное, из-за Игоря. Наталья захлопотала, осматривая палату, поднимала и опускала жалюзи, пытаясь создать оптимальную (на ее вкус) освещенность, и вслух обсуждала сама с собой, что еще сюда нужно привезти из дома. Старый Хозяин держался с достоинством и, как человек, немало поболевший в последние годы, правильно понял, что вся эта шумная суета со слезами и обсуждением бытовых вопросов мне сейчас совсем ни к чему. Я устала, мне нужно спать, и, желательно, в тишине. Николай Григорьевич присел на кресло рядом с кроватью, на котором недавно сидела Анна, и наклонился ко мне:

— Ну, как вы, Никочка? — тихонько спросил он.

— Отлично, — бодро прошептала я. — А вы как?

— Да уж получше, чем вы, — усмехнулся он. — Я сейчас всю эту банду уведу, а вы отдыхайте. Я тут рядышком, в четвертой палате, если захотите меня видеть, попросите медсестру меня позвать. Как станет скучно — зовите, не стесняйтесь, я специально книжек набрал, буду вам читать.

— Спасибо, Николай Григорьевич. Можно вас попросить подозвать Наталью Сергеевну? Хочу с ней пошептаться.

Он с готовностью поднялся с кресла и уступил место Мадам. Я жестом попросила ее наклониться ко мне.

— Что с Аленой? — я старалась, чтобы никто, кроме Натальи, меня не слышал. — Вы что-нибудь ей даете, чтобы она успокоилась? Сколько времени она плачет?

— Вторые сутки, как Игорь... — она сглотнула и запнулась, — погиб. Она и до этого плакала, с того момента, как вы домой не вернулись, а после Игоря вообще все время... А что нужно ей дать?

Господи, ну за что мне судьба послала такую бестолковую хозяйку! Видит, что девчонка исходит слезами, и не может сообразить, чего ей накапать! Как вчера на свет родилась, честное слово!

— Феназепам дайте, у Николая Григорьевича есть,

пусть рассосет две таблетки под языком. Валерьянку давайте постоянно, можно валокордин на ночь, тридцать капель, вместе с феназепамом. А еще лучше обратитесь к Юрию Назаровичу, здесь же больница, пусть ей укол сделают. Надо вывести ее из истерики чем-нибудь ударным, а потом уже поддерживать.

— Ладно, — растерянно пообещала Мадам. Можно подумать, что мысль о помощи собственной дочери ей даже в голову не приходила. — Ника, я вам привезу ночную рубашку, халат, тапочки, вкусненького чего-нибудь, ваши туалетные принадлежности... что еще? Подумайте, что еще нужно.

Думать мне не хотелось, я устала и мечтала о том, чтобы они скорей ушли, потому что мне же еще нужно поговорить с Никотином, мне нужно столько всего у него спросить, а сил осталось совсем немного.

Но до общения с Никотином дело не дошло. Сначала мне пришлось пообщаться с доктором Бычковым, а потом я снова уснула.

В очередной раз я проснулась среди ночи с ощущением, что как следует выспалась и могу вставать и идти на работу. В следующий момент вспомнила, что на работу мне не надо, и тихо обрадовалась. В палате темно, и я сперва не заметила, что в кресле кто-то сидит. Я подождала, пока глаза привыкнут к темноте, и сумела определить, что это Анна. Она спала, откинув голову на высокую спинку и едва слышно посапывая. Я улыбнулась непонятно откуда взявшемуся ощущению счастья и опять погрузилась в целебный сон.

НА СОСЕДНЕЙ УЛИЦЕ

Через несколько дней после похорон Игоря Савенкова его двоюродная сестра Вера разбирала его вещи и наводила порядок в квартире, которая спустя какое-то время должна была перейти к ней в порядке наследования. Никаких других родственников у Игоря не было, и претендовать на наследство некому.

Похоронили Игоря там же, где и мать Веры, в одну могилу с теткой положили, через год там поставят новый памятник, где будут значиться уж два имени, а пока рядом с памятником стоит скромная деревянная табличка с именем Игоря и датами жизни.

Вера очень волновалась, ведь впервые за много лет она снова оказалась в этой квартире одна. Как в детстве, как в юности... Как тогда, когда она принимала решение не показывать маме письмо Игоря из армии, в котором он писал, что, вероятно, скоро будет в Москве. Это решение далось ей нелегко, мать полностью подмяла под себя и дочь, и племянника, но, когда Игорь служил в армии, Вера была уже молодой женщиной и кое-что понимала. Во всяком случае, понимала она больше, чем тогда, когда была совсем девчонкой и покорно верила во все те байки, которыми кормила их с Игорем мать насчет премиальных, аккордных и прочих выплат. Настал момент, когда Вера осмелела настолько, чтобы делать что-то тайком от матери. Вот тогда и нашла она драгоценности, оставшиеся от погибших родителей Игоря. Пока племянник служил, мать не прятала их в тайник (там их Вера уж точно никогда не нашла бы), а держала в комнате, в шкафу, где Вера их и обнаружила. Смелости было еще не так много, чтобы открыто поговорить с матерью о том, как неприлично им двоим роскошествовать на чужие деньги, держа законного наследника в черном теле, но уже достаточно для того, чтобы начать обдумывать план, как все это прекратить.

И Вера решила скрыть от матери известие о возможном скором приезде брата. Пусть Игорь появится неожиданно, и может быть, что-нибудь всплывет, и тайна откроется. Ведь драгоценности так плохо спрятаны, почти и не спрятаны даже, их легко найти...

Но план не сработал, Игорь ничего не нашел, и все продолжалось как прежде. Вера молчала, а мать вконец распоясалась, тратила безумные деньги не только на себя, но и на своих любовников. Зато потом, когда Игорь остался в своей квартире один, Вера от души надеялась, что он нашел ценности и зажил припеваючи. Но ничего, кажется, не происходило, потому что брат молчал, ни слова о ценностях не говорил, а спрашивать Вера боялась, ведь получилось бы, что она о них знала давно. Знала, и ничего не сказала ему, и не сумела остановить мать в ее безудержной жажде нажиться на халяву. Неужели Игорь так ничего и не узнал? И ничего не нашел?

Поэтому первым делом Вера в пустой квартире погибшего брата стала искать драгоценности, оставшиеся от его родителей, или следы того, что они были найдены и реализованы. Да, ремонт здесь сделан дорогой, ничего не скажешь, и мебель хорошая, не дешевая. Но это и все. Машина у Игоря самая обыкновенная, даже не иномарка, и вещи в шкафах висят хоть и хорошего качества, но не в изобилии. Впрочем, тряпичником он никогда не был. Неужели он так ничего и не нашел и жил все эти годы на одну зарплату? Или нашел, но тратил деньги не на себя, а на своих женщин? Да, такое вполне могло быть, Игорек не был скупым и жадным, это Вера хорошо знала.

Она посмотрела на часы. Скоро придет эта девочка, Алена, которая была влюблена в Игоря. Так плакала на похоронах, бедняжка! Тогда же, на кладбище, Алена подошла к Вере и спросила, может ли она взять какую-нибудь вещь Игоря на память, и Вера ответила, что, конечно, пусть берет, и договорилась с ней встретиться здесь, у брата на квартире.

Вера знала, где находится тайник, мать сказала ей перед смертью. Нужно проверить, чтобы не заниматься столь сомнительным делом в присутствии Алены. И только войдя в ванную, Вера сообразила, что Игорь наверняка все знал и все нашел. Ведь здесь делали ремонт! И, значит, снимали старую плитку. Она скинула туфли, встала ногами в ванну, добросовестно отсчитала седьмую плитку от угла во втором ряду сверху и осторожно подцепила ее ножом. Плитка легко отошла, она держалась на магнитных присосках. Все понятно, Игорь обнаружил тайник и решил его сохранить, только прикрывающая его плитка теперь другая. Вера просунула руку и достала увесистый велюровый мешочек. Вылезла из ванны, обулась, прошла в комнату, высыпала содержимое мешочка на стол. В тот единственный раз, когда она нашла и рассматривала драгоценности родителей Игоря, их было куда больше. Намного больше. Интересно, это мать все растратила или Игорь тоже, когда обнаружил? Наверное, все-таки мать, во всяком случае, если Игорь и тратил, то немного.

Звонок. Девочка пришла. Вера поколебалась несколько секунд и решила ничего не убирать со стола. Пусть все лежит как лежит, и пусть девочка все видит. Как будет, так и будет.

— Проходи, — она пропустила Алену в комнату. — Ты здесь раньше бывала?

— Да, конечно.

— Ты хочешь какую-то конкретную вещь, которую ты здесь видела?

— Да нет, — девочка пожала плечами. — Я просто хотела, чтобы осталось что-то на память... Может быть, рисунок... Или его любимая чашка. Я не знаю. Отдайте, что вам не жалко.

— Хочешь что-нибудь из этого? — Вера подвела ее к столу и показала рассыпанные по полированной поверхности сверкающие украшения. — Кольцо, серьги, брошку, колье. Выбирай.

— Нет, что вы, это мне не нужно.

— Почему?

— Ну, это же не Игоря... Он ведь этого не носил, правда?

— Правда, — согласилась Вера. — Это принадлежало его родителям, они погибли, когда Игорек был совсем маленьким.

— Да, я знаю, — кивнула девочка, — его ваша мама воспитывала, он рассказывал. Можно я посмотрю рисунки?

— Да ради бога!

Алена знала, где находится папка с рисунками, быстро нашла ее, раскрыла и стала перебирать листы плотной бумаги. И внезапно разрыдалась, сгорбившись и закрыв лицо руками. Вера не стала ее успокаивать, пусть поплачет, никакие слова теперь не помогут. Все-таки странно, что Игорь мог увлечься такой молоденькой девочкой, ведь она только-только школу закончила. Что он в ней нашел? Зачем она ему? Игорь всегда был таким серьезным, целеустремленным, никогда бы Вера не подумала, что ему может быть хорошо с юной глупышкой. Такая разница в возрасте... Нам всегда кажется, что мы знаем о своих близких все до самого донышка, а наступает момент, и мы понимаем, что не знали о них на самом деле ничего. Ни их вкусов, ни привычек, ни их мыслей и желаний — ничего.

Девочка наконец успокоилась, выбрала из папки один рисунок.

— Я возьму вот этот, можно?

— Конечно, бери. Если хочешь, можешь все рисунки забрать.

— Нет, все не нужно, только вот этот.

— Да мне не жалко! — улыбнулась Вера, думая, что девочка просто стесняется. — Бери, если хочешь.

Но Алена упрямо закрыла пластиковую папку, отложив в сторону один рисунок, щелкнула кнопкой и положила папку на место.

— Вера Константиновна...

— Да? Ты хочешь взять что-то еще?

Девочка мялась, отводила глаза в сторону. Потом подошла к столу и посмотрела на играющие под солнечными лучами камни.

— Вы сказали...

— Да. Ты хочешь взять себе что-то из этого? Бери, — равнодушно ответила Вера.

Она внезапно поймала себя на мысли, что хочет, чтобы Алена попросила все. Все вот это. Все эти цацки. Она с радостью их отдаст и забудет о них навсегда. И не придется ей потом решать самой для себя всякие неприятные этические проблемы о том, что с этим делать и можно ли это использовать к собственной выгоде.

— Нет, я не для себя... Я хотела спросить... Как вы думаете, Вера Константиновна, если я подарю вот это кольцо Нике? Игорь не обиделся бы? Как вы считаете?

— Нике? А кто это?

— Наша домработница. Когда ее освобождали, Игорь...

— Да-да, — поспешно ответила Вера, боясь, что девочка снова расплачется. — Подари, конечно. Они были знакомы?

— Нет, он никогда ее не видел. И она его тоже. Но просто... понимаете...

Алена разволновалась, лицо пошло красными пятнами.

— Понимаете, я хочу, чтобы у нее тоже осталась память о нем, все-таки он хотел ее спасти, помогал, поддерживал меня... нас всех. Пока ее искали, я рассказывала Игорю про нее, и он тогда сказал, что, когда мы ее найдем и освободим, он обязательно подарит ей кольцо с большим бриллиантом. Он сказал, что у него есть такое кольцо и он ей подарит. Наверное, вот это, — Алена взяла со стола кольцо с действительно крупным бриллиантом, не меньше двух карат. — Или это не бриллиант? Как вы думаете? Я ведь не разбираюсь.

Несмотря на горе от потери брата, Вере стало интересно. Надо же, какой Игорёк, оказывается, щедрый! Не просто «не жадный», а именно щедрый. Готов подарить одну из самых дорогих вещей женщине, которую ни разу в жизни не видел. Чьей-то домработнице. Что же в этой женщине такого необыкновенного? За что ей кольцо с бриллиантом дарить?

— Я не возражаю, — мягко сказала Вера, — ты можешь взять любое украшение из этих, даже несколько. Если ты считаешь, что Игорь это одобрил бы, можешь взять все.

— Нет, что вы, мне только кольцо... вот это, да? Игорь его имел в виду?

— Я не знаю, Алена, он мне ничего не говорил. Но это действительно бриллиант, и очень хороший. Возьми и подари, кому он хотел. А ты не знаешь, за что?

— Ой, Вера Константиновна... — Алена тяжело и совсем по-взрослому вздохнула. — Это из-за меня. Понимаете, когда бабушка умерла, мы все стали постоянно ссориться.

— Ссориться? Из-за чего?

— Ну, в общем, кому за хлебом идти, кому с дедом сидеть, кому с собакой гулять, кому цветы поливать... При бабушке все было расписано, как в казарме, шаг-вправо-шаг-влево-считается-побег, ни у кого никакой собственной жизни не было, все по струнке ходили, но зато в доме всегда был порядок. А когда она умерла, мы с этой струнки соскочили и разбежались в разные стороны, кто куда, по дому никто ничего делать не хотел, ни мама с папой, ни мы с Дениской, все на волю рвались. А делать-то надо, а никто не хочет. Ой, Вера Константиновна, как мы ссорились! Это вам не передать! Такой крик стоял в доме! Неделями друг с другом не разговаривали. Мне даже после школы домой идти не хотелось, потому что там или дед надутый, или мама злая, или отец орать будет. И мама с папой решили взять домработницу, чтобы она все делала.

Алена замолчала, и Вера ждала продолжения, потому что пока не было, на ее взгляд, ничего такого, за что этой домработнице нужно было дарить такое дорогое кольцо.

— И что дальше? — спросила она.

— Ну, дома сразу стало хорошо, все перестали ссориться, тишь да гладь, все друг друга любят. И домой идешь с удовольствием, никто не дуется, никто не злится, никто ничего делать не заставляет. И пирогами пахнет, вкусно так... Ну и вот, а Ника — она очень красивая, и я все время боялась, что вдруг она познакомится с каким-нибудь мужчиной, выйдет за него замуж и уйдет от нас. И снова все начнется, весь этот кошмар.

— Ну-ну? — подбодрила ее Вера, чувствуя, что главное еще не сказано, но вот-вот будет произнесено.

— Ну вот, а у нас дедушка очень больной, его нельзя одного оставлять, и еще животные, кошка, кот и собака, они тоже безобразничают, когда остаются без присмотра. И я Нику из дома лишний раз не отпускала, понимаете?

— Не понимаю, — призналась Вера. — Как это ты можешь не отпустить взрослую женщину? Ты что, хозяйка дома? Ты ее нанимала и платила ей зарплату?

— Да нет же! Ну вот, например, она хочет пойти погулять, или там в магазин, или в химчистку. А я дома. Она спрашивает: мол, Алена, ты побудешь дома в течение двух часов? А я говорю: «Нет, мне сейчас должны позвонить, и я уйду». И Ника остается караулить деда и животных, пока кто-нибудь еще не придет.

— То есть на самом деле тебе никто звонить не должен был и ты никуда не собиралась? — в изумлении спросила Вера. Ну и коварство у этой соплячки!

— В том-то и дело. Я просто не хотела, чтобы она уходила. Я боялась, что вдруг она на свидание пойдет... А однажды я специально купила конфеты и накормила Аргона, это наша собака. Ему сладкое нельзя, у него аллергия, а я накормила тайком, а потом на Нику свалила, будто бы она недоглядела, ушла из дома, а собака конфет наелась. Представляете? В общем, глупо, конечно, и вела я себя как последняя дрянь. И маму накручивала, чтобы она Нику надолго из дома не отпускала. А когда все случилось, ну, похищение это, я подумала, что если бы я не вредничала, то, может, она бы нашла какого-нибудь мужчину, и все вообще сложилось бы по-другому, понимаете? То есть я чувствовала себя ужасно виноватой и рассказала обо всем Игорю. А он сказал, что я действительно вела себя некрасиво и даже подло, но вину надо как-то искупать. И предложил подарить ей кольцо.

Ах, Игорек, Игорек... Вера не знала, что будет с остальными драгоценностями из неправедно нажитого наследства его родителей, но ей было приятно, что хотя бы одна вещь уйдет к хорошему человеку.

НИКА

Лето заканчивалось. Еще одно лето, которое я прожила, так и не увидев моря. Не повалявшись на раскаленном песке. Не отдохнув.

Зато с меня сняли гипс, и я уже была настолько здорова, что через три дня меня обещали выписать. За месяц, проведенный в больнице, я съела, наверное, тонну испеченных Анной плюшек, усилиями Николая Григорьевича ознакомилась с творчеством Артуро Переса-Реверте, поправилась благодаря малоподвижному образу жизни на три килограмма и получила странный подарок — кольцо с бриллиантом. Его принесла Алена с невнятными объяснениями насчет того, что так хотел Игорь, и пусть у меня останется память о человеке, который меня спасал. Правда, в моем сознании память о том, кто меня спасал, слабо увязывалась с вычурным, безвкусным и безумно дорогим кольцом, но с покойниками не спорят. Если Игорь так хотел, пусть так и будет. Я не стала оставлять кольцо у себя, глупо как-то лежать на больничной койке в ночной сорочке и с бриллиантовым кольцом на руке, и попросила Алену отнести подарок домой, пусть дождется моего возвращения. Вообще после гибели Игоря Алена стала мягче, добрее и, кажется, даже умнее.

Старый Хозяин ухаживал за мной в лучших традициях мелодраматического жанра, превратив чай с плюшками в обязательный утренний ритуал. Пока я не могла самостоятельно сидеть, кормил меня с ложечки, не доверяя медсестрам, и часами читал вслух. Однажды, когда ему показалось, что я уже достаточно окрепла для серьезного разговора, Николай Григорьевич признался, что делал обыск в моей комнате и читал мою электронную почту. Как будто я этого не знала! Мне Анна рассказывала об этом сразу после операции: и о взломе почтового ящика, и о том, что были найдены документы, свидетельствующие о моих деловых контактах с агентством Севочки Огородникова, и сердце у меня еще тогда затрепыхалось в испуге перед неминуемым объяснением. Но никто ничего не спрашивал. И я, честно признаться, начала уже надеяться, что как-то все и рассосется. Ан нет, не рассосалось.

— Ника, вы собирались продавать свои вещи, одежду. Почему?

— Деньги нужны, вы же сами понимаете, — как можно беззаботнее ответила я.

— Когда женщина продает свои наряды, это свидетельство катастрофы, а не того, что ей просто нужны деньги. Кого вы пытаетесь обмануть, Ника?

Да, действительно, кого это я пытаюсь обмануть? Старого чекиста, раскрывшего в своей жизни не одну тысячу обманов? Наивная самонадеянная дурочка!

— Николай Григорьевич, не вынуждайте меня говорить неправду. Правду я вам сказать все равно не могу, а откровенно врать не хочется. Могут у меня быть свои маленькие женские секреты? — слукавила я.

— Могут, — согласно кивнул он. — Вам нужно было расплатиться с Огородниковым?

Так, и Севочку сюда приплел. Впрочем, он прав, деньги нужны были именно для этого.

— Да.

— Но вещи вы не продали, значит, вам хватило, — сделал он вывод. — Вы простите, но я заглянул в ваш шкаф и сверился с описанием тех вещей, которые вы предлагали на продажу. Все на месте. Никочка, какие у вас дела с Огородниковым? Я у него спрашивал, но он не сказал, сослался на тайну клиента. Может быть, вы мне скажете? Вы можете не говорить, это ваше право, но тогда я начну сомневаться в вашей искренности. А ведь нам с вами еще долго жить вместе, бог даст, в ближайшее время не помру.

Я поразмышляла несколько секунд и поняла, что Старый Хозяин довольно элегантно загнал меня в угол. Как-то и в самом деле нехорошо получается, когда у человека, живущего с тобой под одной крышей, появляются от тебя тайны, да еще связанные с частным детективным агентством.

Но как же поступить? Столько сил, нервов и денег было потрачено на то, чтобы уберечь Старого Хозяина, и что теперь? Все псу под хвост? Он занервничает, расстроится, выдаст приступ... Или я что-то не так оцениваю? Ведь смог же он остаться в хорошем состоянии, когда меня похитили, даже ясности ума не утратил и руководил процессом моего поиска. Но, возможно, дело в том, что я для Старого Хозяина все-таки «чужая» и мое исчезновение для него — не повод сходить с ума, а Наташенька — «своя», не говоря уж о Павлушеньке, которому она изменяла.

Так что же мне делать? Врать — противно, а кроме того, опасно, потому что можно попасться: Николай Григорьевич вовсе не так доверчив, как я о нем думала. Сказать правду — страшно, потому как опять же опасно, а вдруг моя правдивость слишком дорого обойдется его здоровью?

— Ника, вы не хотите меня расстраивать? — Главный Объект словно мысли мои читал. — Боитесь, что я разволнуюсь и мне станет хуже? Я вам обещаю, что ничего страшного не произойдет. Когда вы пропали, я столько всего передумал, что теперь уже все остальное кажется сущей ерундой. И когда нашел ваш договор с Огородниковым, тоже не самые приятные версии выстроил, но, как видите, пережил в полном здравии. И еще одну вещь хочу вам сказать, Ника. За последние недели я кое-что понял, во всяком случае, главное, важное могу теперь легко отличить от неглавного и неважного. Когда вы пропали, я это отличие ощутил очень явственно. И то, что еще два месяца назад действительно могло довести меня до смертельно опасного сердечного приступа, сегодня покажется мне просто ничтожным и не стоящим беспокойства. Обещаю вам, что восприму ваши слова адекватно.

И я все рассказала Николаю Григорьевичу. И взяла с него честное чекистское слово, что ни Наталья, ни Гомер никогда ничего не узнают.

— Николай Григорьевич, а как же Павел Николаевич и Наталья Сергеевна? Ведь если теперь все знают, что я обращалась к Огородникову и расплачивалась с ним за услуги, то я должна буду как-то это объяснить. Вам я рассказала правду, а им что сказать?

— Это не ваша забота, я сам придумаю, что им сказать. Достаточно того, что я знаю. И могу вам гарантировать, что больше ни одного вопроса об этом вам никто не задаст. — Помолчал немного и добавил: — Спасибо вам, Никочка. Вы мудрая женщина. И вы были абсолютно правы насчет Наташеньки, тяжесть благодарности оказалась бы ей не по силам.

Больше мы к этому вопросу не возвращались и проводили время в чтении, совместных чаепитиях и мирном воркновании.

И конечно, все это время меня периодически навещал Никотин.

— Детка, благодаря тебе я хоть сына чаще вижу, — повторял он. — Когда бы я еще встречался с ним два-три раза в неделю? А так у меня есть мощный стимул.

Я не самая глупая женщина на этом свете, но иногда выказываю такие явные признаки отсутствия остроты ума, что потом только диву даюсь. Ведь еще во время самой первой моей встречи с Никотином я обратила внимание на то, что он не болтлив, то есть общается он с удовольствием, но никогда не говорит ничего лишнего. Не в том смысле, что он умеет хранить чужие и свои секреты, хотя этого, конечно, у него не отнять, а в том, что он не произносит слов зря. За каждым его словом, за каждой фразой стоит определенный смысл и вполне конкретное намерение довести определенную информацию до слушателя. А я эту информацию то и дело мимо ушей пропускала.

Но к этому я еще вернусь. Когда я оклемалась настолько, что могла осмысленно воспринимать информацию, он кратко поведал мне всю эпопею с моим освобождением, но в детали входить отказался категорически, сославшись на то, что это маленькие профессиональные тайны, знать которые мне не обязательно. Я не настаивала, все-таки я женщина, и мне куда интереснее слушать и читать «про любовь» и «про хорошее», чем «про страшное». Итогом же всей этой эпопеи было уголовное дело по факту мошенничества, совершенного с помощью компьютерной техники. По делу проходит наш сосед Кулижников и некий Дмитрий Дмитриевич, у которого по паспорту оказалось совсем другое имя, но я его не запомнила. Да и зачем оно мне? По ходу дела заодно зацепили и приемную комиссию института, куда пытался поступить Вадик Фадеев, и возбудили еще одно уголовное дело, на сей раз о взяточничестве.

Был вопрос, который меня мучил, но я долго стеснялась его задать. Наконец набралась смелости и спросила:

— Дядя Назар, а кто платил омоновцам, которые поехали меня спасать? Вы ведь, помнится, говорили, что бесплатно никто сегодня ничего не делает. И если нет уголовного дела или приказа начальника, то за работу надо платить. Так кто?

— Все тебе расскажи, — хмыкнул он. — Не перебьешься?

— Не перебьюсь, — твердо ответила я. — Я должна понимать, кого благодарить за свое спасение.

— Да толку-то с твоей благодарности! — задребезжал Никотин. — Ты мне и Севке Огородникову вон уж сколько времени плов обещаешь, и все никак. Ну скажу я тебе, кто денег дал ребятам заплатить, и что ты с этим делать будешь? Целую очередь на свой плов выстроишь?

— Я просто буду каждый день благодарить этого человека и думать, как хорошо, что он есть на свете. И желать ему здоровья и благополучия. А если представится возможность, то сделаю для него что-нибудь приятное или полезное. Не томите, дядя Назар. Кто дал денег?

— Ладно, детка, повезло тебе, не будет на твой плов никакой очереди. Хозяин твой дал деньги. А ты его пловом и так раз в неделю кормишь.

— Павел Николаевич? И за ОМОН заплатил, и за больницу?

— Ну да. Что, не ожидала? Думала, он полный тюфяк?

— Думала, — призналась я. — Теперь вижу, что ошибалась. Ой, дядя Назар, как же часто я ошибалась в последнее время!

— Ничего, ты смотри, самую главную ошибку-то не сделай, а это все мелочи жизни, с каждым бывает.

И снова я пропустила его слова мимо ушей. А напрасно.

Сегодня, в пятницу, за три дня до выписки, Никотин, как обычно по средам, пятницам и воскресеньям, пришел навестить меня. Глаза у него хитро посверкивали.

— Детка, я придумал совершенно гениальный ход!

— Какой?

— Я только что говорил с Юркой, тебя выписывают в понедельник, но это так, для порядка, на самом деле ты уже вполне годишься для нормальной жизни. Так вот, в воскресенье устраиваем у меня дома зажатый тобой плов. Как тебе идея?

— Грандиозная! — восхитилась я. — А как мы это сделаем?

— Юрка привезет тебя на машине, продукты я куплю, ты только скажи, что нужно. Казан у меня есть, настоящий, еще от деда остался. Позовем Севку с его бухгалтершей и Алешу, мы с Юркой да ты, вот и считай, сколько продуктов нужно на шестерых.

— А... Юрий Назарович тоже будет? — на всякий случай уточнила я.

— Ну а как без него-то? — возмутился Никотин. — Он же доктор. А ты пока еще больная. А вдруг с тобой что не так?

— Я сама доктор, — брякнула я. — И я уже вполне здорова.

— Была бы ты здорова, тебя бы не выписывали на домашний режим. Юрка сказал, тебе работать в полную силу еще два месяца нельзя.

— Но не в полную-то можно, — возразила я. — Мне тяжести поднимать нельзя, это верно, а на все остальное ограничений нет.

— Так я не понял, — Никотин посмотрел на меня пристально и как-то разочарованно и даже печально, — ты что, против, что я Юрку своего на плов позвал? Не хочешь, чтобы он с нами был?

И только тут до меня дошло.

Сознание было в полной боевой готовности и тут же

услужливо подкинуло мне вырванную из воспоминаний фразу, произнесенную Никотином: «Тебе нужен такой мужчина, как я. Только лучше». Я тогда не поняла смысла этих слов, поэтому не обратила на них внимания и тут же забыла. Вот, оказывается, что он имел в виду... Своего сына. Ах, черт возьми, старый сводник! Как же он, зная меня всего несколько дней, догадался, что именно он, именно этот врач, мой ровесник с глазами победителя, должен стать моим мужчиной? И ведь не ошибся старый хитрый опер Никотин. Не знаю, бывает ли любовь с первого взгляда, у меня никогда не было, но мгновенное распознавание объекта, сопровождающееся уколом где-то в области сердца, бывает. И оно у меня произошло, это самое распознавание, когда я еще только от наркоза отходила. Вот только непонятно, что по этому поводу думает сам доктор Бычков Юрий Назарович. Я всегда радовалась, когда он заходил в мою палату, мне хотелось выглядеть получше, и я с новой остротой начала ощущать свою неухоженность, плохую стрижку, отсутствие маникюра и дешевое белье. Он заходил каждый день по нескольку раз, и иногда мне казалось, что он сидит у меня чуть дольше, чем положено сидеть у обычного рядового больного.

А вечером, перед уходом домой, он заходил ко мне якобы попрощаться, под каким-то предлогом опускался в кресло, и мы трепались, наверное, по часу. В те же дни, когда он дежурил, мы проводили вместе практически целые вечера. Но я, будучи человеком, несклонным к излишнему романтизму, объясняла это себе тем, что я не обычная больная, а хорошая знакомая папеньки доктора Бычкова, то есть почти что родственница, и, кроме того, я врач, то есть вроде как коллега.

Сама с собой я не лукавила, я точно знала, что Юрий Назарович мне нравится, но дальше этого знания дело не заходило. Юрий Назарович о своих симпатиях мне не говорил, со мной не заигрывал и не флиртовал. Я даже не очень понимала, каково его матримониальное положение. Никотин сказал, что Юрий давно в разводе, но я отдаю себе отчет в том, что разведенные мужчины одинокими не бывают, у них всегда кто-нибудь есть.

И эта фраза Никотина, на которую я не обратила внимания своевременно: дескать, у него есть стимул приезжать в больницу. Какой стимул? Ясно какой: контролировать процесс моего сближения с сыном, быть в курсе событий, держать руку на пульсе. Ну, старый сводник! А еще одна его фразочка, которая тоже дорогого стоит: мол, не сделай, Ника, самую большую ошибку в своей жизни. Иными словами, не упусти своего счастья.

— Дядя Назар, — со свойственным мне нахальством спросила я, — вы что, меня за своего сына сватаете?

— А ты против? — тут же откликнулся он.

— Да нет, я не против, но хорошо бы все-таки у него самого спросить. Может, у него есть женщина, которую он любит, а вы тут какие-то планы строите.

— Может, и есть, нынешние сыновья отцам-то не больно докладываются. Но только я тебе так скажу, детка: счастье куется собственными руками, а не чужими. Я хочу, чтобы ты стала моей невесткой. Тебе это понятно?

— Понятно. А ваш сын чего хочет?

— Откуда я знаю, чего этот оболтус хочет? Я знаю одно: тебе нужен такой парень, как мой Юрка. А Юрке нужна такая жена, как ты. И ты должна его в себя влюбить. Любыми средствами, любыми способами, любыми путями. Если какая помощь нужна — только скажи, все сделаю. Но цель я перед тобой поставил.

— Дядя Назар, ну кого я могу в себя влюбить, вы сами подумайте! — взмолилась я. — Посмотрите на меня! Я что, Лоллобриджида или, может, Синди Кроуфорд? Нищая, бездомная, без приличных документов, работаю прислугой. Вы в своем уме? Да и вообще, я привыкла, что мужчины в меня сами влюбляются. Влюблять в себя я не умею и не буду. Это знаете как называется?

— Ну и как?

— Заарканивать. Мужчины потом это очень хорошо понимают и этого не прощают.

— Ничего не знаю. — Он решительно двинулся к двери. — Глупости какие-то говоришь. Я тебе задачу поставил, думай, как ее выполнять.

И ушел. Вот тебе и Никотин! Такого я от него не ожидала.

Настроение у меня испортилось, я даже всплакнула.

Вечером, перед уходом, как обычно, зашел Юрий.

— Отец сказал, что вы согласились в воскресенье угостить нас пловом. Это правда?

— Правда, — понуро подтвердила я.

— Вы достаточно хорошо себя чувствуете? Слабости нет?

— Да нет, я вполне справлюсь.

— Ника, а вы... вы не согласились бы мне помочь?

— Вам? Помочь? Господи, да о чем речь! Конечно! А что нужно?

— Видите ли, я недавно закончил ремонт в своей квартире, теперь надо кое-что купить, а я один не могу, у меня воображения не хватает. Шторы выбрать, скатерти там всякие, в общем, такое, для чего женский глаз нужен. Я совершенно не умею это выбирать и покупать. Мы бы с вами завтра подъехали на машине в магазин, и вы бы мне помогли, а?

Я слушала его, раскрыв рот и растопырив глаза. Ему нужен женский глаз! Значит ли это, что на сегодняшни день с ним рядом нет женщины? А вдруг это означает, что ему нужен не любой женский глаз, а именно мой? А вдруг я ему нравлюсь так же сильно, как он мне?

— Конечно, Юра, я поеду с вами. Скажите, а занавеска для ванной у вас уже есть?

— Нет, ее тоже нужно выбрать. Знаете, я уже присмотрел одну, она мне очень понравилась, но я не понимаю, подойдет она к моей ванной или нет. Такая, знаете, бирюзовая, а на ней рыбки красненькие и зеленые водоросли. Как вы считаете, это не очень аляписто? Не безвкусно?

— Нет, — уверенно ответила я. — Я знаю эту занавеску. Это самая лучшая занавеска на свете.

Я еще успела подумать, что это не могло быть происками хитрого опера Никотина, потому что про мою бирюзовую занавесочку я никогда ему не рассказывала. Он не мог знать о моей мечте и предупредить сына. Значит, это просто совпадение...

Больше я не успела подумать ничего, потому что совершенно неожиданно для себя начала реветь. Кажется, Юра меня гладил по голове, потом целовал, но это я уже помню не очень отчетливо...

Я никогда не думала, что можно так горько плакать и одновременно быть такой счастливой.

Март — июль 2003 г.

ОГЛАВЛЕНИЕ